La publication de cet ouvrage a été préparée avec le concours de l'Institut des « Sources Chrétiennes » (U.A. 993 du Centre National de la Recherche Scientifique)

IMPRIMATUR

Lyon, le 16 mai 1988
J. ALBERTI, p.s.s.
Cens. dep.

© *Les Éditions du Cerf,* 1988
ISBN : 2-204-03050-3
ISSN : 0750-1978

COMMENTAIRE SUR JOB

SOURCES CHRÉTIENNES

N° 348

JEAN CHRYSOSTOME

COMMENTAIRE SUR JOB

TOME II
(Chapitres XV-XLII)

TEXTE CRITIQUE, TRADUCTION, NOTES ET INDEX

PAR

Henri SORLIN

AVEC LA COLLABORATION DE

Louis NEYRAND, s.j.

*Ouvrage publié avec le concours
du Centre National de la Recherche Scientifique*

LES ÉDITIONS DU CERF, 29, Bd de Latour-Maubourg, PARIS
1988

SIGLES ET ABRÉVIATIONS

Références

Les références au texte de Job se présentent tout entières en chiffres arabes. Ex. : *Job* 33, 12.

Les références au Commentaire de Chrysostome sont données au chapitre (en chiffres romains), au numéro du paragraphe et à la ligne. Ex. : II, **10**, 13 = chapitre II, § 10, ligne 13.

Ainsi : 15, 7 est une référence au texte du *Livre de Job;* XV, **7** une référence au Commentaire de Chrysostome.

Il est important de remarquer que si les chapitres coïncident (XV commente *Job* 15), le n° des paragraphes ne correspond pas toujours au n° des versets. Ainsi, par exemple, I, **22** commente *Job* 1, 20; XV, **4** commente *Job* 15, 17-23, etc.

Abréviations

a.i.	=	ab imo.
des.	=	desinit.
DB	=	Dictionnaire de la Bible, Paris.
DSp	=	Dictionnaire de Spiritualité, Paris.
DTC	=	Dictionnaire de Théologie Catholique, Paris.
inc.	=	incipit.
K.L.	=	Karo G. et Lietzmann J., cf. Bibliographie p. 72.
l.c.	=	loco citato.
op. cit.	=	opere citato.
PG	=	Patrologia graeca, J.P. Migne, Paris.
RHE	=	Revue d'histoire ecclésiastique, Louvain.
RSR	=	Recherches de science religieuse, Paris.
SC	=	Sources Chrétiennes, Paris.
SDB	=	Supplément au Dictionnaire de la Bible, Paris.
SP	=	Studia Patristica.
TU	=	Texte und Untersuchungen zur Geschichte der Altchristlichen Literatur, Leipzig.

L'apparat

On trouvera sous le texte de Chrysostome un double apparat :
- l'apparat critique des trois mss de base LMp,
- l'apparat de la présence du texte dans les chaînes.

Sigles des manuscrits

M = *Mosquensis 55* (Xe s.)
L = *Laurentianus gr. 13* (X^e/XIe s.)
p = *Vaticanus gr. Pii II 1* (XIe s.)
a = *Athous Vatopedinus 590* (XIIe s.)
b = *Patmiacus 171* (VIIIe s.)
c = *Vaticanus gr. 749* (VIIIe/IXe s.)
y = *Vaticanus palatinus gr. 230* (X^e/XIe s.)
z = *Ambrosianus B 117 sup.* (XIIIe s.)

Sigles de l'apparat de la présence des chaînes

a b c : mss de la première chaîne (cf. Introd. p. 15).

y z :   mss de la deuxième chaîne (cf. Introd. p. 16).

a :   le texte se trouve dans le ms. a, mais très légèrement modifié.

(a) :   le texte se trouve dans le ms. a, mais profondément remanié.

a, z : le texte se trouve dans a et z, mais la virgule indique que les modifications ne sont pas les mêmes dans les deux mss.

> :   un passage est omis.

tr. :   un passage est transposé.

N.B. Les leçons de L, M et p sont toujours données. Les chaînes ont été entièrement collationnées, mais leurs leçons ne sont relevées dans l'apparat que dans les cas où leur témoignage unanime permet soit de trancher entre LM et p soit de retrouver un état ancien ou intéressant du texte.

Il arrive que p mette sous le nom de Chrysostome des textes que nous ne retrouvons pas dans LM. Lorsqu'ils sont placés aussi sous son nom par la 2e chaîne, nous renvoyons à Migne (*PG* 64) qui a recueilli ces extraits. Lorsque la 2e chaîne les attribue à d'autres auteurs, nous renvoyons à *Young : Catena graecorum Patrum in Beatum Job, Londini 1637*.

Symboles et conventions

+ = addidit, addiderunt
> = omisit, omiserunt
~ = mutato ordine scripsit, scripserunt

Dans le texte les crochets aigus < > encadrent un texte qui a été déplacé et les crochets droits [...] marquent l'endroit où il se trouvait dans les mss (cf. *Introd.*, p. 45-47, n. 1).

XV

1. Ὑπολαβὼν δὲ Ἐλιφὰζ ὁ Θαιμανίτης λέγει · Τίνα
ἄρα σοφὸς ἀπόκρισιν δώσει συνέσεως πνεύματος;
Ἐμπλήσει δὲ πόνον γαστρός, ἐλέγχων ἐν ῥήμασι
κενοῖς, ἐν λόγοις οἷς οὐδὲν ὄφελος[a]; Τὸ πάντων δεινό-
5 τατον τοῦτ᾽ ἔστιν, ὅτι ἐν προσχήματι λόγων εὐσεβῶν καὶ
τάξει παραμυθίας ὥπλισεν αὐτοὺς ὁ διάβολος τιτρώσκειν
αὐτόν · καὶ ὅρα πῶς καταφορικῶς κέχρηνται τῷ λόγῳ, εἰς
ἄνοιαν αὐτὸν σκώπτοντες. Ἐπειδὴ γὰρ εἶπεν ὅτι «Καὶ ἐμοὶ
καρδία ἐστίν», καὶ «οὐ μεθ᾽ ὑμῶν τελευτήσει σοφία[b]»,
10 καὶ «ἐγὼ ἐπίσταμαι, καί γε νεώτερος ὑμῶν οὐκ εἰμὶ
ἀσυνετώτερος ὑμῶν[c]», ἀπὸ τούτων εὐθέως αὐτὸν βάλλει
τῶν ῥημάτων καί φησι · «Τίνα ἄρα σοφὸς λόγον δώσει
συνέσεως πνεύματος;» Ἰδού, φησίν, ὁ σοφὸς καὶ λέγων
πάντα εἰδέναι, οἷα ἀποκρίνεται. «Ἐνέπλησεν δέ με πόνον
15 γαστρός.» Τοῦτ᾽ ἔστιν · πρὸς παραμυθίαν αὐτῷ τὰ
ῥήματα εἴρηται καὶ πάθους γέμει · οὐδὲν ὑγιὲς ἔχει, φησίν,
ἡ δικαιολογία αὕτη. Ἀδιάκριτα πάντα, φησί, καὶ τολμηρά.
Καὶ σύ, σαυτῷ περιπαρεῖναι δυνήσῃ; Ὁρᾷς πῶς ἐστι
φιλότιμος, καὶ πρὸς τί ἵσταται. Ἐπειδὴ γὰρ εἶπεν · «Οὐ
20 μεθ᾽ ὑμῶν τελευτήσει σοφία», βούλεται ἀνατρέψαι, καὶ
δεῖξαι ὅτι οὐδὲν πλέον οἶδεν αὐτῶν.

1, 1-2 τίνα ἄρα : πότερον p ‖ 2 πνεύματος + καὶ p ‖ 3 ἐμπλήσει :
ἐμπλήσῃ Μ ἐνέπλησε p ‖ δὲ > p ‖ 4 κενοῖς ἐν λόγοις > p ‖ ὄφελος + ἐν
αὐτοῖς p ‖ Ante τὸ πάντων praep. ὅτι LM ‖ 7 καταφορικῶς : καταφρονικῶς
p ‖ 10 ὑμῶν + ὢν p ‖ 10-11 οὐκ — ὑμῶν > p ‖ 11 αὐτὸν : αὐτῶν p ‖ 12
δώσει λόγον ~ p ‖ 15 γαστρός + ἐλέγχων — ὄφελος (cf. 1, 3-4) p ‖ αὐτῷ
+ εἰ p ‖ 20 ἀνατρέψαι : ἀντιστρέψαι p

1, 8-16 : ἐπειδὴ — γέμει (> 10 ἐγὼ — ὑμῶν + 12-13 : τῶν ῥημάτων
— πνεύματος) abc, z (y def.)

a. Job 15, 1-3 ‖ b. Job 12, 3.2 ‖ c. Job 13, 2

CHAPITRE XV

SECOND DISCOURS D'ÉLIPHAZ

Que sais-tu que nous ne sachions aussi?

1. *Éliphaz de Théman prit la parole et dit : Quelle réponse (pleine) d'un souffle d'intelligence donnera donc le sage? Et rassasiera-t-il¹ la souffrance de ses entrailles, en argumentant avec des paroles vaines, des discours sans aucune utilité*[a]? Le plus terrible de tout, c'est que, sous prétexte de pieux discours et sous couleur d'encouragement, le diable les a munis d'armes pour le blesser; et remarque quelle violence ils mettent dans leurs discours, en le raillant de sa folie. Puisqu'il avait dit, en effet : «Moi aussi, j'ai un cœur, et la sagesse ne mourra pas avec vous[b]», «moi aussi, je sais, et, bien que je sois, certes, plus jeune que vous, je ne suis pas moins intelligent[c]», c'est par référence à ces paroles qu'Éliphaz aussitôt l'attaque et lui dit : «Quelle réponse (pleine) d'un souffle d'intelligence donnera donc le sage?» Voici, dit Éliphaz, la belle réponse que fait celui qui est sage et prétend tout savoir. Mais il m'a rassasié de «la souffrance de ses entrailles». C'est-à-dire : on lui a dit les paroles capables de le consoler, et pourtant il déborde de souffrance; il n'y a rien de sensé, dit-il, dans cette plaidoirie. Tout y est confus, dit-il, et impie. Et toi, pourras-tu te secourir toi-même? Vois-tu comme il est vaniteux, et contre quoi il se dresse? Puisqu'il avait dit, en effet : «La sagesse ne mourra pas avec vous», il veut renverser cette affirmation et montrer que (Job) ne sait rien de plus qu'eux.

---

1. Nous avons suivi la leçon de **L** (et de **M**) attendue après δώσει et qui est le texte de **A**; p a la leçon ἐνέπλησε, qui sera celle de **L**, **M** et **p** à la ligne 14. La cohérence entre le texte scripturaire et son commentaire est donc ici en faveur de **p**.

2. Ὅτι καὶ σύ, φησίν, ἀπεποιήσω φόβον, συνετελέσω ῥήματα τοιαῦτα ἐναντίον Κυρίου · ὅτι ἔνοχος
εἶ ῥήμασι στόματός σου, καὶ οὐ διέκρινας ῥήματα
δυναστῶν, ἐλέγξαι σε τὸ σὸν στόμα καὶ μὴ ἐγώ · τὰ
5 δὲ χείλη σου καταμαρτυρήσει σου. Τί γάρ; φησί. Μὴ
πρῶτος ἄνθρωπος ἐγεννήθης, ἢ προὔχειν ἐτάγης; Ἢ
σύνταγμα Κυρίου ἀκήκοας; Ἢ εἰς σὲ ἀφίκετο σοφία;
Τί γὰρ οἶδας, ὃ οὐκ οἴδαμεν; Ἢ τί σὺ λέγεις, ὃ οὐχὶ
καὶ ἡμεῖς; Καί γε πρεσβύτης καί γε παλαιὸς ἐν
10 ἡμῖν, βαρύτερος τοῦ πατρός σου ἡμέραις. Ὀλίγα
ὧν ἡμάρτηκας μεμαστίγωσαι · μεγάλως ὑπερβαλ-
λόντως λελάληκας[d]. Μόνον οὐχὶ λέγων · μὴ γὰρ δὴ πρὸ
πάντων αὐτὸς εἶ, ἵνα ἀπὸ τοῦ χρόνου τοῦ μακροῦ μαθῇς;
Ἢ παρὰ τοῦ Θεοῦ τι ἀκήκοας; Οὐδὲν ἡμῶν πλεονάζεις
15 κατὰ τὸ εἰδέναι. Ἐπειδὴ εἶπεν ὅτι «ἐν μακρῷ χρόνῳ σοφία
εὑρίσκεται[e].» Οὐκοῦν ἑάλως; Οὐ γὰρ δὴ σὺ μακροῦ
χρόνου εἶ, οὐδὲ πρὸ τοῦ κόσμου γέγονας · ἀλλ᾽ ἐκεῖνος
εἶπεν, ἐπειδὴ οὗτοι μέγα ἐφρόνουν.

«Ὀλίγα», φησίν, «ὧν ἡμάρτηκας μεμαστίγωσαι.»
20 Ἐπειδὴ ἐκεῖνός φησιν · «Τίνες εἰσὶν αἱ ἀνομίαι μου
δίδαξόν με[f]», οὗτος ἐξ ἄλλης ὑπερβολῆς φησιν · Οὐδὲ τὸ
πολλοστὸν μέρος ἀπέτισας.

3. Εἶτα πάλιν ἁπλῶς μάχεται. Μὴ γὰρ εἶπεν ὅτι
ἄμεμπτός εἰμι παρὰ τῷ Θεῷ; Καὶ μὴν λέγει «ὅτι τὰς

2, 1 ὅτι : οὐ p ‖ φησίν > p ‖ 1-2 συνετελέσω : συνετελέσας δὲ p ‖ 2
ἐναντίον + τοῦ p ‖ 3 καὶ οὐ : οὐ δὲ p ‖ 5 καταμαρτυρήσει : καταμαρτυρή-
σουσι p ‖ φησί > p ‖ 6 ἄνθρωπος : ἀνθρώπων p ‖ προὔχειν : πρὸ θινῶν p
‖ ἐτάγης : ἐπάγης p ‖ 7 ἢ εἰς : εἰς δὲ p ‖ 8 σὺ λέγεις : συνίεις p ‖ 11 μεγάλως
+ καὶ p ‖ 12 δὴ > p ‖ 13 μαθῇς : μαθήσῃ M ‖ 14 παρὰ : περὶ p ‖ 16
εὑρίσκεται + φησί p ‖ 17 ἐκεῖνος + τοῦτο p ‖ 22 ἀπέτισας : ἀποτίσας
ML[ac]

2, 12-16 : μόνον — ἑάλως (12 : μόνον — λέγων > z) abcz (y def.)
‖ 20-21 : ἐπειδὴ — δίδαξόν με abcz (y def.)

d. Job 15, 4-11 ‖ e. Job 12, 12 ‖ f. Job 13, 23

2. *C'est parce que, toi aussi*, dit-il, *tu as écarté la crainte loin de toi, que tu as tenu de tels propos en face du Seigneur ; parce que tu es coupable à cause des paroles de ta bouche, et que tu n'as pas discerné les paroles des puissants*[1], *que ta propre bouche te confonde, et non pas moi ; mais, ce sont tes lèvres qui témoigneront contre toi. Quoi donc ! dit-il. Es-tu par hasard le premier homme à être né, ou as-tu été établi pour avoir la prééminence ? Ou as-tu entendu une ordonnance du Seigneur ? Ou est-ce à toi que la sagesse est parvenue ? Ou que dis-tu, toi, que nous ne disions, nous aussi ? Il y a parmi nous un vieillard, et même des plus anciens, plus chargé de jours que ton père. Un petit nombre seulement de tes fautes ont reçu un châtiment : tu as parlé sur un ton hautain et excessif*[d].
C'est tout juste s'il ne dit pas : est-ce que par hasard toi-même tu existes avant tout le monde, pour avoir appris depuis les temps les plus reculés ? Ou bien as-tu appris quelque chose de la bouche de Dieu ? Tu ne nous es nullement supérieur pour le savoir. Puisqu'il avait dit qu'«il fallait bien du temps pour acquérir la sagesse[e]», n'est-il pas vrai que tu as été pris (au piège) ? Car vraiment, tu n'es pas âgé, et tu n'es pas né avant l'univers ; mais Job avait dit cela parce que ses amis s'enorgueillissaient.

«Un petit nombre seulement de tes fautes, dit-il, ont reçu leur châtiment.» Puisque Job dit : «Enseigne-moi quelles sont mes transgressions[f]», Éliphaz dit, en exagérant de son côté : Tu n'en as même pas expié la plus infime partie.

Quel est le mortel qui soit irréprochable ?

3. Puis, à nouveau, il attaque franchement. A-t-il dit, en effet : Je suis irréprochable devant Dieu ? Il dit justement

---

1. «Tu n'a pas discerné les paroles des puissants», c'est-à-dire que tu n'as pas su voir que tu adoptais le langage des orgueilleux.

ἀνομίας μου κατέγραψας^g», ὅτι τὰς ἁμαρτίας μου ἐν μνήμῃ ἔλαβες.

5 **Τί ἐτόλμησεν, φησίν, ἡ καρδία σου. Ἤ τί ὑπήνεγκαν οἱ ὀφθαλμοί σου, ὅτι θυμὸν ἔρρηξας ἔναντι Κυρίου, ἐξήγαγες δὲ ἐκ στόματος ῥήματα τοιαῦτα; Τίς γὰρ ὢν βροτὸς ἔσται ἄμεμπτος, ἢ ὡς ἐσόμενος δίκαιος γεννητὸς γυναικός, εἰ κατὰ ἁγίων οὐ πιστεύει**
10 **μέμψις, οὐρανὸς δὲ οὐ καθαρὸς ἐναντίον αὐτοῦ, ἄστρα δὲ οὐκ ἄμεμπτα**^h; Εἶτά φησιν· **Ἔα δὲ ἐβδελυγμένος καὶ ἀκάθαρτος ἀνὴρ πίνων ἀδικίας ἴσα ποτῷ**ⁱ. Ὁρᾷς πῶς αὐτὸν ἔπληττεν, πῶς κατὰ φύσιν δείκνυσι τὴν κακίαν οὖσαν.

4. **Ἀναγγελῶ οὖν σοι** — σὺ δὲ ἄκουέ μου — **ἃ δὴ ἑώρακα· ἀναγγελῶ σοι ἃ σοφοὶ ἀναγγελοῦσι, καὶ οὐκ ἔκρυψαν πατέρες αὐτῶν· αὐτοῖς μόνοις ἐδόθη ἡ γῆ, καὶ οὐκ ἐπῆλθεν ἀλλογενὴς ἐπ᾽ αὐτούς. Πᾶς**
5 **ὁ βίος ἀσεβῶν ἐν φροντίδι, ἔτη δὲ ἀριθμητὰ δεδομένα δυνάστῃ, ὁ δὲ φόβος αὐτοῦ ἐν ὠσὶν αὐτοῦ. Ὅταν δοκῇ ἤδη εἰρηνεῦσαι, τότε ἥξει ἡ καταστροφὴ αὐτοῦ. Μὴ πιστευέτω ἀποστραφῆναι ἀπὸ σκότους· ἐντέταλται γὰρ ἤδη εἰς χεῖρας σιδήρου· καταπίπτει δὲ**
10 **εἰς ἐξάλειψιν, καὶ κατατέτακται εἰς σῖτα γυψίν· οἶδεν δὲ ἐν ἑαυτῷ ὅτι μένει εἰς πτῶμα**^j.
Ἐπειδὴ εἶπεν· «**Ἐν μακρῷ χρόνῳ σοφία εὑρίσκεται**^k»,

3, 3 ὅτι : ἢ ὅτι p ‖ 5 φησίν > p ‖ 7 ῥήματα : ῥήματος p ‖ 10 μέμψις LM (A) > p ‖ οὐρανὸς : ὁ οὐρανὸς p ‖ 10-11 ἄστρα — φησιν > p ‖ 12 ἴσα ποτῷ ἀδικίας ∼ p ‖ 12-14 ὁρᾷς — οὖσαν > p
4, 1 οὖν > p ‖ 2 ἀναγγελοῦσι : ἐροῦσιν p ‖ 5 ἀσεβῶν : ἀσεβοῦς p ‖ 6 ὁ δὲ — αὐτοῦ² > p ‖ 7 εἰρηνεῦσαι : εἰρηνεύειν p ‖ τότε > p ‖ ἡ καταστροφὴ αὐτου ἥξει ∼ p

g. Job 13, 26 ‖ h. Job 15, 12-15 ‖ i. Job 15, 16 ‖ j. Job 15, 17-23 ‖ k. Job 12, 12

1. L et M, s'appuyant sur la leçon de A, donnent ici μέμψις comme sujet à πιστεύει.

(au contraire) : «Tu as enregistré mes transgressions[g]», tu as conservé le souvenir de mes fautes dans ta mémoire.

Quelle a été, dit-il, *l'audace de ton cœur? Où tes regards se sont-ils portés, pour que tu aies laissé éclater ta colère en face du Seigneur, que tu aies laissé échapper de ta bouche de telles paroles? Quel est donc le mortel qui sera irréprochable, ou quel être né de la femme pourrait être considéré comme juste, si son blâme ne fait pas confiance*[1] *à ses saints, si le ciel n'est pas pur devant lui, ni les astres irréprochables*[h]? Puis, il ajoute : *Hélas! abominable et corrompu est l'homme qui avale les iniquités comme l'eau*[i]. Tu vois comment il le frappait, comment il montre que sa perversité était naturelle.

Les sages disent tous que c'est à l'impie qu'est promise la ruine

4. *Je vais donc t'annoncer — écoute-moi bien — ce que j'ai vu exactement; je vais t'annoncer ce que des sages annonceront et ce que leurs pères*[2] *n'ont pas caché — c'est à eux seuls qu'a été donnée la terre et aucun étranger n'a marché contre eux — : Toute la vie de l'impie se passe dans l'inquiétude, les années accordées au puissant sont comptées, et la terreur de Dieu emplit ses oreilles. Lorsqu'il croit être en paix désormais, c'est alors qu'il verra arriver sa ruine. Qu'il n'espère pas échapper aux ténèbres, car il est déjà livré à la puissance de l'épée; il tombe dans le néant, il est désigné en pâture aux vautours; et il sait intérieurement qu'il est condamné à la destruction*[j].

Parce que Job avait dit : «Il faut bien du temps pour découvrir la sagesse[k]», Éliphaz dit : «Ce qu'ont dit leurs

2. **L** et **M** présentent dans le texte scripturaire la leçon πατέρας, à l'accusatif, qui est la leçon du texte reçu. Mais Chrysostome commente à la ligne 13 le texte πατέρες, qui est la leçon de **A**. Nous l'avons donc rétabli. C'est d'ailleurs la leçon de **p** qui pourtant, d'ordinaire, suit le texte reçu.

16 COMMENTAIRE SUR JOB

«ἃ εἶπον», φησίν, «οἱ πατέρες αὐτῶν καὶ οὐκ ἔκρυψαν» παρ' ἑαυτοῖς, καὶ «οὐκ ἐπῆλθεν ἀλλογενὴς ἐπ' αὐτούς.»
15 Τοῦτ' ἔστιν, φησίν, οἱ σοφοὶ καὶ εἰρήνης ἀπολαύοντες, ἐκγόνοις παραδίδοντες. «Οὐκ ἐπῆλθεν ἀλλογενὴς ἐπ' αὐτούς.» Τοῦτ' ἔστιν · οὐδὲ πόλεμον ὑπέμειναν οὐδὲ μάχην εἶδον οὐδὲ ἀνάστατοι γεγόνασιν, ἀλλ' ἔστησαν γενναίως καὶ ἀνδρείως · καὶ περιεγένοντο καὶ ἐκράτησαν ἰσχύος καὶ
20 δυνάμεως μεγέθους, πολλῆς ἀπολαύοντες εἰρήνης.

«Πᾶς ὁ βίος ἀσεβῶν», φησίν, «ἐν φροντίδι», καί, ὅταν κατειρηνεύσωσι, τὸ συνειδὸς αὐτῶν τοιοῦτον. «Ἔτη δὲ ἀριθμητὰ δεδομένα δυνάσταις» τοῖς ἀδίκοις, φησί. Οἱ γὰρ τύραννοι ὀλιγοχρόνιοι. «Ὅταν δοκῇ εἰρηνεύειν, τότε ἥξει ἡ
25 καταστροφὴ αὐτοῦ», ὥστε μαθεῖν ὅτι ἄνωθεν ὁ πόλεμος, οὐδὲ ἔσται αὐτῷ μεταβολὴ τῶν δεινῶν. «Καὶ κατατέτακται εἰς σῖτα γυψίν.» «Ἐντέταλται εἰς χεῖρας σιδήρου.» Ὅρα καὶ ὁ θάνατος ἐλεεινός · οὐ κατὰ τὸν κοινὸν νόμον τῆς φύσεως, ἀλλὰ βίᾳ, καὶ πολέμῳ, καὶ μάχῃ, καί μετὰ
30 θάνατον, οὐδὲ ταφή, οὐδὲ κηδεία, καὶ οὐ μόνον τὸ ἄταφον, ἀλλὰ καὶ «σῖτα γυψίν», φησίν. «Οἶδεν δὲ ἐν ἑαυτῷ ὅτι μένει αὐτὸν πτῶμα.» Τοῦτο χαλεπώτερον τὸ συνειδός, ὅταν αὐτῷ τοιαῦτα μαντεύηται καὶ προλέγηται.

5. Ἡμέρα σκοτεινὴ στροβήσει αὐτόν · ἀνάγκη καὶ θλῖψις αὐτὸν καθέξει · ὥσπερ στρατηγός, φησί, πρω-

16 ἐκγόνοις : ἐκγόνους L || παραδίδοντες : παραδόντες p || 16-17 οὐκ — τοῦτ' ἔστιν > p || 21 πᾶς — ἐν φροντίδι : οἱ δὲ ἀσεβεῖς p || 22 τοιοῦτον : νύττον ἔχουσι καὶ τάρασσον αὐτοὺς καὶ ἐκφοβοῦν, ἀλλὰ καὶ p || ἔτη : τὰ ἔτη p || δὲ > p || 23 δεδομένα δυνάσταις > p || φησί > p || 25 αὐτοῦ (pabcyz, cf. 4, 7) : αὐτοῖς LM || 26-27 καὶ — σιδήρου > p || 27 ὅρα : ἀλλὰ p || 30 τὸ ἄταφον : τοῦτο p || 31 φησίν + τεθῆναι p || 31-32 οἶδεν — πτῶμα > p || 32-33 τοῦτο — προλέγηται : τὸ δὲ χαλεπώτερον ὅτι καὶ τὸ συνειδὸς αὐτῷ τοιαῦτα μαντεύεται καὶ προλέγει p
5, 1 ἡμέρα + δὲ αὐτῶν p || ἀνάγκη + δὲ p || 2 φησί > p

pères et qu'ils n'ont pas caché» en eux-mêmes, et il ajoute :
«Un étranger n'a pas marché contre eux.» C'est-à-dire : les
sages (sont) aussi ceux qui jouisent de la paix, et qui en font
part à leurs descendants. «Un étranger n'a pas marché
contre eux.» C'est-à-dire : ni ils n'ont soutenu de guerre, ni
ils n'ont vu de combat, ni ils n'ont connu de révoltes, mais
ils sont restés debout avec noblesse et vaillance; ils ont non
seulement survécu, mais ont possédé une grande force et
un grand pouvoir, en jouissant d'une paix profonde.

«Toute la vie des impies, dit-il, se passe dans l'inquiétude», et, quand ils seront dans la paix, c'est leur
conscience qui connaîtra cette inquiétude. «Les années
accordées aux puissants», qui sont injustes, «sont comptées», dit-il, car les tyrans sont éphémères. «Lorsqu'il croit
être en paix, c'est alors qu'il verra arriver la ruine.» Ainsi,
Job apprend-il que la guerre vient d'en-haut, et qu'il n'y
aura pour lui aucun changement dans ses maux. «Il est
désigné en pâture aux vautours.» «Il est livré à la puissance
de l'épée.» Note encore ceci : sa mort est pitoyable : elle
n'est pas conforme à la loi commune de la nature, mais elle
est le fruit de la violence, de la guerre, du combat, et, après
la mort, il n'aura ni sépulture ni funérailles, et non
seulement il sera privé de tombeau, mais il sera aussi, dit-il,
«la pâture des vautours». «Et il sait intérieurement que la
destruction l'attend.» Le pressentiment de ces faits les rend
plus pénibles pour l'homme, quand on les lui prédit et
annonce à l'avance.

Le sort de l'impie

5. *Un jour ténébreux l'entraînera dans un tourbillon; l'angoisse
et la fatalité l'étreindront; comme un général, dit-il, il tombera en*

4, 22-25 : ἔτη — ὁ πόλεμος abc ‖ 27-33 : ὅρα — προλέγηται (προλέγῃ
abcz) abcχ (y *def..*)

τοστάτης πεπτωκώς, ὅτι ἦρκεν χεῖρας ἔναντι Κυρίου·
ἔναντι δὲ Κυρίου παντοκράτορος ἐτραχηλίασεν, ἔδρα-
5 μεν δὲ ἔναντι αὐτοῦ ὕβρει, ἐν πάχει νώτου ἀσπίδος
αὐτοῦ, ὅτι ἐκάλυψεν τὸ πρόσωπον αὐτοῦ ἐν στέατι
αὐτοῦ¹. Καθάπερ ἐκεῖνος λαμπρός ἐστι καὶ περιφανής,
εἰς δὲ ἐπικίνδυνον τόπον στὰς εὐθέως ἀπολεῖται· ὥσπερ
ἐκεῖνος ἑτέρων ἄρχων πρὸ τῶν ἄλλων πεσεῖται, οὕτω καὶ
10 οὗτος. Ὅρα παράδειγμα οἷον ἔδωκεν. Τί αὐτὸν ὠφελεῖ,
φησίν, ἡ στρατηγία καὶ ἡ ἀρχή, «ὅτι ἦρκεν χεῖρας ἔναντι
Κυρίου»;

6. Εἶτα λέγει ἐντεῦθεν ἀράς τινας τὰς πάντως ἀποβησομένας. Εἰπὼν γάρ· Καὶ ἐποίησεν περιστόμιον ἐπὶ τὸν
μηρὸν αὐτοῦ, αἶνος δὲ αὐτοῦ ὕβρις, αὐλισθείη δὲ
πόλεις ἐρήμους, καὶ εἰσέλθοι εἰς οἴκους ἀοικήτους· ἃ
5 δὴ ἐκεῖνος ἡτοίμασεν, ἄλλοι ἀποίσονται. Οὔτε μὴ
πλουτισθῇ, οὔτε μὴ μείνῃ τὰ ὑπάρχοντα αὐτοῦ, οὐδὲ
μὴ βάλῃ ἐπὶ τὴν γῆν σκιάν, οὐδὲ μὴ ἐκφύγῃ σκότος·
τὸν βλαστὸν αὐτοῦ μαράναι ἄνεμος, καὶ ἐκπέσοι
αὐτοῦ τὸ ἄνθος· μὴ πιστευέτω ὅτι ὑπομενεῖ, κενὰ γὰρ
10 αὐτῷ ἀποβήσεται^m. Τότε ἐπήγαγεν· Ἡ τομὴ αὐτοῦ
πρὸ ὥρας φθαρήσεται καὶ ὁ ῥάδαμνος αὐτοῦ οὐ μὴ
πυκάσῃ· τρυγηθείη δὲ ὥσπερ ὄμφαξ πρὸ ὥρας καὶ
ἐκπέσοι ὥσπερ ἄνθος ἐλαίας· μαρτύριον δὲ ἀσεβοῦς
θάνατος· πῦρ δὲ κατακαύσει οἴκους δωροδεκτῶν, καὶ
15 ἐν γαστρὶ λήψονται ὀδύνας, ἀποβήσεται δὲ αὐτῷ
κενά, ἡ δὲ κοιλία αὐτοῦ ὑποίσει πόνον^n. Πανταχοῦ τὸ

3 πεπτωκώς : πίπτων p ‖ 3-4 ὅτι — ἐτραχηλίασεν > p ‖ 7 ἐκεῖνος : ὁ
πρωτοστάτης p ‖ 9 πεσεῖται : πεσοῦνται p ‖ 10 ὠφελεῖ : ὀφέλει p ‖ 11-12 ὅτι
— κυρίου > p

6, 1 ἀράς : ἄρα L ‖ πάντως : πάντων ML ‖ 1-2 ἀποβησομένας + τοῖς
ἀσεβέσι p ‖ 2-3 εἰπὼν — αὐτοῦ¹ > p ‖ 3 αὐλισθείη : ηὐλισθείη p ‖ 4 καὶ
εἰσέλθοι : εἰσέλθοι δὲ p ‖ εἰσέλθοι : εἰσελθει L^ac ‖ 5 δὴ : δὲ p ‖ ἀποίσονται :
ἀποίσεται p ‖ 6 αὐτοῦ τὰ ὑπάρχοντα ~ p ‖ 7 ἐκφύγῃ + τὸ p ‖ 8-9 τὸν —
ἄνθος > p ‖ 10 τότε ἐπήγαγεν > p ‖ 12 πυκάσῃ : πυήσει (sic) p ‖ ὥσπερ
— ὥρας : ὡς ἄμπελος πρὸ ὥρας ὄμφαξ αὐτοῦ p ‖ 12-13 καὶ ἐκπέσοι :

*première ligne, parce qu'il a levé ses mains contre le Seigneur ; oui,
il a durci sa nuque contre le Seigneur tout-puissant, il a couru contre
lui avec insolence, (en s'abritant) sous l'épaisseur arrondie de son
bouclier, parce qu'il a dissimulé son visage sous sa graisse*[1]. De
même que le général est tout brillant et bien visible et que,
debout à un poste exposé au danger, il tombera aussitôt ; de
même que le général, parce qu'il commande aux autres,
tombera avant les autres, de même aussi l'impie. Vois quel
exemple il a donné ! A quoi lui servait, dit-il, sa dignité et
son autorité de chef, « car il a levé les mains contre le
Seigneur » ?

6. Puis, il prononce ensuite des imprécations, qui se
réaliseront de toute façon. Après avoir dit, en effet : *Il a mis
un bourrelet de graisse sur sa cuisse, et son orgueil est effrayant ;
puisse-t-il camper en plein air dans des cités désertes, entrer dans
des demeures inhabitées ; ce qu'il avait préparé, d'autres l'emporte-
ront. Pas de danger qu'il s'enrichisse, qu'il conserve ce qu'il possède,
que son ombre se projette sur la terre, et qu'il puisse échapper aux
ténèbres ; que le vent flétrisse son germe, et que tombe sa fleur ; qu'il
ne croie pas pouvoir tenir bon, car sa fin sera vaine*[m], il ajoute
alors : *Sa récolte périra prématurément, et que sa branche ne se
couvre pas de fleurs ; qu'il soit cueilli prématurément comme le
raisin vert, et qu'il coule comme la fleur de l'olivier ; car la mort est
le témoignage de l'impie ; et le feu consumera les maisons de ceux
qui se laissent corrompre, et ils concevront des douleurs dans leur
ventre, car sa fin sera vaine, et ses entrailles supporteront*[1] *le poids*

ἐκπέσοι δὲ p ‖ 13 ὥσπερ : ὡς p ‖ δὲ : γὰρ p ‖ 14 κατακαύσει : καύσει p ‖ καὶ
> p ‖ 16 ὑποίσει (p) : ὑπήκει LM ‖ πόνον : δόλον p ‖ τὸ : τὸν LM

l. Job 15, 23-27 ‖ m. Job 15, 27-31 ‖ n. Job 15, 32-35

1. La leçon de **L** et **M** ὑπήκει *(sic)* est injustifiable. Nous suivons
donc **p** qui donne ὑποίσει, la seule leçon donnée par Rahlfs ; mais nous
gardons πόνον qui est propre au texte de **A**.

ἄωρον καὶ ἀτέλεστον παρίστησι · « Μαρτύριον γὰρ ἀσεβοῦς
θάνατος.» Τοῦτ᾿ ἔστιν · ἔλεγχος, κατηγορία, μαρτύριον
τοῖς ἄλλοις ἀνθρώποις, ὅτι οὕτω δεῖ παθεῖν πάντας, καὶ
20 πάλιν, «μαρτύριον ἀσεβοῦς», τοῦτ᾿ ἔστι · δῆλος, κατα-
φανής, οὐδενὶ ἄγνωστος.

17-19 παρίστησι — ἀνθρώποις : ἔλεγχος δὲ καὶ κατηγορία τοῖς ἄλλοις
ἀνθρώποις ὁ τοῦ ἀσεβοῦς θάνατος. τοῦτο γάρ ἐστι μαρτύριον p ‖ 20 ἀσεβους
(LM abc) + θάνατος pz

de la souffrance[n]. Partout il souligne ce qui est encore en préparation et pas encore accompli : «car la mort est le témoignage de l'impie.» C'est-à-dire, sa réfutation, son accusation, le témoignage pour les autres hommes que tous les impies doivent souffrir ainsi, et, de plus, «elle est le témoignage de l'impie», en ce sens qu'elle est évidente, manifeste, et n'est inconnue de personne.

6, 18-21 : τοῦτ' ἔστιν — ἄγνωστος abcχ (y *def.*)

1. Ὑπολαβὼν δὲ Ἰὼβ λέγει · Ἀκήκοα τοιαῦτα πολλά, παρακλήτορες κακῶν πάντες[a]. Ἐπειδὴ ὥσπερ τι ἐξαίρετον οὕτως φησί, καὶ ὥσπερ διήγημα παλαιὸν διηγεῖται, καὶ ἄνωθεν κατάγει τὴν ἱστορίαν. Μὴ γὰρ ⁵ ἄδηλα ταῦτα; φησίν. Πλήν, ἐπειδὴ ἁπλῶς φθέγγεσθε, καὶ τὰ ἐπερχόμενα λαλεῖτε, καὶ οὐ μετρεῖτε τὰ παρ᾽ ὑμῶν ῥήματα, οὐδὲ ἐμοὶ νεμεσήσετε τὰ κατὰ ψυχὴν λέγοντι.

2. Τί γάρ; Μὴ τάξις ἐστί, φησίν, ἐν ῥήμασι πνεύματος; Ἢ τί παρενοχλήσει σοι ὅτι ἀποκρίνῃ; Καὶ ἐγὼ δὲ καθ᾽ ὑμᾶς λαλήσω. Εἴ γε ὑπέκειτο ἡ ψυχὴ ὑμῶν ἀντὶ τῆς ἐμῆς ψυχῆς, εἶτα ἐναλοῦμαι ὑμῖν λόγοις, ⁵ κινήσω δὲ καθ᾽ ὑμῶν κεφαλήν · εἴη δὲ ἰσχὺς ἐν τῷ στόματί μου καὶ κίνησιν χειλέων οὐ φείσομαι[b]. Ἐβουλόμην, φησίν, ἐν τοῖς ἐμοῖς εἶναι τὰ ὑμέτερα καὶ ὑμᾶς ἀντ᾽ ἐμοῦ εἶναι, καὶ εἶχον ἂν καὶ κινεῖν κεφαλήν, καὶ ταῦτα ποιεῖν ἅπερ ὑμεῖς · τότε ἔγνωτε μὴ φιλοσοφεῖν ¹⁰ ἐν ἀλλοτρίοις κακοῖς. Πλήν, καὶ νῦν ἐρῶ · καὶ γὰρ φέρει

1, 4 διηγεῖται : διηγῆται L ‖ διηγεῖται + τὸ τοῖς ἀσεβέσι κολαζομένοις ἐπιφέρεσθε (σθε = σθαι) p ‖ 5 φησὶν ταῦτα ~ p ‖ 6 τὰ² > p ‖ 7 ἐμοὶ : μοὶ pᵃᶜ ‖ νεμεσήσετε : νέμετε LM ‖ λέγοντι : λέγοντες p
2, 1 φησὶν > p ‖ 2 καὶ ἐγὼ : κἀγώ p ‖ 3 δὲ > p ‖ εἰ ὑπέκειτό γε ~ p ‖ 4 ἐναλοῦμαι : ἐλαλοῦμαι p ‖ λόγοις : ῥήμασιν p ‖ 5 τῷ > p ‖ 6 οὐ : μου LMᵃᶜ ‖ 8 εἶχον (p) : εἶπον LMabcz ‖ κεφαλήν + ὥσπερ ἐφηδόμενος τοῖς ὑμετέροις κακοῖς pz ‖ 9 ἅπερ : ἃ καὶ p ‖ ὑμεῖς + καὶ p ‖ ‖ ἔγνωτε + ἂν p ‖ φιλοσοφεῖν : φιλοσοφῆν p

2, 6-11 : ἐβουλόμην — παραμυθίαν abc(z) (y def.)

a. Job 16, 1-2 ‖ b. Job 16, 3-5

1. Avec p, nous rétablissons : οὐ, omis par LM devant φείσομαι et absolument indispensable au sens. Il s'agit d'une défaillance du copiste.

CHAPITRE XVI

RÉPONSE DE JOB

Il est facile de faire le sage
quand il s'agit des maux d'autrui

1. *Job prit la parole et dit : J'ai entendu bien des réflexions de ce genre, ô vous tous, consolateurs de malheur*[a]! Puisque Éliphaz parle ainsi, comme s'il s'agissait d'une chose remarquable et s'exprime comme s'il s'agissait d'un discours qui vient des Anciens, lui, aussitôt, reprend son récit dès le début. Ce que vous dites n'est-il donc pas évident, dit-il? Cependant, puisque vous parlez superficiellement et que vous dites ce qui vous vient à l'esprit, sans mesurer vos paroles, vous ne vous irriterez pas non plus contre moi, si j'exprime les pensées de mon âme.

2. *Eh quoi! y a-t-il quelque logique, dit-il, dans des paroles vaines? Ou qu'est-ce qui t'empêchera de répondre? Moi aussi, je parlerai comme vous le faites. Si seulement votre âme était à la place de mon âme, c'est alors que je vous assaillirais de paroles et que je secouerais la tête contre vous : que la force soit seulement dans ma bouche, et je ne ménagerai pas*[1] *le mouvement de mes lèvres*[b]. Je voudrais, dit-il, que vous soyez dans ma situation et à ma place, et j'aurais pu aussi branler la tête, et faire aussi ce que vous faites; alors, vous auriez été d'avis[2] de ne pas faire les sages à propos des maux d'autrui[3]. Mais je parlerai

---

C'est pourquoi nous nous permettons ici de corriger le texte scripturaire.

2. En styliste, **p** a rétabli un ἄν omis par **LM** et toutes les chaînes. Sur l'emploi, pour marquer l'irréel du passé dans le grec tardif, de l'indicatif imparfait et aoriste sans ἄν, voir J.H. MOULTON, *Grammar of New Greek,* Vol. I *Prolegomena* p. 199 et F. BLASS et A. DEBRUNNER, *A Greek Grammar of the New Testament,* p. 181, n° 360.

3. L'expression : μὴ φιλοσοφεῖν ἐν ἀλλοτρίοις κακοῖς, a toutes les apparences d'un proverbe.

μοι τὸ πρᾶγμα παραμυθίαν· ἂν γὰρ εἴπω, παραμυθοῦμαι,
φησίν· ἂν δὲ σιωπήσω, οὐδὲν ταύτῃ τὰ δεινὰ ἔσται μοι
φαυλότερα καὶ ἐλάττω.

3. Ἐὰν γὰρ λαλήσω, οὐκ ἀλγήσω τὸ τραῦμα· ἐὰν
δὲ καὶ σιωπήσω, τί ἔλαττον τρωθήσομαι[c]; Ἢ τοῦτό
φησιν ὅτι, εἰ ἤμην ἐν τοῖς ὑμετέροις καὶ τῶν δεινῶν ἐκτός,
τότε ἂν ἔγνωτε· οὔτε γὰρ ἤλγουν λαλῶν. Εἶτα πάλιν τὴν
5 συμφορὰν ἀναγγέλλει.

4. Νῦν δὲ κατάκοπόν με πεποίηκεν μωρὸν σεση-
πότα, καὶ ἐπελάβου μου· εἰς μαρτύριον ἐγενήθη καὶ
ἀνέστησεν ἐμοὶ τὸ ψεῦδός μου· κατὰ πρόσωπόν μου
ἀνταπεκρίθη. Ὀργῇ χρησάμενος κατέβαλέν με· ἔβρυ-
5 ξεν δὲ ἐπ' ἐμὲ τοὺς ὀδόντας αὐτοῦ· βέλη πειρατηρίων
αὐτοῦ ἐπ' ἐμοὶ ἔπεσεν. Ἀκίσιν ὀφθαλμούς μου καὶ
ἐνήλατό μοι ἐν τόξῳ· ἕλκει ὀξεῖ ἔπαισέν με ἐπὶ τὰ
γόνατα, ὁμοθυμαδὸν δὲ κατέδραμον ἐπ' ἐμέ, παρέδωκεν γάρ με ὁ Κύριος εἰς χεῖρας ἀδίκου, ἐπὶ δὲ
10 ἀσεβεῖς ἔρριψέν με. Εἰρηνεύοντα διεσκέδασέν με·
λαβὼν δὲ τῆς κόμης, διέτιλέν με. Κατέστησέν με
ὥσπερ σκοπόν. Ἐκύκλωσάν με λόγχαις, βάλλοντες
εἰς νεφρούς μου· οὐ φειδόμενοι ἐξέχεαν εἰς γῆν
τὴν ζωήν μου· κατέβαλόν με πτῶμα ἐπὶ πτώματι·
15 ἔδραμον ἐπ' ἐμοὶ δυνατοί[d]. Οὐκ ἀρκεῖ, φησίν, ὅτι
κολάζομαι, ἀλλὰ καὶ δοκῶ ἀνόητος εἶναι, ἢ ὅτι ἐξέστην
τῶν κατὰ φύσιν φρενῶν. Εἶτα ἀνθρωπίνως αὐτὸν εἰσάγει
πολεμοῦντα αὐτῷ μετὰ θυμοῦ.

11 ἂν : ἐὰν p ‖ 12 ταύτῃ : ταύτης LM ‖ τὰ + σὰ p ‖ μοι : μὴ p ‖ 13
φαυλότερα : φαυλότατα p
4, 1 κατάκοπον (pabcyz) : καὶ ἄκοπον LM ‖ 6 αὐτοῦ > p ‖ ἐπ' ἐμοὶ : ἐπ'
ἐμὲ p ‖ ὀφθαλμούς : ὀφθαλμῶν p ‖ μου καὶ > p ‖ 7 μοι — ἕλκει > p ‖ 9
ἀδίκου : ἀδίκων p ‖ 11 διέτιλεν : διετέλεσεν p ‖ 15 ὅτι (L^pcpabcz) : ὅτι οὐ M

3, 2-4 : τοῦτο — λαλῶν abc
4, 15-16 : οὐκ ἀρκεῖ — εἶναι abcz (y def.)

maintenant encore, car la chose me procure de la consolation; car si je parle, j'apaise mes malheurs, dit-il, tandis que si je me tais, ils n'en seront nullement plus faibles et moins importants.

J'ai besoin de le dire : Dieu s'est acharné sur moi

3. *Si je parle, en effet, je ne souffrirai pas de ma blessure; mais si je me tais, en quoi en serai-je moins blessé*[c]? Ou encore il veut dire : si j'étais dans votre situation et exempt de maux, alors vous auriez compris; car je ne souffrais pas lorsque je parlais. Puis, à nouveau, il reprend le récit de son malheur.

4. *Mais, maintenant, il a fait de moi un fou brisé de fatigue*[1], *au corps décomposé, et tu as mis la main sur moi; mon mensonge est devenu un témoignage et s'est dressé contre moi; il m'a répliqué en face. Dans sa colère, il m'a abattu; il a grincé des dents contre moi; les traits de ses épreuves sont tombés sur moi. Armé de son arc, il a bondi sur moi me frappant aux yeux de ses flèches; il m'a porté aux genoux un coup foudroyant, et, d'un commun accord, les puissants ont fondu sur moi. Car le Seigneur m'a livré aux mains de l'injuste et m'a jeté aux impies. Quand j'étais en paix, il m'a dispersé. Il m'a pris par les cheveux et me les a arrachés : il a fait de moi une cible. Ils m'ont encerclé de leurs lances, me frappant dans les reins; sans m'épargner, ils ont déversé ma vie à terre; ils m'ont abattu coup après coup; les puissants ont fondu sur moi*[d]. Il ne suffit pas, dit-il, que je sois châtié, il faut encore que j'aie l'air d'un fou; ou bien il veut dire : je suis sorti de mon bon sens naturel. Ensuite, il représente Dieu de façon humaine, en train de lutter contre lui avec ardeur.

---

c. Job 16, 6 ‖ d. Job 16, 7-14

1. Nous suivons les chaînes qui, toutes, ont le texte reçu : νῦν δὲ κατάκοπον contre **LM** : νῦν δὲ καὶ ἄκοπον, qui est manifestement une faute du copiste.

5. **Σάκκον, φησίν, ἔρραψαν ἐπὶ βύρσῃ μου. Τὸ δὲ σθένος μου εἰς γῆν ἔσβεσαν**ᶜ. Τοῦτ᾽ ἔστιν · ἐμελάνωσέν με, καὶ ἀπὸ κακῶν ἢ ὅτι σάκκος περιεγένετο.

6. **Ἡ γαστήρ μου συγκέκαυται ἀπὸ κλαυθμοῦ, ἐπὶ δὲ βλεφάρων μου σκιὰ θανάτου · ἄδικον γὰρ οὐδὲν ἦν ἐν χερσί μου · εὐχὴ δέ μου καθαρά. Γῆ μὴ καλύψῃ με ἐφ᾽ αἵματι τῆς σαρκός μου**ᶠ. Τοῦτο γὰρ ἔθος τοῖς ἐν
5 δεινοῖς οὖσι τὰ κακὰ αὐτῶν μὴ καλύπτεσθαι · τοσοῦτον ἀπέχω, φησί, τοῦ συνειδέναι ἑαυτῷ, ὥστε βούλομαι πάντας ὁρᾶν ἃ πάσχω.

7. **Μηδὲ εἴη τόπος τῆς κραυγῆς μου**ᵍ. Μηδὲ τὴν κραυγήν μου καλύψῃς. **Καὶ νῦν ἰδοὺ ἐν οὐρανοῖς ὁ μάρτυς μου, ὁ δὲ συνίστωρ μου ἐν ὑψίστοις · ἀφίκοιτο ἡ δέησίς μου πρὸς Κύριον, ἐναντίον δὲ αὐτοῦ στάξαι**
5 **μου ὁ ὀφθαλμός**ʰ. Μόνον οὐχὶ λέγων · ἀκούσῃ ταῦτα ὁ θεός, φησίν, ἴδῃ ταῦτα ὁ θεός.

8. **Εἴη δὲ ὁ ἔλεγχός μου ἔναντι Κυρίου, καὶ υἱὸς ἀνθρώπου τῷ πλησίον αὐτοῦ**ⁱ. Τοῦτ᾽ ἔστι δικάζομαι πρὸς αὐτόν · πάλιν τὰ αὐτά.

9. **Ἔτη δὲ ἀριθμητὰ ἥκασί μοι, ὁδῷ δέ, ᾗ οὐκ ἀναστραφήσομαι, πορεύσομαι**ʲ.

5, 1 φησίν > p ‖ 2 ἐν γῇ ἐσβέσθη p ‖ 2-3 τοῦτ᾽ ἔστιν — περιεγένετο > p
6, 2 βλεφάρων : βλεφάροις p ‖ θανάτου > p ‖ γὰρ : δὲ p ‖ 3 καλύψῃ : καλύψῃς p ‖ 4 γὰρ > p ‖ 5 οὖσι +ζητῶν p ‖ 6 ἑαυτῷ + τι πονηρόν p
7, 1-2 μηδὲ — καλύψῃς > p ‖ 3 ὁ δὲ : καὶ ὁ p ‖ 4 ἐναντίον : ἔναντι p ‖ στάξαι : στάξοι p ‖ 5-6 μόνον — θεός² > p
8, 1 ὁ — Κυρίου : ὁ ἔλεγχος ἀνδρὶ ἐναντίον Κυρίου p ‖ υἱὸς : υἱῷ p ‖ 2 τῷ : τὸ p ‖ 2-3 τοῦτ᾽ ἔστι — αὐτά > p

6, 4-7 : τοῦτο — πάσχω abcyz
7, 5-6 : μόνον — ὁ θεός abc(yz)
8, 2-3 : τοῦτ᾽ ἔστι — πρὸς αὐτὸν abc

e. Job 16, 15 ‖ f. Job 16, 16-18 ‖ g. Job 16, 18 ‖ h. Job 16, 19-20 ‖ i. Job 16, 21 ‖ j. Job 16, 22

5. *Ils ont cousu un sac sur ma peau,* dit-il, *ils ont éteint ma force jusqu'à terre*[c]. C'est-à-dire : il m'a noirci, que la cause en fût les malheurs ou le sac qui l'entourait.

J'en appelle à Dieu.
Je voudrais plaider en sa présence

6. *Mon ventre s'est desséché à force de gémir, et sur mes paupières s'étend l'ombre de la mort ; il n'y avait, en effet, aucune injustice dans mes mains, et ma prière était pure. Que la terre ne recouvre pas le sang de ma chair*[f]. C'est, en effet, une habitude chez ceux qui sont dans les malheurs, de ne pas dissimuler leurs maux[1] ; bien loin d'avoir conscience de quelque faute, je veux, au contraire, que tous voient ce que je souffre.

7. *Et que mon cri ne trouve point d'endroit (où se cacher)*[g]. Ne recouvre pas mon cri. *Et maintenant, voici que j'ai un témoin dans le ciel, un répondant pour moi dans les hauteurs : que ma demande puisse parvenir au Seigneur, et que mon œil laisse tomber ses larmes goutte à goutte en sa présence*[h]. Peu s'en faut qu'il ne dise : que Dieu écoute cela, dit-il, que Dieu voie cela !

8. *Que je puisse plaider ma cause en présence du Seigneur, comme un fils d'homme peut plaider la sienne auprès de son voisin*[i]. C'est-à-dire : je suis en procès avec lui : c'est de nouveau le même thème.

9. *Mes années sont comptées, et je vais m'en aller par un chemin, par où je ne reviendrai pas*[j].

---

1. Chrysostome retrouve ici la sagesse universelle : «A raconter ses maux, souvent on les soulage.» C'est un thème qu'il avait déjà esquissé dans ce chapitre en **2**, 10 et c'est le sens qu'il donnait au verset 6 de ce chapitre de Job. On trouvait déjà la même pensée en VI, 1, 4-6 (voir la première note de ce même chapitre VI). On la retrouvera en XIX, **9**, 24.

XVII

1. Ὀλέκομαι πνεύματι φερόμενος, δέομαι δὲ ταφῆς,
καὶ οὐ τυγχάνω· λίσσομαι κάμνων, καὶ τί ποιήσω;
Ἔκλεψαν δέ μου ἀλλότριοι τὰ ὑπάρχοντα. Τίς ἐστιν
οὗτος; Τῇ χειρί μου συνδεθήτω. Ὅτι καρδίαν αὐτῶν
5 ἔκρυψαν ἀπὸ φρονήσεως, διὰ τοῦτο οὐ μὴ ὑψώσει
αὐτούς. Τῇ μερίδι ἀναγγελεῖ κακίας· ὀφθαλμοὶ δέ
μοι ἐπὶ υἱοὺς ἐτάκησαν. Ἔθου με θρύλλημα ἐν ἔθνεσιν
καὶ ἀπέβην αὐτοῖς γέλως· πεπήρωνται ἀπὸ ὀργῆς
οἱ ὀφθαλμοί μου, καὶ πεπολιόρκημαι ὑπὸ πάντων
10 μεγάλως. Θαῦμα ἔσχεν ἀληθινοὺς ἐπ᾽ ἐμοί, δικαίῳ
γὰρ παράνομος ἐπανέστη[a]. Οὐδὲ γὰρ τὸ κοινὸν τοῦτο
τῶν δυσπραγούντων ἔχω εἰπεῖν ὅτι ἐλεοῦμαι, ἀλλὰ τοὐναντίον γελῶμαι παρὰ τῶν ἀνοήτων· ἐκπλήττονται οἱ
δίκαιοι ἐπ᾽ ἐμοί. Πῶς, φησί, δύναται λοιπὸν πιστὸς ἔχεσθαι
15 τῆς ἑαυτοῦ ὁδοῦ;

2. **Σχοίη δέ**, φησί, **πιστὸς τὴν ἑαυτοῦ ὁδόν, καὶ ὁ
καθαρὸς χερσὶν ἀναλάβοι θάρσος**[b]. Πῶς δὲ καθαρὸς
ἕξει θάρσος, τούτων οὕτως ἐκβεβηκότων παρ᾽ ἐλπίδα;
Ἔστω τὰ ἐμὰ ἐν οὐδενί· πῶς ἄλλοι στήσονται ἐν τῇ ὁδῷ

1, 6 ἀναγγελεῖ : ἀναγγέλλει L ‖ 7 μοι : μου p ‖ ἔθου + δὲ p ‖ ἐν > p
‖ ἔθνεσιν : ἔθεσιν p ‖ 8 καὶ — γέλως : γέλως δὲ αὐτοῖς ἀπέβην p
‖ πεπήρωνται : πεπώρωνται γὰρ p ‖ 9 καὶ > p ‖ πεπολιόρκημαι + δὲ p
‖ 9-10 μεγάλως ὑπὸ πάντων ~ p ‖ 10 ἐπ᾽ ἐμοί : ἐπὶ τούτοις p ‖ δικαίῳ :
δίκαιος p ‖ 11 γὰρ : δὲ p ‖ παράνομος : παρανόμῳ p ‖ ἐπανέστη :
ἐπαναστείη p ‖ 14 λοιπὸν > p
2, 1 φησί > p ‖ καὶ > p ‖ 2 καθαρὸς[1] + δὲ p ‖ χερσίν : χεῖρας p
‖ ἀναλάβοι : ἀναλάβω (sic) p ‖ 3 ἐκβεβηκότων : οὐκ βεβηκότων p

2, 2-5 : πῶς — κριτήριον (3 : ἐλπίδας abcyz) abc(yz)

a. Job 17, 1-8 ‖ b. Job 17, 9

CHAPITRE XVII

Je suis devenu un objet de risée et les justes sont déconcertés

1. *Je péris*[1], *emporté par un souffle, et je réclame un tombeau sans pouvoir l'obtenir; je me fatigue à supplier, et que faire? Des étrangers m'ont volé mes biens. Qui est cet individu? Qu'il soit lié de ma main. Parce qu'ils ont soustrait leur cœur à la sagesse, (Dieu) ne les glorifiera sûrement pas. Il annoncera des maux aux gens de leur parti. Mes yeux se sont liquéfiés (de chagrin) sur mes fils. Tu as fait de moi le sujet de toutes les conversations parmi les nations, et je suis devenu pour elles un objet de risée; mes yeux sont troublés par la colère, et tous m'assiègent brutalement. Un sentiment de stupeur a envahi des gens de bonne foi à mon sujet, car l'impie s'est dressé contre le juste*[a]. Je ne peux même pas dire, en effet, ce qui est le privilège commun aux malheureux, que je suis pris en pitié, mais, au contraire, je suis tourné en dérision par les insensés; les justes sont frappés d'effroi à mon sujet. Comment, dit-il, un fidèle peut-il désormais s'attacher à sa propre voie?

2. *Puisse un fidèle,* dit-il, *s'attacher à sa propre voie, et celui qui a les mains pures reprendre courage*[b]. Mais comment un homme pur gardera-t-il courage, puisque ces événements se sont ainsi produits contre toute attente? Qu'on ne tienne aucun cas de ce qui me concerne; comment d'autres

---

1. Les copistes des manuscrits **LMp** soulignent toujours le début d'un nouveau chapitre par l'emploi de la petite onciale. Ils n'en usent pas ici, ce qui montre bien qu'il ne s'agissait pas pour eux d'un nouveau chapitre, et que le texte de *Job* était découpé d'une façon différente de celle dont il l'est aujourd'hui (cf. *Introd.*, p. 48, n. 1).

5 τῆς ἀρετῆς; Πλὴν ἀλλά, πάλιν ὑμᾶς καλῶ εἰς κριτήριον.

3. Οὐ μὴν δὲ ἀλλὰ πάντως ἐρείδετε καὶ δεῦτε δή · οὐ γὰρ εὑρίσκω ἐν ὑμῖν ἀληθές. Αἱ ἡμέραι μου παρῆλθον ἐν βρόμῳ. Ἐρράγη δὲ τὰ ἄρθρα τῆς καρδίας μου. Νύκτα εἰς ἡμέραν ἔθηκα. Φῶς ἐγγύς, 5 ἀπὸ προσώπου σκότους. Ἐὰν γὰρ ὑπομείνω, Ἅδης μου ὁ οἶκος. Ἐν δὲ γνόφῳ ἔστρωταί μου ἡ στρωμνή · θάνατον προσεκαλεσάμην πατέρα μου εἶναι, μητέρα δέ μου καὶ ἀδελφὴν σαπρίαν. Ποῦ οὖν ἐστί μου ἡ ἐλπίς; Ἢ τὰ ἀγαθά μου ὄψομαι ἔτι; Ἢ μετ᾽ ἐμοῦ 10 εἰς Ἅδην καταβήσεται; Ἢ ὁμοθυμαδὸν ἐπὶ χώματος καταβήσομαι[c]. Λέγετέ μοι, φησίν · ὑπόμεινον. Ποῦ; Εἰς τὸν Ἅδην; Ἐκεῖνος γάρ με διαδέχεται λοιπόν. «Θάνατον γάρ, φησί, προσεκαλεσάμην πατέρα μου εἶναι.» Τοῦτ᾽ ἔστι · ποθεινός μοι ὁ θάνατος · πάντως ἐκεῖ με δεῖ 15 ἀπελθεῖν.

5 καλῶ ὑμᾶς ~ p

3, 1 πάντως : πάντες p ‖ 6 δὲ : γὰρ p ‖ 9 μετ᾽ ἐμοῦ : μεθ᾽ ὑμῶν LM ‖ 10 καταβήσεται : καταβήσονται p ‖ 11 καταβήσομαι : καταβησόμεθα p ‖ 11-15 λέγετέ — ἀπελθεῖν : sub nomine Juliani p

c. Job 17, 10-16

tiendront-ils debout sur la route de la vertu? Pourtant je vous appelle à nouveau en jugement.

Attendre? Pourquoi? C'est à la mort que je vais

3. *Cependant, de toute façon, tenez ferme et venez, car je ne trouve pas de vérité en vous. Mes jours se sont passés à gémir. Les fibres de mon cœur ont été brisées. J'ai fait de la nuit le jour. La lumière est proche, loin de l'obscurité. Car si j'attends, l'Hadès sera ma demeure. Ma couche est étendue dans les ténèbres : j'ai invoqué la mort pour qu'elle soit mon père, la pourriture pour qu'elle soit ma mère et ma sœur. Où donc est mon espérance? Reverrai-je encore mes biens? Descendront-ils avec moi[1] dans l'Hadès? Descendrai-je avec eux au tombeau[c]?* Vous me dites, dit-il, attends! Jusqu'où? Jusque dans l'Hadès? C'est lui, en effet, qui va me recevoir désormais. «Car j'ai invoqué la mort, dit-il, pour qu'elle soit mon père.» C'est-à-dire que la mort est désirable pour moi; de toute façon, il faut que je m'en aille là-bas.

---

1. La leçon μεθ' ὑμῶν n'est donnée que par **L** et **M**; **p** et le texte reçu ont μετ' ἐμοῦ, seul satisfaisant. Nous l'avons donc adopté. Cf. *Introd.*, p. 39, n. 1.

XVIII

1. Ὑπολαβὼν δὲ Βαλδὰδ ὁ Σαυχίτης λέγει · Μέχρι
τίνος οὐ παύσῃ; Ἐπίσχες, ἵνα καὶ αὐτοὶ λαλήσωμεν.
Διὰ τί δὲ ὥσπερ τετράποδα σεσιωπήκαμεν ἐναντίον
σου, κέχρησαι δὲ ὀργῇ[a]; Ὅρα αὐτοὺς κρινομένους
5 αὐτῷ · ὅρα βουλομένους ἐπιστομίζειν αὐτόν. Τοῦτο οὐχὶ
παραμυθουμένων ἐστίν, ἀλλὰ τοὐναντίον, παροξυνόντων καὶ
σκωπτόντων αὐτόν. «Ἐπίσχες», φησίν, «ἵνα καὶ αὐτοὶ
λαλήσωμεν.» Διὰ τί γὰρ παρεγένεσθε; Οὐχ ἵνα καὶ αὐτοὶ
λαλήσητε. «Διὰ τί δέ, φησίν, ὥσπερ τετράποδα σεσιωπή-
10 καμεν ἐναντίον σου;» Ὁρᾷς τὴν φιλοτιμίαν; Αἰσχύνην
ἡγοῦνται καὶ ἀλογίαν ἐσχάτην τὸ σιγᾶν. Οὐκ ἔστι τοῦτο
παραμυθουμένων. Πλείονων πλείονα ποιήσει, φησίν, αὐτός,
νικήσας ἡμᾶς καὶ περιγεγονώς. Ὅρα πάντας αὐτοὺς
μακρηγορίαν ἐγκαλοῦντας. Ὅρα μεμφομένους <καὶ αἰτιω-
15 μένους>.

2. Τί γάρ, φησίν, ἐὰν σὺ ἀποθάνῃς, ἀοίκητος ἔσται
ἡ ὑπ' οὐρανόν; ἢ κατασκαφήσεται ἡ γῆ ἐκ θεμελίων[b];
Ἐπειδὴ συνεχῶς τοῦτο ἐθρήνει, ὅτι ἀποθανεῖν βούλομαι.
Ποία τοῦτο παραμυθία; Πῶς δὲ ἄν τις αὐτὸν κατέβαλεν
5 ἑτέρως; Μὴ γὰρ δὴ τοῦτο ἔλεγεν, ὅτι «ἀοίκητος ἔσται ἡ

1, 8 παρεγένεσθε (LMabcyz) : παρεγενάμεθα p ‖ 9 λαλήσητε (LM
abcyz) : λαλήσωμεν p ‖ δὲ φησίν > p ‖ 11 ἀλογίαν : ἀτιμίαν > p ‖ 12
πλειόνων πλείονα ποιήσει (LM) : πλέον ἀποίσει pabcyz ‖ αὐτός > p ‖ 13
αὐτοὺς (LM) : αὐτῷ pabcyz ‖ 14-15 καὶ αἰτιωμένους (pabcyz) > LM
‖ αἰτιωμένους + αὐτὸν p
   2, 1 ἔσται > p ‖ 2 ἡ γῆ : ὅρη p ‖ 3 βούλομαι + ταῦτα φησίν p ‖ 4 ποία
+ οὖν p

1, 4-15 : ὅρα — αἰτιωμένους (11-12 : οὐκ ἔστιν — παραμυθουμένων >
yz) abc yz

CHAPITRE XVIII

SECOND DISCOURS DE BALDAD

Tais-toi un peu, que nous puissions parler

1. *Baldad de Suhé prit la parole et dit : Combien de temps vas-tu continuer encore? Arrête, que nous parlions, nous aussi. Pourquoi avons-nous gardé le silence devant toi, comme des bêtes, tandis que tu t'es abandonné à la colère*[a]? Regarde-les qui sont en train de le juger; regarde-les qui veulent lui fermer la bouche. Ce n'est pas là l'attitude de gens qui cherchent à le consoler, mais au contraire de gens qui cherchent à l'exciter et à le railler. «Arrête, dit-il, que nous parlions, nous aussi.» Pourquoi donc vous êtes-vous présentés? Ce n'est pas pour que vous parliez, vous aussi. «Pourquoi donc, dit-il, avons-nous gardé le silence devant toi comme des bêtes?» Tu vois leur jalousie? Ils considèrent le silence comme une honte et la dernière des stupidités. Ce n'est pas là l'attitude de gens qui cherchent à consoler. Il en fera plus, dit-il, à lui seul, que nous qui sommes plus nombreux, triomphant de nous et l'emportant sur nous. Regarde-les tous qui cherchent à s'en prendre à la longueur du discours. Regarde-les qui cherchent à le blâmer et à l'accuser.

Ta mort a-t-elle tant d'importance?

2. *Eh quoi donc, dit-il, si toi tu meurs, les étendues subcélestes seront-elles inhabitées, ou la terre sera-t-elle arrachée de ses fondements*[b]? Puisqu'il ne cessait de se lamenter en disant qu'il voulait mourir. Quelle espèce de consolation est-ce là? Mais, comment l'aurait-on abattu autrement? Disait-il donc, en effet, que «les étendues subcélestes seraient

a. Job 18, 1-4 ‖ b. Job 18, 4

ὑπ᾽ οὐρανόν», ἢ ὡς μέγα τι καὶ τῷ κοινῷ τούτῳ βίῳ
συντελῶν οὕτως ἐμνημόνευσεν τῆς τελευτῆς; Καὶ μὴν
τοὐναντίον φησίν, ὅτι οὐδέν ἐστιν ἄνθρωπος, οὐδὲ ἄξιος
λόγου τινός. Τίνος οὖν ἕνεκεν ταῦτα λέγεις;

10 Εἶτα καὶ αὐτὸς ἁπλῶς καὶ εἰκῇ κατηγορεῖ τῶν ἀσεβη-
σάντων, ἢ πρὸς τὴν παροῦσαν ὑπόθεσιν · οὐδὲ γὰρ ἔχουσι
ἐλέγξαι τι πεπραγμένον αὐτῷ πονηρόν. Ὅρα δέ μοι τὴν
πονηρίαν · λέγοντες γὰρ ὅτι μεγάλα κακὰ τοῖς ἀσεβέσι
συμβαίνει, ταῦτα λέγουσι τὰ κακὰ ἅπερ ὁ Ἰὼβ ὑπέμεινεν,
15 καὶ τὸν λόγον πλέκουσι διὰ τῶν τούτου συμφορῶν ὥσπερ
ἐνδείξασθαι βουλόμενοι ὅτι αὐτὸν αἰνίττονται. Ὅρα γὰρ καὶ
βλέπε καὶ ἐπὶ τῶν ἄλλων καὶ ἐπὶ τούτου.

3. **Καὶ φῶς ἀσεβῶν**, φησί, **σβεσθήσεται**[c], ἐπειδὴ ἐν
εὐπραγίᾳ ἦν τὸ παλαιόν. **Καὶ οὐκ ἀποβήσεται αὐτῶν ἡ
φλόξ**, φησίν. **Τὸ φῶς αὐτοῦ σκότος ἐν διαίτῃ αὐτοῦ, ὁ
δὲ λύχνος ἐπ᾽ αὐτῷ σβεσθήσεται. Θηρεύσειαν αὐτοῦ**
5 **τὰ ὑπάρχοντα ἐλάχιστοι**[d] · καὶ τοῦτο αὐτῷ συνέβη. **Καὶ
σφαλείη αὐτῶν ἡ βουλή, ἐμβληθείη δὲ ὁ ποῦς αὐτοῦ
ἐν παγίδι**[e]. Τοῦτ᾽ ἔστι · κατέχεται καὶ διαφυγεῖν οὐ
δύναται. **Καὶ ἐν δικτύῳ εἱλιχθείη**[f].

4. **Ἔλθοιεν δὲ ἐπ᾽ αὐτῷ παγίδες κύκλωθεν, καὶ
κατισχύσουσιν ἐπ᾽ αὐτὸν διψῶντες · κέκρυπται δὲ
ἐν τῇ γῇ σχοινίον αὐτοῦ, καὶ ἡ σύλληψις αὐτοῦ
ἐπὶ τρίβων · κύκλωθεν καὶ ὀλέσειαν αὐτὸν ὀδύναι ·**
5 **πολλῶν δὲ περὶ πόδας ἔλθοι ἐν λιμῷ στενῷ · καὶ**

6 τούτῳ > p ‖ 10 ἁπλῶς αὐτὸς ~ pL ‖ 16-17 καὶ βλέπε > p
3, 1 φησί > p ‖ 1-2 ἐπειδὴ — παλαίον > p ‖ 3 φησίν > p ‖ 5 καὶ[1] —
συνέβη > p ‖ 5-6 καὶ σφαλείη αὐτῶν : σφάλαι δὲ αὐτὸς p ‖ 6 δὲ > p ‖ 7-8
τοῦτ᾽ ἔστι — δύναται > p
4, 2 κατισχύσουσιν : κατίσχυει p ‖ 3 αὐτοῦ > p ‖ 4 κύκλωθεν καὶ
ὀλέσειαν : κύκλῳ ὀλέσαισαν p ‖ 5 πολλῶν : πολλοί p ‖ πόδας + αὐτοῦ p
‖ ἔλθοι : ἔλθοισαν p

2, 12-16 : ὅρα — αἰνίττονται abcyz

inhabitées » ou bien, a-t-il fait mention de sa mort comme s'il apportait une grande contribution à cette vie qui nous est commune ? En vérité, il dit le contraire : que l'homme n'est rien et ne mérite même pas une mention. Pourquoi donc dis-tu cela[1] ?

Puis (Baldad), lui aussi, accuse les impies sottement et au petit bonheur, ou alors pour appuyer sa thèse du moment. Ils ne peuvent même pas, en effet, lui reprocher quelque mauvaise action. Mais, regarde-moi leur perversité, car en disant que de grands maux arrivent aux impies, ils citent justement ces maux que Job a supportés et ils mêlent ses malheurs à leur discours, comme s'ils voulaient montrer que c'est à lui qu'ils font allusion. Note-le et observe-le à propos des autres comme à son propos.

Il est bon que les impies connaissent le malheur

3. *Et la lumière des impies,* dit-il, *s'éteindra*[c], puiqu'il était, autrefois, dans le bonheur. *Et leur flamme ne s'élèvera pas,* dit-il. *Sa lumière s'obscurcira dans sa demeure, et sa lampe s'éteindra au-dessus de lui. Que des gens de rien s'emparent de ses biens*[d] ; cela aussi lui est arrivé. *Que son projet échoue, et que son pied soit pris au lacet*[e] ! C'est-à-dire : il est saisi, et il ne peut s'enfuir. *Et qu'il s'empêtre dans le filet*[f] !

4. *Que des rets s'abattent sur lui et l'encerclent, et des gens assoiffés (de sa perte) prévaudront contre lui ; un piège qui lui est destiné est dissimulé dans la terre, et l'embuscade dressée contre lui est (déjà disposée) sur ses sentiers ; que des douleurs aussi l'encerclent et le fassent périr ! qu'il rôde autour des pieds d'un*

---

c. Job 18, 5 ‖ d. Job 18, 5-7 ‖ e. Job 18, 7-8 ‖ f. Job 18, 8

1. On observera qu'ici, selon un procédé cher à la diatribe, l'auteur interpelle Baldad avec vivacité : Τίνος οὖν ἕνεκεν ταῦτα λέγεις; un peu plus bas (l. 12), il usera du tour nerveux : ὅρα δέ μοι. Cf. *Introd.,* p. 65-66.

πτῶμα αὐτῷ ἡτοίμασται ἐξαίσιον · βρωθείησαν δὲ
αὐτοῦ κλῶνες ποδῶν, κατέδεται αὐτοῦ τὰ ὡραῖα
θάνατος[g]. Τοῦτο τούτῳ συνέβη.

5. Ἐκραγείη δὲ ἐκ διαίτης αὐτοῦ ἴασις[h]. Καὶ τοῦτο
τούτῳ συμβέβηκεν. Σχοίη δὲ αὐτὸν ἀνάγκη καὶ αἰτία
βασιλική[i] — βασιλική, τοῦτ' ἔστιν · ἡ τοῦ Θεοῦ, ἐμοὶ
δοκεῖ · εἰ δὲ ἀνθρωπίνην λέγει, ἀναμίγνυσι καὶ τὰ μὴ
5 συμβάντα αὐτῷ, ἵνα μὴ δόξῃ δι' αὐτὸν λέγειν.

6. Κατασκηνώσει ἐν τῇ σκηνῇ αὐτοῦ, καὶ ἐν τῷ
σώματι αὐτοῦ · κατασπαρήσεται τὰ εὐπρεπῆ αὐτοῦ
θείῳ · ὑποκάτωθεν αἱ ῥίζαι αὐτοῦ ξηρανθήσονται καὶ
ἐπάνωθεν ἐπιπεσεῖται θερισμὸς αὐτοῦ · τὸ μνημόσυνον
5 αὐτοῦ ἀπόλοιτο ἐκ γῆς[j]. Ἀπὸ τῶν παίδων, φησίν, οὐκ
ἔσται ἐπίγνωστος · ὅπερ τούτῳ συνέβη. «Οἱ φίλοι μου καὶ
οἱ πλησίοι μου ἐξ ἐναντίας μου, φησίν, ἤγγισαν καὶ
ἔστησαν[k].»

7. Καὶ ὑπάρχει ὄνομα αὐτῷ ἐπὶ πρόσωπον ἐξω-
τέρω · καὶ ἀπώσειαν αὐτῷ ἐκ φωτὸς εἰς σκότος · οὐκ
ἔσται ἐπίγνωστος τῷ λαῷ αὐτοῦ · οὐδὲ σεσωσμένος ἐν
τῇ ὑπ' οὐρανόν ὁ οἶκος αὐτοῦ, ἀλλ' ἐν τοῖς αὐτοῦ
5 ζήσονται ἕτεροι. Ἐπ' αὐτῷ δὲ ἐστέναξαν ἐχθροί,
βροτοὺς δὲ ἔσχεν θαῦμα[l], τοῦτ' ἔστι · καὶ οἱ τυχόντες
καὶ οἱ ἀπερριμμένοι. Οὗτοί εἰσιν οἶκοι ἀδίκων, οὗτος δὲ
τόπος τῶν μὴ εἰδότων τὸν Κύριον[m].

---

7 ὡραῖα + πρώιμος p ‖ 8 τοῦτο τούτῳ συνέβη > p
5, 3-4 βασιλική[2] — δοκεῖ > p ‖ 4 εἰ δὲ > p ‖ 5 δι' αὐτὸν (pabcyz) :
ἑαυτὸν LM
6, 3 θείῳ + καὶ p ‖ 6 συνέβη + κατὰ τό p ‖ 7 φησίν > p
7, 2 ἀπώσειαν (p) : ἀπόσειαν LM ‖ αὐτῷ : αὐτόν p ‖ 3 τῷ : ἐν p ‖ 5 δὲ >
p ‖ 6 βροτοὺς : πρώτους p ‖ 6-7 τοῦτ' ἔστι — ἀπερριμένοι > p ‖ 7 δὲ + ὁ p
‖ 8 εἰδότων : φοβουμένων p

grand nombre, en proie à une terrible famine! et une chute
spectaculaire lui est réservée; que les plantes de ses pieds soient
dévorées, et la mort consumera sa beauté[g]. C'est ce qui lui est
arrivé.

5. *Que la santé disparaisse de sa demeure*[h]. C'est bien aussi
son état actuel. *Que s'emparent de lui le malheur et le décret du*
roi[i]; le décret du roi – c'est-à-dire celui de Dieu, à mon
avis; mais, s'il parle d'un décret humain, c'est qu'il
mélange aussi ce qui ne lui est pas arrivé, pour qu'il n'ait
pas l'air de parler pour lui.

6. *Il campera dans la tente de son corps; on parsèmera de soufre*
sa beauté; ses racines se dessécheront en profondeur, et un coup du
ciel s'abattra sur sa moisson; que son souvenir disparaisse de la
terre[j]! Ses enfants, dit-il, ne le feront pas connaître : c'est
précisément ce qui lui est arrivé. «Mes amis et mes voisins,
dit l'Écriture, se sont approchés et se sont tenus contre
moi[k].»

7. *Et son nom est publiquement rejeté; qu'on le fasse tomber de*
la lumière dans les ténèbres; il ne sera pas reconnu de son peuple ni
sa maison préservée sur la terre, mais des étrangers vivront sur ses
biens. Des ennemis ont gémi sur son compte, et des mortels ont été
saisis d'étonnement[l], c'est-à-dire les premiers venus, mais
aussi ceux qui ont été mis à l'écart. *Telles sont les maisons des*
impies, et tel est le lieu de ceux qui ne connaissent pas le Seigneur[m].

5, 3-5 : τοῦτ᾽ ἔστιν — λέγειν (τοῦτ᾽ ἔστιν + ἀπαραίτητος τιμωρία abcyz)
abcyz

g. Job 18, 9-13 ‖ h. Job 18, 14 ‖ i. Job 18, 14 ‖ j. Job 18, 15-17 ‖ k. Ps.
37, 12 ‖ l. Job 18, 17-20 ‖ m. Job 18, 21

1. Ὑπολαβὼν δὲ Ἰὼβ λέγει· Ἕως τίνος ἔγκοπον
ποιήσετε τὴν ψυχήν μου καὶ καθαιρεῖτέ με λόγοις[a].
Ὅρα αὐτοὺς οὐ μόνον οὐδὲν εἰσφέροντας ἀπὸ τῆς παραμυθίας, ἀλλὰ καὶ τοὐναντίον ποιοῦντας, συμπράττοντας τῷ
5 διαβόλῳ, καὶ συμμαχοῦντας καὶ καθαιροῦντας αὐτοῦ τὴν
ἰσχύν· οὐκ ἤρκεσεν τὰ παρελθόντα. Ὅρα πάντας τοὺς
τρεῖς, ὡς ἐξ ἑνὸς στόματος, τὰ αὐτὰ φθεγγομένους.

2. Γνῶτε μόνον, φησίν, ὅτι ὁ Κύριος ἐποίησέν μοι
οὕτως[b]. Τοῦτο γοῦν ὑμᾶς, φησίν, ἐντρεπέτω τὸ ἀξίωμα
τοῦ κολάζοντος· τοῖς γὰρ τοιούτοις ἐπεμβαίνειν οὐ χρή,
τοῖς ὑπὸ Θεοῦ τιμωρουμένοις, ἀλλὰ θρηνεῖν καὶ πενθεῖν
5 δεῖ· μάλιστα μὲν οὖν μηδενὶ ἐπιχαίρειν ἀπολλυμένῳ· οὐκ
ἀθῳωθήσεται γάρ· τίς οὐκ ἂν ἠδέσθη τὴν συμφοράν, εἰ
μὴ τὸ ἀξίωμα;

3. Καὶ καταλαλεῖτέ μου, φησίν, οὐκ αἰσχυνόμενοί
με, καὶ ἐπίκεισθέ μοι. Ναὶ δὴ ἐπ' ἀληθείας ἐπλανήθην,
καὶ ἐν ἐμοὶ αὐλίζεται πλάνος· λαλῆσαι ῥῆμα, ὃ οὐκ
ἔδει, τὰ δὲ ῥήματά μου πλανᾶται καὶ οὐκ ἐπὶ καιροῦ[c].

1, 1 ἔγκοπον : ἔγκοπτον p ‖ 3 ὅρα (pabcyz) : ἄρα LM ‖ αὐτοὺς > LM
‖ 3-4 ἀπὸ τῆς παραμυθίας (LMabcyz) : εἰς τὴν παραμυθίαν p ‖ 4
συμπράττοντας + μᾶλλον p ‖ 5 συμμαχοῦντας : συγκροτοῦντας p ‖ καὶ
καθαιροῦντας (abcyz) > LMp ‖ 6 ὅρα + τοίνυν p ‖ πάντας > p
2, 1 φησίν > p ‖ μοι : με p ‖ 4 πενθεῖν : φοβεῖσθαι pabcyz ‖ 6
ἀθῳωθήσεται (p) : ἀθοωθήσεται LM ‖ γάρ + τις p
3, 1 καὶ > p ‖ καταλαλεῖτε : καταλαλεῖται M ‖ 2 ναί : καὶ p ‖ ἐπ'
ἀληθείας + ἐγώ p

1, 3-7 : ὅρα — φθεγγομένους abc(yz)
2, 3-5 : τοῖς γὰρ — δεῖ abc(yz)

CHAPITRE XIX

Réponse de Job

Pourquoi me détruire par vos discours

1. *Job prit la parole et dit : Jusques à quand fatiguerez-vous mon âme et me détruisez-vous par des discours*[a]? Regarde-les, qui, non seulement ne lui apportent rien par leur consolation, mais qui font même le contraire, en s'associant à l'action du diable, en s'unissant à sa lutte et en détruisant[1] la force de Job : les événements passés n'ont pas suffi. Regarde-les tous les trois, qui, comme un seul homme, tiennent le même langage.

Vous méconnaissez le Seigneur, car c'est lui qui m'a frappé

2. *Sachez seulement,* dit-il, *que c'est le Seigneur qui m'a traité ainsi*[b]. Que la dignité, du moins, de celui qui (me) châtie vous fasse changer d'avis, dit-il; il ne faut pas, en effet, fouler aux pieds les gens comme lui, qui sont punis par Dieu, mais il faut gémir et s'affliger sur leur sort; et surtout (il ne faut) se réjouir de la mort de personne : car cela ne restera pas impuni; qui n'aurait respecté son malheur, à défaut de la dignité (de celui qui le châtiait)?

3. *Vous parlez contre moi,* dit-il, *sans avoir honte devant moi, et vous me menacez. Oui, vraiment, en vérité, je me suis trompé, et une erreur demeure en moi : j'ai prononcé une parole qu'il n'aurait pas fallu (prononcer), et mes paroles s'égarent et sont hors de*

a. Job 19, 1-2 ‖ b. Job 19, 3 ‖ c. Job 19, 3-4

1. Avec **abcyz**, nous rétablissons : καὶ καθαιροῦντας, qui est indispensable au sens. Il a dû tomber dans le modèle de **LM** et **p**. Le fait souligne que nos trois principaux manuscrits dépendent d'un modèle unique et constituent une même famille.

5 Τοῦτο κατὰ συνδρομὴν εἶπεν καὶ πανταχοῦ αὐτὸ ποιεῖ, πολλὰ διδοὺς κατὰ συνδρομήν · οὐκ ἀφίησιν ἐν τῷ αὐτῷ κεῖσθαι τὸν λόγον, ἀλλὰ καὶ ἐπαγωνίζεται πάλιν. Θῶμεν γάρ, φησίν, ὅτι πολλὴν ἄνοιαν καὶ φλυαρίαν καταγινώσκετε τῶν ἐμῶν ῥημάτων, καὶ ἀκαιρίαν · ἀλλ' ὑμᾶς οὐκ ἐχρῆν 10 ἐπεμβαίνειν, εἰ καὶ τοῦτο οὕτως εἶχεν, ἀλλ' αἰδεῖσθαι τὴν συμφοράν, ἀλλὰ φοβεῖσθαι τὸν πλήξαντα, ἀλλὰ συγγνώμην ἀπονεῖμαι τῷ μεγέθει τῶν δεινῶν.

4. **Ἔα δέ, ὅτι ἐπ' ἐμοὶ μεγαλύνεσθε,** φησίν, **ἐνάλλεσθε δέ μοι ὀνείδει, γνῶτε ὅτι Κύριός ἐστιν ὁ ταράξας με**[d]. Καὶ τί τοῦτο; ὅτι αἰδεῖσθαι χρὴ καὶ φοβεῖσθαι. Ἐμοὶ δοκεῖ αἰνίττεσθαι ἐνταῦθα ὅτι οὐδὲ δι' 5 ἁμαρτήματα τοσοῦτον ἔπασχεν (μὴ γάρ, εἴ τινα ὁ Θεὸς πλήττει, οὗτος δι' ἁμαρτήματα πάντως πάσχει; ὥσπερ οὐδὲ οὗτος), ἀλλ' ὑπὲρ δοκιμῆς καὶ πλειόνων στεφάνων;

5. **Ὀχύρωμα δὲ αὐτοῦ,** φησίν, **ἐπ' ἐμὲ ὕψωσεν · ἰδοὺ λαλήσω ἐν εἴδει, καὶ οὐ λαλήσω**[e]. Τοῦτ' ἔστιν φανερῶς ἐν εἴδει, ἢ ὡς πρός τινα διαλεγόμενος · **Κεκράξομαι καὶ οὐδαμοῦ κρίμα**[f]. Τοῦτο μέγα τὸ τῆς συμφορᾶς κεφά-
5 λαιον · οὐδεὶς ἀκούει, φησίν, οὐδεὶς δικάζει, οὐδεὶς ἀντι-

---

6 ἀφίησιν + δὲ p ‖ 8 καταγινώσκετε : καταγινώσκεται p ‖ 11 συμφοράν + μᾶλλον p

4, 1 ἔα : ἐάν LM ‖ φησίν > p ‖ 1-2 ἐνάλλεσθε : ἐνάλλεσθαι M ‖ 3-4 καὶ¹ — φοβεῖσθαι > p

5, 2 λαλήσω ἐν εἴδει : γελῶ ὀνείδει p ‖ 3 εἴδει + καὶ p ‖ 4 τοῦτο τὸ μέγα ~ p

5, 5-6 : οὐδείς¹ — βλέπω (abcyz)

d. Job 19, 5-6 ‖ e. Job 19, 6-7 ‖ f. Job 19, 7

1. La leçon de **LM** : ἐὰν n'a aucun sens et est manifestement une faute de copiste. Nous avons adopté la leçon de **p** : ἔα, qui est une interjection familière au *livre de Job*. Voir *Job* 4, 19 (**A**); 15, 16; 19, 5 etc.

2. Chrysostome s'efforce ici de commenter un texte incompréhensible. Le ἐν εἴδει est une erreur du texte scripturaire qu'il a sous les yeux, pour ὀνείδει (cf. 4, 2). Εἶδος, c'est la forme extérieure, l'aspect visible.

propos[c]. Il a dit cela par concession, et il agit toujours ainsi, multipliant les concessions; il ne laisse pas languir le discours au même point, mais il recommence la lutte. Admettons donc, dit-il, que vous reprochez leur grande stupidité et leur bavardage à mes paroles et leur manque d'à-propos; vous ne deviez cependant pas m'insulter, même s'il en était ainsi, mais il fallait respecter mon malheur, craindre celui qui m'avait frappé, et pardonner à cause de la grandeur de mes maux.

4. *Mais, hélas*[1]*! puisque je suis pour vous une occasion de vantardise,* dit-il, *et que vous m'insultez par vos reproches, sachez que c'est le Seigneur qui m'a troublé*[d]. Que signifient ces paroles? Qu'il faut avoir du respect et de la crainte? A mon avis, il veut laisser entendre là que, s'il avait tant à souffrir, ce n'était même pas à cause de ses fautes – en effet, si Dieu frappe quelqu'un, cet être souffre-t-il, toujours, à cause de ses fautes? de même Job non plus – mais pour être mis à l'épreuve et (remporter) davantage de couronnes.

Je crie vers lui, et il ne répond pas

5. *Il a dressé,* dit-il, *sa forteresse contre moi : voici que je parlerai en images, et je ne parlerai pas*[e]. C'est-à-dire : je m'exprimerai clairement en images, ou comme si je m'entretenais avec quelqu'un[2] : *Je crierai et il n'y aura pas de jugement*[f]. C'est là le point capital de mon malheur : personne n'écoute, dit-il, personne ne juge, personne ne

---

D'où Chrysostome commente par «clairement». Mais εἶδος signifie aussi la forme visible d'une personne. D'où il propose : en personne, «comme si je m'entretenais avec quelqu'un». Le texte continue : «et je ne parlerai pas». Ici, la faute est commune à toutes les versions de la LXX. Le texte hébreu donne la 3e personne du singulier : « Je crie à la violence (ὀνείδει) et (Dieu) ne parle pas.» On le voit (l. 4-7), Chrysostome a bien compris le sens général du passage : «Personne n'écoute, personne ne juge, personne ne réplique.»

λέγει. Τοῦτον ἐλεῆσαι οὐ χρή; Οὐδένα βλέπω · πανταχοῦ περικεκύκλωμαι, κράζω καὶ οὐδεὶς ἀκούει.

6. **Κύκλῳ, φησί, περιῳκοδόμημαι καὶ οὐ μὴ διαβῶ. Ἐπὶ δὲ ἀτραπούς μου σκότος ἔθετο**[g]. Ἤτοι τοὺς τῆς διανοίας, ἤτοι τοὺς τῆς ὁδοῦ, τοῦτ᾽ ἔστιν · ἐσκότωσέν με · οὐκ ἔχω ποῦ ἀπελθεῖν, οὐδὲ βλέπω, οὐδὲ δύναμαι.

7. **Τὴν δόξαν ἀπ᾽ ἐμοῦ ἐξέδυσεν καὶ ἀφεῖλεν τὸν στέφανον ἀπὸ κεφαλῆς μου, διέσπασεν δέ με κύκλῳ καὶ ᾠχόμην**[h]. Ἀλλ᾽ ἔδησέν με πάντοθεν, φησίν, οὐκ αὐτὸν ὁρῶ, οὐκ ἄλλον τινά.

8. **Ἐξέκοψεν δὲ ὥσπερ δένδρον τὴν ἐλπίδα μου · δεινῶς μοι ὀργῇ ἐχρήσατο, ἡγήσατο δέ με ὥσπερ ἐχθρόν. ὁμοθυμαδὸν δὲ τὰ πειρατήρια αὐτοῦ ἦλθον ἐπ᾽ ἐμέ, ταῖς ὁδοῖς μου ἐκύκλωσάν με ἐγκάθετοι**[i]. Οἱ
5 ἐπιβουλεύσαντες καὶ λαβόντες τὰ θρέμματα. Πολλὴ ἡ πεῖρα τοῦ διαβόλου. Οἱ περιλειφθέντες αὐτῷ τῶν οἰκείων χαλεπωτέραν εἰργάζοντο τὴν συμφορὰν τῶν ἀπελθόντων. Ἐκεῖνοι μὲν γὰρ οὐδὲν ἐποίουν λοιπόν, οὗτοι δὲ καὶ ὠνείδιζον καὶ παρήκουον καὶ κατ᾽ αὐτοῦ ἐλάλουν.

9. **Ἀπ᾽ ἐμοῦ δέ**, φησίν, **ἀπέστησαν ἀδελφούς, ἔγνωσαν ἀλλοτρίους ἢ ἐμέ · οἱ φίλοι δέ μου ἀνελεή-**

---

7 κράζω > p ‖ ἀκούει + κράζοντος p
6,1 φησί > p ‖ περιῳκοδόμημαι : περιοικοδόμημαι LM ‖ 2 δὲ > p ‖ ἀτραπούς : πρόσωπον p ‖ τοὺς : τὰς p ‖ 3 τοὺς : τὰς p
7, 1 καὶ ἀφεῖλεν : ἀφεῖλεν δὲ p ‖ τὸν > p ‖ 3-4 ἀλλ᾽ ἔδησεν — τινά : καὶ τὴν προσοῦσαν, φησίν, ἀφείλετο κτῆσιν p
8, 3 ἦλθον τὰ πειρατήρια αὐτοῦ ~ p ‖ 9 καὶ[1] — ἐλάλουν > p
9, 1 δὲ φησίν > p ‖ ἀπέστησαν ἀδελφούς : ἀδελφοί μου ἀπέστησαν p ‖ 2 οἱ > p

6, 2-4 : ἤτοι (c : οὗτοι) — δύναμαι (2-3 : ἤτοι — ἐστιν > yz) abcyz
8, 5-9 : πολλὴ — ἐλάλουν abcyz

g. Job 19, 8 ‖ h. Job 19, 9-10 ‖ i. Job 19, 10-12

1. Il semble bien que nous surprenions ici **p** en train de corriger un

réplique. Ne faut-il pas prendre cet homme en pitié? Je ne vois personne; je suis encerclé de toutes parts, je crie et personne n'écoute.

6. *Je suis encerclé par une muraille,* dit-il, *qu'il m'est absolument impossible de franchir. Il a répandu l'obscurité sur mes sentiers*[g]. Qu'il s'agisse des sentiers[1] de sa pensée ou des sentiers de sa conduite, cela signifie : il m'a plongé dans les ténèbres; je ne sais où m'en aller, je suis aveugle et impuissant.

7. *Il m'a dépouillé de ma gloire, et a arraché la couronne de ma tête, il m'a écartelé en tous sens et je cherchais à partir*[h]. Mais il m'a enchaîné de tous côtés, dit-il; je ne vois ni lui, ni personne d'autre.

Il m'a traité comme si j'étais son ennemi

8. *Il a abattu mon espérance comme un arbre; il a fait preuve d'une colère terrible à mon égard; il m'a traité comme un ennemi; comme un seul homme ses bandes armées m'ont attaqué, et des hommes de main ont cerné mes chemins*[i]. Il s'agit de ceux qui ont comploté contre lui et ont volé ses bêtes. Multiple est la ruse du diable. Ceux de ses proches qui survivaient rendaient son malheur encore plus insupportable que ceux qui étaient morts. Ces derniers, en effet, ne pouvaient plus rien faire désormais, tandis que les autres lui faisaient des reproches, refusaient de l'entendre et parlaient contre lui.

Tous se détournent de moi. Prenez-moi en pitié

9. *Ils ont éloigné mes frères loin de moi,* dit-il, *ils ont mieux aimé reconnaître des étrangers que moi; mes amis sont devenus*

---

texte fautif. Ἀτραπός est du féminin. Mais la terminaison en -ούς a entraîné une faute très ancienne, que nous retrouvons dans **LMabc** (**y** et **z** n'ont pas le passage) : τοὺς (s.-e. ἀτραποὺς) τῆς διανοίας; **p** a corrigé en τάς.

μονες γεγόνασιν. Καὶ οὐ προσεποιήσαντό με οἱ ἐγγύ-
τατοί μου · οἱ εἰδότες μου τὸ ὄνομα ἐπελάθοντό
5 μου · γείτονες, οἰκεῖοι, θεράποντες, θεράπαιναι εἰς
ἀλλότριον ἐλογίσαντό με. Ἀλλογενὴς ἐγενόμην
ἐναντίον αὐτῶν. Θεράποντας δέ μου ἐκάλεσα καὶ οὐκ
ὑπήκουσάν μου · στόμα δέ μου ἐδεῖτο αὐτῶν, καὶ
ἱκέτευον τὴν γυναῖκά μου, καὶ προσεκαλούμην κολα-
10 κεύων υἱοὺς παλλακίδων μου · οἱ δὲ εἰς τὸν αἰῶνά με
ἀπείποντο. Ὅταν ἀναστῶ, κατ᾽ ἐμοῦ λαλοῦσιν · ἐβδε-
λύξαντο δέ με οἱ ἴδοντές με, καὶ οὓς ἠγάπων ἐπανέστησάν μοι. Ἐν δέρματί μου ἐσάπησαν αἱ σάρκες
μου · τὰ δὲ ὀστᾶ μου ἐν ὀδύναις ἔχεται. Ἐγγίσατέ
15 μοι, ἐλεήσατε, ὦ φίλοι, ἐλεήσατέ με · χεὶρ γὰρ Κυρίου
ἐστὶν ἡ ἁψαμένη μου · διὰ τί δέ με διώκετε, ὥσπερ
καὶ ὁ Κύριος, ἀπὸ δὲ σαρκῶν μου οὐκ ἐμπίμπλασθε;
Τίς δὲ ἂν δῷ γραφῆναι τὰ ῥήματά μου[j]; Ἤτοι τὰ τῆς
συμφορᾶς, ἤτοι τὰ τοῦ βίου, τὰ ἐν ταῖς ἀρεταῖς ἃ
20 ἐμαρτύρει ἑαυτῷ ὅτι οὐκ ἦν πονηρός (γίνεται δὲ τὸ μὲν ἐκ
τοῦ συνειδέναι ἑαυτῷ) · οὕτω γὰρ θαρρῶ, φησίν, οὐδένα
ἠδικηκώς, ὥστε ἐβουλόμην, καὶ μετὰ ταῦτα, γραφῆναι τὰ
τῆς συμφορᾶς. Ἐπειδὴ φέρει τινὰ καὶ τοῦτο παραμυθίαν.

10. Τεθῆναι δὲ αὐτὰ ἐν βίβλῳ εἰς τὸν αἰῶνα, ἐν
γραφείῳ σιδηρῷ, καὶ μολίβῳ ἢ ἐν πέτραις ἐγγλυφῆ-
ναι[k]; Ἰδού · ἐγράφη οὐκ ἐν γραφείῳ σιδηρῷ, ἀλλὰ πολλῷ

3 καὶ > p ‖ 4 μου[1] + καὶ p ‖ 5 οἰκεῖοι : οἰκίας p ‖ θεράπαιναι + τέ μου
p ‖ 6 ἐγενόμην : ἤμην p ‖ 7 θεράποντας : θεράποντα p ‖ δέ > p ‖ 8
ὑπήκουσαν : ὑπήκουσεν p ‖ ἐδεῖτο : ἐδέετο p ‖ 11 λαλοῦσιν : λαλήσουσιν L
‖ 12 καὶ οὓς : οὓς δὲ p ‖ ἠγάπων : ἠγαπήκειν p ‖ 14 ὀδύναις : ὀδούσιν p
‖ 14-15 ἐγγίσατέ μοι > p ‖ 15 ἐλεήσατε[2] + ἐγγίσατέ μοι p ‖ με > p ‖ 16
ἐστὶν ἡ > p ‖ μου + ἐστι p ‖ 17 ἐμπίμπλασθε : ἐμπίμπλασθαι M ‖ 18 δὲ :
γὰρ p ‖ μου + τεθῆναι δὲ αὐτὰ ἐν βιβλίῳ εἰς τὸν αἰῶνα p ‖ 21 τοῦ + σφόδρα
p ‖ 22 ἐβουλόμην : ἠβουλόμην p ‖ 23 ἐπειδὴ : τὸ δὲ ὅτι p

10, 1 τεθῆναι — αἰῶνα > p (cf. 9, 18) ‖ 2 μολίβῳ : μολύβδῳ εἰς
μαρτύριον p

impitoyables. Mes proches ont affecté de m'ignorer; ceux qui connaissaient mon nom m'ont oublié; voisins, proches, serviteurs, servantes m'ont considéré comme un étranger. Je suis devenu d'une autre race à leurs yeux. J'ai appelé mes serviteurs et ils ne m'ont pas prêté l'oreille; ma bouche les priait avec instance, je suppliais mon épouse, j'invoquais , en les flattant, les fils de mes concubines; mais ils m'ont renié à jamais. Quand je me lève, ils parlent contre moi; ceux qui m'ont vu m'ont pris en horreur, et ceux que j'aimais se sont dressés contre moi. Mes chairs se sont décomposées sous ma peau; mes os sont tenaillés par les souffrances. Approchez-vous de moi, prenez-moi en pitié, ô mes amis, prenez-moi en pitié; car c'est la main du Seigneur qui m'a touché; pourquoi me poursuivez-vous, comme le Seigneur, et n'êtes-vous pas rassasiés de mes chairs? Qui pourrait m'accorder que mes paroles soient écrites[j]? (Il veut parler) ou bien du récit de son malheur, ou de celui de sa vie, de ses actes vertueux qui témoignaient à ses yeux qu'il n'était pas un méchant – et cela vient de ce qu'il en avait conscience –; je suis si sûr, en effet, dit-il, de n'avoir commis d'injustice envers personne, que je voudrais, même après cela, qu'on écrive le récit de mon malheur. Car cela aussi apporte quelque consolation.

Je voudrais que soient gravées mes paroles : Je sais que Dieu me sauvera

10. *(Qui permettra) que mes paroles soient consignées pour toujours dans un livre*[1], *avec un stylet de fer, et gravées sur le plomb ou sur la pierre*[k]? Voici qu'elles ont été écrites non avec un stylet de fer, mais de façon bien meilleure qu'il ne l'avait

---

9, 18-24 : ἤτοι — παραμυθίαν (> 20-21 : γίνεται — ἑαυτῷ) abc(yz)
10, 3-5 : ἰδοὺ — ἐγράφη abcyz

j. Job 19, 13-23 ‖ k. Job 19, 23-24

1. Nous avons gardé : βίβλῳ (**LM**), qui représente une leçon originale de **S**, en face de celle du texte reçu : βιβλίῳ.

μᾶλλον οὗ ᾔτησεν· ἐκεῖνα μὲν γάρ, εἰ καὶ ἐγένετο, χρόνος
5 ἂν ἀνάλωσεν, ταῦτα δὲ μειζόνως ἐγράφη.

11. **Οἶδα γάρ**, φησίν, **ὅτι ἀέναός ἐστι ὁ ἐκλύειν με**
μέλλων ἐπὶ τῆς γῆς[1], τοῦτ' ἔστιν· ὁ μέλλων με παρα-
πέμπειν τῇ γῇ, ὁ Θεός. Καὶ τί τοῦτο; Εἰ ἀθάνατός ἐστιν ὁ
Θεός, διὰ τί βούλει τὰ ῥήματά σου γραφῆναι καὶ μένειν διὰ
5 παντὸς εἰς μνήμην ἀθάνατον; Ὅρα οἷον πάθος τοῖς ἐν
δυσπραγίαις ἐστίν. Οὐ τοὺς παρόντας μόνον καὶ ὁρῶντας,
ἀλλὰ καὶ τοὺς ὕστερον ἐσομένους βούλονται μάρτυρας εἶναι
τῶν οἰκείων συμφορῶν, ὥστε πάντοθεν οἷον θηρᾶσθαι τινα
συμπάθειαν. Ὃ δή μοι δοκεῖ καὶ ὁ πλούσιος[m] τότε
10 πεπονθέναι, τοὺς ὑπὲρ γῆς βουλόμενος τὰ οἰκεῖα διδάξαι
κακὰ καὶ ἐν τίσιν ἐστὶν ὁ τρυφῶν πρὸ τούτου.

12. **Ἀναστήσει δέ μου τὸ σῶμα τὸ ἀναντλοῦν**
ταῦτα· παρὰ γὰρ Κυρίου ταῦτά μοι συνετελέσθη[n].
ᾎρα ᾔδει περὶ ἀναστάσεως; Ἐμοὶ δοκεῖ, καὶ περὶ ἀναστάσεως σωμάτων, εἰ μή τις λέγοι ἀνάστασιν εἶναι τὴν
5 ἀπαλλαγὴν τῶν κατεχόντων αὐτὸν δεινῶν· ὥστε βούλομαι,
φησί, καὶ μετὰ τὴν ἀπαλλαγὴν τὰ δεινὰ ἀθάνατα εἶναι.

5 ἂν > LM ‖ ἐγράφη : ἐγράφης p
11, 1 φησίν > p ‖ με > p ‖ 3 ὅ² > p ‖ 7 ἐσομένους : ἐσομεμένους (sic)
L ‖ 10 πεπονθέναι + ἐκεῖνος p ‖ τὰ οἰκεῖα βουλόμενος ~ p
12, 1 ἀναστήσει : ἀναστήσαι p ‖ δέ > p ‖ μου τὸ σῶμα : τὸ δέρμα μου p
‖ ἀναντλοῦν : ἀντλοῦν Lᵖᶜ συναναντλοῦν p ‖ 2 παρὰ γὰρ + παρά (sic) p ‖ 3
ᾔδει + τὰ p ‖ 3-4 ἐμοὶ — σωμάτων > p ‖ 4 λέγοι : λέγει pabcyz
‖ ἀνάστασιν (pabcyz) : περὶ ἀναστάσεως LM ‖ 6 καὶ > p

11, 8-9 : ὥστε — συμπάθειαν abcyz
12, 3-5 : ἄρα — δεινῶν abcyz

l. Job 19, 25 ‖ m. Cf. Lc 16, 19 s. ‖ n. Job 19, 26

1. Sur la croyance de Job à la résurrection des corps, il semble que la
position de Chrysostome ait été un peu hésitante, à cause, sans doute, de
la double interprétation possible du mot : ἀνάστασις (relèvement) :
rétablissement, ou résurrection. En effet, en VII, **5**, 5-7, à propos de *Job*
7, 7, Chrysostome commente : « Il me semble que celui-ci (Job) ignore la

demandé; car si ses paroles avaient été écrites, le temps les aurait effacées, mais elles ont été écrites de façon bien supérieure.

11. *Je sais, oui,* dit-il, *qu'il est éternel, celui qui doit me délivrer sur la terre*[1]. C'est-à-dire : celui qui doit me livrer à la terre, c'est Dieu. Et qu'est-ce que cela signifie? Si Dieu est immortel, pourquoi veux-tu que tes paroles soient écrites et que leur souvenir demeure à jamais de façon impérissable? Remarque quel est l'état d'âme de ceux qui sont dans le malheur. Ils veulent que non seulement ceux qui en sont actuellement spectateurs, mais aussi ceux qui viendront plus tard soient témoins de leurs propres malheurs, de façon à capter, pour ainsi dire, de tous côtés, quelque sympathie. C'est justement, je crois, ce qu'a éprouvé le riche (de l'Évangile)[m], lorsqu'il voulait apprendre à ceux qui sont sur la terre ses propres malheurs, et dans quelle situation se trouve celui qui vit auparavant dans la mollesse.

12. *Il ressuscitera mon corps qui supporte ces souffrances; car c'est le Seigneur qui me les a suscitées*[n]. Connaissait-il la doctrine de la résurrection? Je le crois, et même de la résurrection des corps[1], à moins qu'on ne dise que la résurrection (dont il parle) c'est la délivrance des maux qui l'étreignaient. C'est pourquoi, dit-il, même après ma délivrance, je veux que mes maux soient immortels. C'est une

---

doctrine sur la résurrection, car, s'il la connaissait, il ne serait pas si accablé.» Ici, au contraire, où il commente *Job* 19, 26, Chrysostome semble plus affirmatif : «Connaissait-il la doctrine de la résurrection? Je le crois, et même de la résurrection des corps», mais il laisse entendre que d'autres appliquent le mot : ἀνάστασις à la délivrance (ἀπαλλαγή) des maux qui étreignent Job. Dans la IIe lettre à Olympias (*Lettres à Olympias, SC* 13 bis, p. 192, l. 74 s.), sa position est beaucoup plus catégorique : «Job, qui était juste, et qui n'avait aucune idée de la résurrection...»

Μεγίστη αὕτη παίδευσις καὶ φιλοσοφία, τοῦ Θεοῦ τὰς
τιμωρίας ἀεὶ πρὸ ὀφθαλμῶν ἔχειν, καὶ τὰς παρελθούσας.
Τοῦτο γοῦν καὶ αὐτὸς ἐμηχανήσατο ἐπὶ τῶν λεπίδων τοῦ
10 χαλκοῦ°, τοῦτο καὶ ἐπὶ τῶν Σοδομιτῶνᵖ, τοῦτο καὶ ἐπὶ
τοῦ ὄφεως τοῦ χαλκοῦۊ, τοῦτο καὶ ἐπὶ τῶν τόπων τῶν
λαμβανόντων προσηγορίαν ἀπὸ τῶν τιμωριῶν, ὡς τὸ Ἐμε-
καχώρʳ, φησί, καὶ κατὰ τὰς ἡμέρας τὰς ἔμπροσθεν. Παρὰ
γὰρ Κυρίου ταῦτά μοι, φησίν, συνετελέσθη. Καλῶς ὡς
15 αἰτίαν εὔλογον λέγων τῆς μεταβολῆς. «Αὐτός, φησίν,
ἔπληξεν, αὐτὸς ἰάσεταιˢ.»

**13. Ἐγὼ ἐμαυτῷ συνεπίσταμαι ἃ οἱ ὀφθαλμοί μου
ἑωράκασιν, καὶ οὐκ ἄλλος. Πάντα δέ μοι συντετέλεσαι
ἐν κόλπῳᵗ.** Οὐ γάρ ἐστιν, φησίν, ἀνθρωπίνη ἡ ἐπήρεια·
καὶ γὰρ τὰ συμβάντα περὶ τὰ θρέμματα, ἐκ τῶν περὶ
5 τὸ σῶμά μοι συμβάντων, οἶδα Θεοῦ πληγῆς ὄντα· διὰ
τοῦτό φησιν· «ἃ ἐγὼ ἐμαυτῷ συνεπίσταμαι»· ἱκανὸν
ἔχω διδάσκαλον τοῦ θεήλατον εἶναι τὴν πληγήν, τὰ
συμβάντα μοι ταῦτα, οἷον ὡς ὅταν λέγῃ· «Βρόμον γὰρ
ὁρῶ τὰ σῖτά μουᵘ»· οὐκ ἔστι ταῦτα νόσου φυσικῆς· πάλαι
10 ἂν ἀπηγόρευσεν τὸ σῶμα. Ἵνα μὴ νομίσωσιν, ὅτι
ἀπὸ συνειδότος ταῦτα λέγει πονηροῦ· «Ἐφύλαξα, φησίν,
ἐντολήν σουᵛ», εἰ δὲ οὐ πείθεσθε, φησίν, ἀλλ' ἀντερεῖτε,
φοβήθητε τὸ τοῦ μέλλοντος ἄδηλον. Πάντως γὰρ τὸν ἐν
πονηρίᾳ ἀπολέσθαι δεῖ· εἰ γὰρ ἐγὼ ἐν τῇ πονηρίᾳ ὢν ταῦτα

---

8 ἀεί > p ‖ τὰς > p ‖ 9-10 τοῦ χαλκοῦ : τῶν χαλκῶν p ‖ 12
προσηγορίαν : προσηγορίας p ‖ 13 ἔμπροσθεν + τὸ δὲ p ‖ 14 καλῶς +
εἴρηκε p ‖ 15 λέγων + καί p ‖ 15-16 αὐτός — ἰάσεται > p
13, 1 οἱ > p ‖ ὀφθαλμοί : ὀφθαλμός p ‖ 2 ἑωράκασιν : ἑώρακεν p
‖ συντετέλεσαι : συντετέλεσται p ‖ 4 συμβάντα + μοι p ‖ 5 συμβάντων μοι
~ p ‖ 9 φυσικῆς : φυλακή p ‖ 10 σῶμα +εἶτα p ‖ 14 εἰ : ἢ p ‖ τῇ > p

14-16 : καλῶς — ἰάσεται abcyχ
13, 3-10 : οὐ γὰρ — σῶμα abcyz ‖ 14-15 : εἰ γὰρ — ὀφείλετε (14 εἰ γὰρ
ἐγώ : τί φάτε abc) abc, (yz)

méthode profondément sage de tenir toujours devant ses yeux les châtiments de Dieu, même ceux qui sont passés. En tout cas, ce fut la façon dont Dieu lui-même se servit, dans le cas des lamelles d'airain[o], dans le cas des Sodomites[p], du serpent d'airain[q], dans celui des lieux qui tirent une dénomination des châtiments, comme cela arriva notamment, dit l'Écriture, pour Émécachor[1] dans le passé[r]. «Car, c'est le Seigneur, dit-il, qui m'a suscité ces souffrances.» Il a raison de dire que le Seigneur sera la cause véritable de son changement. «C'est lui, dit-il, qui a frappé, c'est lui qui guérira[s].»

13. *C'est moi qui ai conscience de ce que mes yeux ont vu, et pas un autre. Tu as tout réalisé pour moi dans le sein maternel[t].* Ce n'est pas un homme, en effet, dit-il, qui est responsable de cette machination; de fait, ce qui est arrivé à mes bêtes, je sais, par suite de ce qui est arrivé à mon corps, que c'est un coup de Dieu; c'est pourquoi il parle de «ce dont j'ai conscience en moi-même». J'ai un maître capable de me montrer que le coup est inspiré par Dieu. C'est ce qui m'est arrivé, à moi. Par exemple, lorsqu'il dit : «Je vois que ma nourriture est de la folle avoine[u]», cela n'est pas la conséquence d'une maladie naturelle : depuis longtemps son corps aurait succombé. Afin qu'ils ne croient pas qu'il parle ainsi en ayant conscience d'être un méchant, il ajoute : «J'ai gardé ton commandement[v]»; mais, si vous ne me croyez pas, dit-il, et que vous me contredisiez, craignez ce que cache l'avenir; de toute façon, en effet, il faut que celui qui vit dans le mal périsse; car si c'est parce

o. Cf. Nombr. 17, 3 ‖ p. Cf. Gen. 19, 4 ‖ q. Cf. Nombr. 21, 9 ‖ r. Cf. Jos. 7, 24-26 ‖ s. Job 5, 18 ‖ t. Job 19, 27 ‖ u. Job 6, 7 ‖ v. Ps. 118, 168

1. Sur la vallée d'Émécachor, on pourra consulter dans le *D.B.*, t. I, Paris 1895, à la page 147-148, l'article de A. LEGENDRE : «La vallée d'Achor». Voir aussi : F. M. ABEL, *Géographie de la Palestine*, t. I, p. 406; t. II, p. 48, Paris 1933-1938 (Gabalda).

15 πάσχω, καὶ ὑμεῖς τὰ αὐτὰ φοβεῖσθαι ὀφείλετε, καὶ δεδοικέναι.

14. Εἰ δὲ ἐρεῖτε · τί ἐροῦμεν ἐναντίον αὐτοῦ, καὶ ῥίζαν λόγου εὑρήσομεν ἐν αὐτῷ; εὐλαβήθητε δὲ καὶ ὑμεῖς ἀπὸ κρίματος · θυμὸς γὰρ ἐπ' ἀνόμους ἐπελεύσεται, καὶ τότε γνώσονται ὅτι οὐδαμοῦ αὐτῶν ἡ ἰσχὺς
5 ἔσται[w].

15 τὰ αὐτὰ (pabcyz) : ταῦτα LM ‖ ὀφείλετε : ὀφείλεται LM
14,1 δὲ + καὶ p ‖ 3 ἀπὸ κρίματος : ἀπὸ ἐπικαλύματος p ‖ 4-5 ὅτι —
ἔσται (A) : ποῦ ἐστιν αὐτῶν ἡ ὕλη p

que je vis dans la perversité que j'éprouve ces souffrances,
alors vous aussi vous devez craindre et redouter ces maux !

Prenez garde à vos paroles

14. *Mais si vous dites : que pourrons-nous dire contre lui, et
quelle raison de discourir découvrirons-nous en lui, prenez garde,
vous aussi, d'être condamnés ; car la colère s'abattra sur les impies
et ils comprendront alors que leur puissance n'existera plus*[w].

w. Job 19, 28-29

1. Ὑπολαβὼν δὲ Σωφὰρ ὁ Μιναῖος λέγει · Οὐχ
οὕτως ὑπελάμβανόν σε εἶναι καὶ ἀντερεῖν σε ταῦτα[a].
Ὅρα πάλιν ἐπίπληξιν. Καὶ οὐχὶ συνιέναι μᾶλλον ἢ ἐμέ[b].
Τοῦτ᾽ ἔστιν · οὐκ ᾤμην ἀγνοεῖν σε ἅπερ ἐστὶ καὶ ἐπίσταμαι
5 ἐγώ, ἅπερ οὕτω δῆλά ἐστι καὶ φυλάττει νόμον οἰκεῖον, ὡς
μὴ παραχαράττοντα.

2. Παιδείαν ἐντροπῆς σου ἀκούσομαι, καὶ πνεῦμα
ἐκ τῆς συνέσεως ἀποκρίνεταί μοι · Μὴ ταῦτα ἔγνως
ἀπὸ τοῦ ἔτι ἀφ᾽ οὗ ἐτέθη ἄνθρωπος ἐπὶ τῆς γῆς[c]; Μὴ
γάρ τι καινὸν γέγονε, φησίν, ἀφ᾽ οὗ ὁ κόσμος ἐγένετο;
5 καὶ γίνεται οὐδὲν παράδοξον, οὐδεμία καινοτομία, οὐδὲ
ἐναλλαγή.

3. Εὐφροσύνη γὰρ ἀσεβῶν πτῶμα ἐξαίσιον, καὶ ἡ
χαρμονὴ δὲ παρανόμων ἀπώλεια[d]. Εἰ δὲ «ἡ εὐφροσύνη
αὐτῶν πτῶμα ἐξαίσιον», καὶ «ἡ χαρμονὴ αὐτῶν ἀπώλεια»,
ποῦ τὴν ἀπώλειαν θήσομεν, εἰπέ μοι, ποῦ τὴν ὀδύνην καὶ
5 τὴν ἀθυμίαν;

4. < Εἶτα δεικνὺς ὅτι ἄνωθεν, φησίν, ἡ πληγή > · Ἐὰν
ἀναβῇ εἰς οὐρανόν, φησίν, τὰ δῶρα αὐτοῦ, ἡ δὲ θυσία
αὐτοῦ νεφῶν ἅψηται, ὅταν δοκῇ ἤδη ἐστηρίχθαι, τότε

1, 2 σε εἶναι καὶ > p ‖ 3 συνιέναι : συνίετε p ‖ ἐμέ : καὶ ἐγώ p
2, 1 σου : μου p ‖ ἀκούσομαι : ἀκούσημαι (sic) p ‖ 3 τῆς > M ‖ 4
κόσμος : κοινός p ‖ 5 παράδοξον + φησίν p
3, 1 ἀσεβῶν : ἀσεβοῦς p
4, 1 εἶτα — πληγή > p ‖ 2 φησίν > p ‖ 3 νεφῶν : ἐφ᾽ ὧν M ‖ ὅταν +
γὰρ p ‖ ἐστηρίχθαι : κατεστηρίχθαι p

2, 3-6 : μὴ γὰρ — ἐναλλαγή abc, yz
3, 2-5 : εἰ δὲ — ἀθυμίαν abc, yz

a. Job 20, 1-2 ‖ b. Job 20, 2 ‖ c. Job 20, 3-4 ‖ d. Job 20, 5

CHAPITRE XX

Second discours de Sophar

Tu ne comprends rien

1. *Sophar le Minéen prit la parole et dit : Je ne supposais pas que tu étais ainsi et que tu ferais cette réponse*[a]. Note encore un blâme. *Et (je pensais) que tu comprenais mieux que moi*[b]. C'est-à-dire : je ne croyais pas que tu ignorais ce qui est et que moi je connais, ce qui est si évident et suit une loi qui lui est propre, sans la falsifier.

2. *J'écouterai la leçon de ta honte, et un souffle issu de l'intelligence me répond : N'as-tu pas encore compris cela, depuis le temps où l'homme a été établi sur la terre*[c]? Est-il survenu, en effet, quelque chose de nouveau, dit-il, depuis le temps où le monde est apparu? Et il n'arrive rien d'extraordinaire, aucune innovation, ni aucun changement.

Ne vois-tu donc pas quel est le sort des impies?

3. *Car la joie des impies est une chute funeste et le plaisir des méchants une ruine*[d]. Et si, déjà, «leur joie est une chute funeste» et «leur plaisir une ruine», où situerons-nous leur ruine, dis-moi, où (situerons-nous) leur souffrance et leur découragement?

La prière de l'impie n'est pas écoutée

4. < Puis, voulant montrer que le coup vient d'en-haut, il ajoute : >[1] *Si ses présents montent jusqu'au ciel*, dit-il, *et si son sacrifice atteint les nues, quand il se croira désormais établi, c'est*

---

1. Nous avons déplacé cette phrase qui commente les mots : εἰς οὐρανόν et introduit tout le texte de *Job* 20, 5-10. Elle se trouvait primitivement après le verset 7.

εἰς τέλος ἀπολεῖται· οἱ δὲ ἰδόντες αὐτὸν ἐροῦσιν·
5 Ποῦ ἐστιν^c; [...] Ὥσπερ γὰρ ἐνύπνιον ἐκπετασθέν,
οὐ μὴ εὑρεθῇ. Ἔπτη δὲ ὥσπερ φάσμα νυκτερινόν.
Ὀφθαλμὸς γὰρ παρέβλεψεν, καὶ οὐ προσθήσει, καὶ οὐ
προνοήσει αὐτὸν ὁ τόπος αὐτοῦ οὐκέτι· τοὺς υἱοὺς
αὐτοῦ ὀλέσαισαν ἥττονες, αἱ δὲ χεῖρες αὐτῶν ψηλα-
10 φήσειαν ὀδύνας^f.

Ὅπερ καὶ ὁ Δαυὶδ ἔλεγεν· «Παρῆλθον καὶ ἰδοὺ οὐκ ἦν·
καὶ ἐζήτησα αὐτόν, καὶ οὐχ εὑρέθη ὁ τόπος αὐτοῦ^g.»
Τοῦτ᾽ ἔστιν· ἀθρόως αὐτῶν ἡ ἀπώλεια γίνεται, ἵνα μὴ
νομίσῃς παρὰ φυσικὴν ἀκολουθίαν τὴν συμφορὰν εἶναι,
15 ἀλλὰ κατὰ θείαν τινὰ δύναμιν καὶ παράδοξον· καὶ μή μοι
λέγε ἀνομίας μόνον, ἀλλά, κἂν θυσίας προσενέγκωσιν,
οὐδὲν ὄφελος.

«Τοὺς υἱοὺς αὐτῶν, φησίν, ὀλέσαισαν ἥττονες.» Καὶ
ἀπὸ τούτου δῆλον ὅτι θεήλατός ἐστι ἡ πληγή, ὅτι οἱ
20 χείρους κρατοῦσιν τῶν μειζόνων, καὶ περιγίνονται τῶν
ἐχόντων ἰσχὺν οἱ ἀπερριμμένοι.

5. Ὀστᾶ αὐτοῦ, φησίν, ἐνεπλήσθη ἐκ νεότητος
αὐτοῦ, καὶ μετ᾽ αὐτοῦ ἐπὶ χώματος κοιμηθήσεται·
ἐγλυκάνθη ἐν στόματι αὐτοῦ κακία, κρύψει αὐτὴν ὑπὸ
τὴν γλῶσσαν αὐτοῦ· οὐ φείσεται αὐτῆς, καὶ οὐκ
5 ἐγκαταλείψει αὐτήν, καὶ συνάψει αὐτὴν ἐν μέσῳ τοῦ
λάρυγγος αὐτοῦ. Καὶ οὐ μὴ δυνηθῇ βοηθῆσαι ἑαυτῷ·
χολὴ ἀσπίδος ἐν γαστρὶ αὐτοῦ καὶ πόνος· πλοῦτος
ἀδίκως συναγόμενος ἐξεμεθήσεται ἐκ κοιλίας αὐτοῦ^h.

4 ἰδόντες : εἰδότες p ǁ 7 γὰρ > p ǁ 8 προνοήσει : προσνοήσει p ǁ 9 αὐτοῦ :
αὐτῶν p ǁ αὐτῶν : αὐτοῦ p ǁ 9-10 ψηλαφήσειαν : πυρσεύσαισαν p ǁ 11 ὅπερ :
τοῦτο p ǁ 16 προσενέγκωσιν : προσφέρωσιν p ǁ 18 φησίν > p ǁ 20 μειζόνων
(pabcz) : μειζόνως LMy ǁ τῶν² (pabcyz) : αὐτῶν LM
5, 1 φησίν > p ǁ 2 μετ᾽ αὐτοῦ : μετὰ ταῦτα p ǁ 5 συνάψει : συνέξει p ǁ 6
λάρυγγος : φάρυγγος p ǁ 7 καὶ πόνος > p ǁ 8 ἐκ κοιλίας αὐτοῦ > p

4, 13-21 : τοῦτ᾽ ἔστιν — ἀπερριμμένοι abc, yz

alors qu'il périra entièrement ; et ceux qui l'ont vu diront : Où est-il[e] ? [...] Tel, en effet, un songe qui s'est envolé, il est absolument impossible de le trouver. Il s'est envolé comme un fantôme nocturne. Car l'œil l'a vu passer sans pouvoir s'y attacher, et la place qu'il occupait ne l'apercevra plus ; que de plus faibles fassent périr ses fils ! et que leurs mains palpent des douleurs[f] !

C'est aussi ce que disait David : « Je suis passé près de lui et voici qu'il n'existait pas ; je l'ai cherché, et on n'a pas trouvé sa place[g]. » C'est-à-dire : leur ruine arrive d'un coup, pour que tu ne croies pas que leur malheur vient d'un ordre naturel[1], mais (que tu croies) qu'il est conforme à une puissance divine et extraordinaire ; et ne me parle pas seulement de leurs crimes, mais même leurs sacrifices, s'ils en offrent, sont absolument inutiles.

« Que de plus faibles, dit-il, fassent périr leurs fils ! » Cela aussi montre clairement que le coup vient de Dieu, puisque les gens qui sont inférieurs l'emportent sur ceux qui sont plus forts, et que ceux qui sont mis au rebut l'emportent sur ceux qui possèdent la force.

L'impie perd tout ce qu'il a acquis injustement

5. *Ses os, dit-il, ont été rassasiés, depuis sa jeunesse, et ils reposeront avec lui dans son tombeau ; le mal est doux à sa bouche, il le dissimulera sous sa langue ; il n'en sera pas ménagé, il n'y renoncera pas, et il l'attachera au milieu de sa gorge. Il lui sera absolument impossible de se porter secours à lui-même ; le venin de l'aspic et la souffrance sont dans son ventre ; il vomira hors de ses entrailles la richesse injustement amassée[h].* Même s'il

---

e. Job 20, 6-7 ‖ f. Job 20, 8-10 ‖ g. Ps. 36, 36 ‖ h. Job 20, 11-15

1. Chrysostome veut montrer que le coup « vient d'en-haut » (4, 1) et que la ruine est soudaine. Le contexte exige donc de traduire παρὰ par : à la suite de, à cause de, et non par : contrairement à. Aussi **y** et **z** l'ont-ils remplacé par κατὰ : μὴ ... κατὰ ... ἀλλὰ κατὰ ...

Κἂν οὕτως αὐτόν, φησίν, ἐν ἀσφαλείᾳ ἔχῃ, ὥσπερ ἐν
10 κοιλίᾳ, ταχέως αὐτὸν ἀποβαλεῖ μετ᾽ ὀδύνης · τοῦτο γάρ
ἐστιν · «Ἐξεμεθήσεται.» Τοῦτο συμβαίνει τοῖς πλουσίοις.
Εἶτα καταρᾶται, φησίν, ἀπὸ τοῦ πλούτου τῆς καυχήσεως.

6. Ἐξ οἰκίας δὲ αὐτοῦ, φησίν, ἐξελκύσει αὐτὸν
ἄγγελος θανάτου. Θυμὸν δὲ δρακόντων θηλάσει, καὶ
ἀνέλοι αὐτὸν γλῶσσα ὄφεως. Μὴ ἴδοι ἄμελξιν
νομάδων, μηδὲ νομὰς μέλιτος καὶ βουτύρου. Εἰς κενὰ
5 καὶ μάταια ἐκοπίασεν · σχοίη δὲ πλοῦτον ἐξ οὗ οὐ
γεύσεται, ὥσπερ στρίφνον, ἀμάσητον, ἀκατάποτον ·
πολλῶν γὰρ ἀδυνάτων οἴκους ἔθλασεν, δίαιταν δὲ
αὐτῶν ἥρπασεν, καὶ οὐκ ἔστησεν. Διὰ τοῦτο οὐκ
ἔσται αὐτῷ σωτηρία ἐν τοῖς ὑπάρχουσιν αὐτοῦ, οὐδὲ
10 ἀνθήσει αὐτοῦ τὰ ἀγαθά, ἐν ἐπιθυμίᾳ αὐτοῦ οὐ σωθήσεται. Οὐκ ἔστιν ὑπόλειμμα τοῖς βρώμασιν αὐτοῦ.
Ὅταν δοκῇ ἤδη πεπληρῶσθαι, θλιβήσεται, πᾶσα δὲ
ἀνάγκη ἐπ᾽ αὐτὸν ἐπελεύσεται, καὶ πληρώσει γαστέρα
αὐτοῦ · ἐπαποστείλαι ἐπ᾽ αὐτὸν θυμὸν ὀργῆς · ῥίψαι
15 δὲ ἐπ᾽ αὐτὸν ὀδύνας, καὶ οὐ μὴ σωθῇ ἐκ χειρὸς
σιδήρου · τρώσεται αὐτὸν τόξον χαλκοῦν, καὶ διε-
ξέλθοι διὰ σώματος αὐτοῦ βέλος · ἄστρα δὲ ἐν διαί-
ταις αὐτοῦ μὴ περιπατήσαισαν · ἐπ᾽ αὐτῷ φόβοι. Καὶ
πᾶν σκότος αὐτοῦ ὑπομείναι καὶ κατέδεται αὐτοῦ πῦρ
20 ἄσβεστον, κακῶσαι δὲ αὐτοῦ ἐπήλυτος τὸν οἶκον ·
ἀνακαλύψαι αὐτοῦ ὁ οὐρανὸς τὰς ἁμαρτίας, γῆ δὲ
ἐπανασταίη αὐτῷ, ἑλκύσει αὐτοῦ τὸν οἶκον ἀπώλεια
εἰς τέλος, καὶ ἡμέρα ὀργῆς ἐπέλθοι αὐτῷ[1].

9-12 κἂν — καυχήσεως > p
6, 2 θανάτου > p ‖ 2-19 θυμὸν — αὐτοῦ[2] > p ‖ 14 ἐπ᾽ αὐτὸν : ἑαυτὸν L
‖ 19 καὶ κατέδεται > MᵖᶜL ‖ 20 κακῶσαι : καὶ κατέδεται MᵐᵍL ‖ 21
ἀνακαλύψαι + δὲ p ‖ ἁμαρτίας : ἀνομίας p ‖ 22 ἑλκύσει : ἑλκύσαι p ‖ τὸν
οἶκον αὐτοῦ ∼ p ‖ 23 καὶ > p

la conserve ainsi en sécurité, dit-il, comme dans ses entrailles, bien vite il la rejettera avec douleur; c'est, en effet, ce que signifie : «Il vomira.» C'est ce qui arrive aux riches; puis, il est maudit, dit-il, pour cette richesse dont il se glorifiait.

6. *L'ange de la mort, dit-il, l'arrachera de sa maison. Il sucera le venin des reptiles, et puisse la langue du serpent le faire périr! Qu'il ne voie pas le lait de ses troupeaux, ni ses provisions de miel et de beurre! C'est en vain et pour rien qu'il s'est donné de la peine : puisse-t-il avoir une richesse à laquelle il ne pourra goûter, comme à une chair coriace, non mâchée, impossible à avaler, car il a abattu les demeures de bien des faibles, il a pillé leur habitation, et pourtant il ne l'avait pas construite. C'est pourquoi ses possessions ne lui procureront pas le salut, ni ses biens ne fleuriront, ni son désir ne le sauvera. Il ne subsiste rien de ses provisions. Quand il se croit déjà comblé, il sera accablé, et toutes les détresses s'abattront sur lui, et rempliront son ventre; que (Dieu) envoie contre lui la fureur de sa colère; qu'il lance des douleurs contre lui, et qu'il n'échappe en aucune façon au pouvoir de l'épée; un arc d'airain le blessera[1]; et puisse une flèche lui transpercer le corps; que les astres ne passent pas au-dessus de ses tentes; sur lui les terreurs! Et qu'une obscurité totale l'attende; un feu inextinguible le dévorera, et qu'un étranger saccage sa maison[2]; que le ciel dévoile ses fautes; et que la terre se dresse contre lui! La ruine entraînera sa maison à sa perte, et qu'un jour de colère se lève contre lui[i].*

5, 9-11 : κὰν — πλουσίοις abc, *yᵹ*

i. Job 20, 15-28

1. On notera la leçon τρώσεται, inconnue de **A**, qui a : τρῶσαι δέ, comme du texte reçu qui porte : τρῶσαι. Nous la conservons.
2. Sur ce texte scripturaire, fautif dans **L** et **M**, que nous avons dû corriger, on se reportera à l'introduction, p. 39, n. 1.

7. Ταῦτα καὶ τοῦτον αἰνίττεται. **Αὕτη ἡ μερίς, φησίν, ἀσεϐοῦς παρὰ Κυρίου καὶ κτῆμα ὑπαρχόντων αὐτοῦ παρὰ τοῦ ἐπισκόπου**[j]. Ὅρα ἑκατέρους εἰς διάφορα ἀπαντῶντας καὶ οὗτος καὶ ἐκεῖνος τὰ αὐτὰ λέγουσιν ὅτι οἱ
5 ἀσεϐεῖς ἀπολοῦνται.

7, 1 ταῦτα — αἰνίττεται > p ‖ φησίν : ἀνθρώπου p ‖ 2 αὐτοῦ : αὐτῷ p ‖ 3-5 ὅρα — ἀπολοῦνται > p ‖ 4 τὰ αὐτὰ *conj.* : τὰ αὐτοῦ LM

j. Job 20, 29

C'est ainsi que le Seigneur traite l'impie

7. Par ces paroles, (Sophar) fait encore allusion à Job. *C'est là le lot,* dit-il, *que le Seigneur réserve à l'impie, et ce sont là les biens dont le Seigneur, qui voit tout, lui réserve la jouissance*[1]. Remarque que tous deux, dans leurs divergences, se rencontrent; l'un comme l'autre, ils expriment la même vérité[1] : les impies périront.

---

1. La leçon τὰ αὐτοῦ (ils exposent sa situation) n'ayant aucun sens, nous corrigeons τὰ αὐτοῦ en τὰ αὐτά, que semble exiger le contexte.

1. Ὑπολαβὼν δὲ Ἰὼβ λέγει · Ἀκούσατέ μου τῶν
λόγων, ἵνα μὴ εἴη μοι αὕτη παρ᾽ ὑμῶν παράκλησις[a].
Τοῦτ᾽ ἔστιν · ἵνα μάθητε ὅτι οὐδὲν καρποῦμαι παρ᾽ ὑμῶν,
ὅτι οὐχ οὕτως ἔχει ταῦτα.

2. Βαστάσατέ με, ἐγὼ δὲ λαλήσω · εἶτα, ἵνα μή μου
καταγελᾶτε. Τί γάρ; Μὴ ἐξ ἀνθρώπου ἔλεγξίς μου;
Καὶ διὰ τί οὐ θυμωθήσομαι; Ἐμβλέψαντες εἰς ἐμὲ
θαυμάσατε, χεῖρα θέντες ἐπὶ στόμα. Ἐάν τε γὰρ
5 μνησθῶ, ἐσπούδακα · ἔχουσι δέ μου τὰς σάρκας ὀδύναι[b]. Θῶμεν γάρ, φησίν, εἶναί με καὶ πονηρὸν καὶ ἀσεβῆ,
ἀλλ᾽ οὐδὲν ἀπὸ τούτων καρποῦμαι, καὶ οἶδα μὲν ὅτι
καταγελάσεσθε · πλήν, οὐ φείδομαι. «Τί γάρ, φησί · μὴ ἐξ
ἀνθρώπου ἡ ἔλεγξίς μου;» Τοῦτ᾽ ἔστιν · οὐδεὶς δύναταί με
10 ἐλέγξαι. Οὐκ ἔστι μοι πρὸς ἄνθρωπον ὁ ἀγών.

«Ἐὰν γὰρ μνησθῶ, ἐσπούδακα · ἔχουσι δέ μου τὰς
σάρκας ὀδύναι.» Ὅρα πανταχοῦ πῶς ἀπολογεῖται, πῶς τὰς
ὀδύνας προτίθησι, πῶς λέγει τὴν αἰτίαν τῶν ῥηθησομένων
δεινῶν, ὅτι οὐκ οἴκοθεν οὐδὲ ἀπὸ καταστάσεώς τινος, ἀλλ᾽
15 ἀπὸ ταραχώδους ψυχῆς καὶ ἐσκοτισμένων λογισμῶν ταῦτα
φθέγγεται.

1, 1 ἀκούσατε + ἀκούσατε p ‖ 2 εἴη : ἢ p ‖ παρ᾽ ὑμῶν αὕτη ~ p ‖ 3
τοῦτ᾽ ἔστιν > p
2, 1 βαστάσατε : ἄρατε p ‖ δὲ > p ‖ εἶτα : εἰ τοῦ p ‖ ἵνα μή > p ‖ 1-2
μου καταγελᾶτε : καταγελάσετέ μου p ‖ 2 ἐξ > p ‖ 3 καὶ : ἢ p
‖ ἐμβλέψαντες : εἰσβλέψαντες p ‖ 4 θαυμάσατε : θαυμάζετε p ‖ θέντες χεῖρα
~ p ‖ στόμα : σιαγόνα p ‖ 5 ἐσπούδακα : ἐσπούδακας LM ‖ 6 θῶμεν :
δῶμεν p ‖ 8 φείδομαι : φείσομαι p ‖ τί γάρ, φησί : φησί τί γὰρ p ‖ 9
ἀνθρώπου : ἀνθρώπων p ‖ 10 μοι > p ‖ 11 ἐὰν + τε p ‖ 14 ὅτι > p

1, 3-4 : τοῦτ᾽ ἔστιν — ταῦτα abcyz
2, 6-8 : θῶμεν — φείδομαι abc ‖ 12-16 : ὅρα — φθέγγεται abcyz

CHAPITRE XXI

RÉPONSE DE JOB

Regardez plutôt avec moi
ce qui se passe dans la réalité

1. *Job prit la parole et dit : Écoutez mes discours, afin que je ne reçoive plus de vous cette consolation-là*[a]. C'est-à-dire : afin que vous sachiez que je ne retire de vous aucun profit, car la situation ne se présente pas ainsi.

2. *Relevez-moi, et moi je parlerai. Ensuite, ne vous moquez pas de moi. Eh quoi! Est-ce un homme qui me blâme? Pourquoi ne serais-je pas irrité? Jetez un regard sur moi, et étonnez-vous, en mettant votre main sur votre bouche. Car si je me souviens, je suis troublé*[1] *; et des douleurs s'emparent de mes chairs*[b]. Admettons donc, dit-il, que je suis pervers et impie; mais je ne retire aucun profit de ces remarques, et je sais que vous vous moquerez de moi; cependant, je ne cède pas. «Eh quoi! dit-il, est-ce un homme qui me blâme?» C'est-à-dire : aucun homme ne peut me blâmer. Ce n'est pas avec un homme que je combats.

«Car si je me souviens, je suis troublé, et des douleurs s'emparent de mes chairs.» Remarque comment il se défend toujours, comment il met en avant ses souffrances, comment il indique la cause des paroles terribles qu'il va prononcer, car ce n'est pas de lui-même ni à partir d'une position arrêtée qu'il s'exprime ainsi, mais parce que son âme est troublée et que ses pensées sont obscurcies.

---

a. Job 21, 1-2 ‖ b. Job 21, 3-6

---

1. Nous avons adopté ἐσπούδακα, leçon du texte reçu, au lieu de ἐσπούδακας qu'on trouve dans **LM** et qui est manifestement une erreur de copiste, car le mot est repris correctement à la ligne 11.

3. Διὰ τί, φησίν, ἀσεβεῖς ζῶσιν, πεπαλαίωνται δὲ καὶ πλούτῳ[c]; Τοῦτο πρὸς τὸν φίλον αὐτοῦ, ὅτι ἔλεγεν · «Χαρμονὴ ἀσεβῶν ἀπώλεια[d]», καὶ ὅτι «῍Αν ἀνέλθῃ εἰς τὸν οὐρανὸν τὰ δῶρα αὐτῶν[e]», καταστραφήσονται. «Διὰ
5 τί ἀσεβεῖς ζῶσι, πεπαλαίωνται δὲ καὶ πλούτῳ;» Ὁ σπόρος αὐτῶν κατὰ ψυχήν, τὰ δὲ τέκνα αὐτῶν ἐν ὀφθαλμοῖς αὐτῶν. Οἱ οἶκοι αὐτῶν εὐθηνοῦσιν · φόβος δὲ οὐδαμοῦ, μάστιξ δὲ παρὰ Κυρίου οὐκ ἔστιν ἐν αὐτοῖς · ἡ βοῦς αὐτῶν οὐκ ὠμοτόκησεν, διεσώθη δὲ
10 αὐτῶν ἐν γαστρὶ ἔχουσα, καὶ οὐκ ἔσφαλεν · μένουσι δὲ ὥσπερ πρόβατα αἰώνια · τὰ δὲ παιδία αὐτῶν προσπαίζει αὐτοῖς, ἀναλαμβάνοντα ψαλτήριον καὶ κιθάραν, καὶ εὐφραίνονται φωνῇ Ψαλμοῦ. Συνετέλεσαν, φησίν, ἐν ἀγαθοῖς τὸν βίον αὐτῶν, ἐν δὲ ἀναπαύσει
15 ῞Αδου ἐκοιμήθησαν[f].

4. Ὁρᾷς πῶς οὐ λέγει ὅτι οὐκ εἰς τέλος, καὶ τὸ δεινὸν ὅτι · Λέγει ὁ ἀσεβὴς τῷ Κυρίῳ · Ἀπόστα ἀπ' ἐμοῦ, τὰς ὁδούς σου εἰδέναι οὐ βούλομαι. Τί ἱκανὸν ὅτι δουλεύσομεν αὐτῷ; Καὶ τίς ὠφέλεια ὅτι ἀπαντήσομεν
5 αὐτῷ; Ἐν χερσὶν αὐτῶν ἦν τὰ ἀγαθά, ἔργα δὲ ἀσεβῶν οὐκ ἐφορᾷ[g]. Οὐ τοῦτο μόνον θαυμάσαι χρή, φησίν, ὅτι ἀντὶ πονηρίας τοιαύτας λαμβάνουσι τὰς ἀμοιβάς, ἀλλ' ὅτι καὶ αὕτη ἡ εὐπραγία χείρους αὐτοὺς ποιεῖ.

5. «Λέγει γάρ, φησί, τῷ Κυρίῳ · ἀπόστα ἀπ' ἐμοῦ.»

3, 1 φησίν > p ‖ 2 καὶ + ἐν p ‖ 2-5 τοῦτο — πλούτῳ > p ‖ 7 αὐτῶν[1] > p ‖ 8 κυρίου : θεοῦ p ‖ 11 αἰώνια p : αἰῶνα LM ‖ 12 προσπαίζει : προσπαίζουσιν p ‖ αὐτοῖς > p ‖ 13 συνετέλεσαν + δὲ p ‖ 14 φησίν > p
4, 2 λέγει + δὲ p ‖ ὁ ἀσεβὴς > p ‖ τῷ > p ‖ 3 τὰς > p ‖ ὅτι : ἵνα p[pc] ‖ 4 δουλεύσομεν (LM) : βουλεύσομαι p ‖ 5 χερσιν + γὰρ p ‖ ἦν αὐτῶν ~ p

4, 6-8 : οὐ τοῦτο — ποιεῖ abcγχ

c. Job 21, 7 ‖ d. Job 20, 5 ‖ e. Job 20, 6 ‖ f. Job 21, 7-13 ‖ g. Job 21, 14-16

1. Là où LM ont δουλεύσομεν, p a βουλεύσομαι. N'y aurait-il pas là

Les impies vieillissent dans le bien-être

3. *Pourquoi*, dit-il, *les impies vivent-ils, et même vieillissent-ils dans la richesse*[c] ? Ceci à l'adresse de son ami, parce qu'il disait : «Le plaisir des impies est une ruine[d]», ajoutant que «si leurs présents montaient jusqu'au ciel[e]», eux n'en seraient pas moins anéantis. «Pourquoi les impies vivent-ils et même vieillissent-ils dans la richesse.» *Leur descendance correspond à leur désir, et leurs enfants sont sous leurs yeux. Leurs maisons sont florissantes; nulle part de sujet de crainte, et le Seigneur ne les menace pas de son fouet; leur vache ne met pas bas avant terme, et leurs bêtes, quand elles sont pleines, sont sauvées et n'avortent pas; ils subsistent comme un troupeau impérissable; et leurs enfants jouent devant eux, en prenant en main la harpe et la cithare, et ils se réjouissent au son de la lyre. Ils ont passé leur vie,* dit-il, *au milieu du bien-être et ils ont reposé dans la paix de l'Hadès*[f].

Comme si Dieu ne voyait pas leurs œuvres

4. Tu vois comment il ne dit pas que cela ne dure pas jusqu'à la fin, et le terrible, c'est que *l'impie dit au Seigneur : éloigne-toi de moi, je ne veux pas connaître tes voies. Qu'est-ce qui peut nous contraindre à le servir*[1] ? *Et quel profit y a-t-il à ce que nous allions au-devant de lui? C'est dans leurs mains qu'étaient leurs richesses, mais (Dieu) ne jette pas les yeux sur les œuvres des impies*[g]. Non seulement il faut s'étonner, dit-il, que leur perversité leur vaille de tels dons en échange, mais aussi que cette réussite les rende encore pires.

Dieu, pourtant, punira les méchants

5. «L'impie, en effet, dit Job, dit au Seigneur : Éloigne-

---

une confusion auditive (cf. πρώτους et βροτούς, ch. 18, v. 21) qui serait due au fait que le texte était sténographié par des tachygraphes qui notaient au vol ce qu'ils entendaient?

Διὰ τί; Ὅτι «ἐν χερσὶν αὐτῶν ἦν τὰ ἀγαθά» · **οὐ μὴν δὲ ἀλλὰ ἀσεβῶν λύχνος σβεσθήσεται**[h] · (καὶ τοῦτο γίνεται πάλιν).

6. **Ἐπελεύσεται δὲ αὐτοῖς ἡ καταστροφή, καὶ ὠδῖνες αὐτοὺς ἕξουσιν ἀπὸ ὀργῆς. Ἔσονται δὲ ὥσπερ ἄχυρα πρὸ ἀνέμου ἢ ὥσπερ κονιορτός, ὃν ὑφείλατο λαῖλαψ**[i]. Ὥσπερ, φησίν, εὐπραγίας ἀπολαύουσιν, οὕτω καὶ
5 τῶν ἐναντίων.

7. **Μὴ ἐκλείποι**, φησίν, **υἱοῖς τὰ ὑπάρχοντα αὐτοῦ · ἀνταποδώσει πρὸς αὐτὸν καὶ γνώσεται · ἴδοιεν δὲ οἱ ὀφθαλμοὶ αὐτοῦ τὴν ἑαυτοῦ σφαγήν · καὶ ὑπὸ Κυρίου μὴ διασωθῇ, ὅτι τὸ θέλημα αὐτοῦ ἐν οἴκῳ μετ᾽ αὐτόν.**
5 **Καὶ ἀριθμοὶ μηνῶν αὐτοῦ διῃρέθησαν. Πότερον**, φησίν, **οὐχὶ ὁ Κύριός ἐστιν ὁ διδάσκων με σύνεσιν καὶ ἐπιστήμην**[j]; Ἐπειδὴ γὰρ ἔλεγεν ὁ πρὸ αὐτοῦ εἰρηκὼς ὅτι «ἀφ᾽ οὗ ἄνθρωπος ἐπὶ τῆς γῆς[k]», ταῦτα γίνεται, καὶ ἐγκαλεῖ αὐτῷ, ὡς τὰ σαφῆ καὶ δῆλα ἀγνοοῦντι. Εἶπες,
10 φησίν, ὅτι οὐ γίνεται ταῦτα, ἀλλὰ καὶ τὰ ἐναντία · ὥστε μηδεὶς νομιζέτω εἰδέναι τὸν ἀπόρρητον τοῦ Θεοῦ λόγον, καθ᾽ ὃν ἅπαντα γίνεται. Εἰπὲ γάρ μοι · ἐκεῖνοι οὐκ ἀσεβεῖς, διὰ τί κολάζονται; Ὁ μὲν ἐν λιμῷ, ὁ δὲ ἐν πλούτῳ, τῆς αὐτῆς οὔσης πονηρίας.

8. Εἶτά φησιν · **Οὗτος δὲ σοφοὺς διακρινεῖ · οὗτος ἀποθανεῖται ἐν κράτει ἀφροσύνης αὐτοῦ, ἄλλος δὲ**

5, 3 ἀλλὰ + καὶ p ‖ λύχνος ἀσεβῶν ∼ p
6, 1-2 καὶ ὠδῖνες : ὠδῖνες δὲ p ‖ 2 ἕξουσιν αὐτοὺς ∼ p ‖ 3 ὑφείλατο : ὑφείλετο L ‖ 4-5 ὥσπερ — ἐναντίων > p
7, 1 μὴ > p ‖ φησίν > p ‖ υἱοῖς (p) : υἱούς LM ‖ 4 οἴκῳ + αὐτοῦ p ‖ 5 φησίν > p ‖ 6 με > p ‖ 7 γὰρ > p ‖ 9 εἶπες : εἶπεν p ‖ 12 ἅπαντα : ἅπαν p ‖ 13 κολάζονται + ἀλλὰ p
8, 1 εἶτα — διακρινεῖ > p

h. Job 21, 16-17 ‖ i. Job 21, 17-18 ‖ j. Job 21, 19-22 ‖ k. Job 20, 4

toi de moi.» Pourquoi? Parce que «c'était dans leurs mains qu'étaient leurs richesses»; *il n'en reste pas moins que la lampe des impies s'éteindra*[h] (car, d'un autre côté, cela leur arrive aussi).

6. *Sur eux viendra l'anéantissement, et des douleurs provoquées par sa colère les saisiront. Ils seront comme des brins de paille en proie au vent, ou comme la poussière que soulève un tourbillon*[i]. Ils jouissent du succès, dit-il; de même aussi subiront-ils des revers.

7. *Qu'il ne laisse pas, dit-il, ses biens à ses enfants*[1]; *Dieu le châtiera en retour et il le saura; que ses yeux puissent voir sa propre destruction; et que le Seigneur ne le sauve pas; car son désir reste dans sa maison après lui. Même le nombre de ses mois a été compté. N'est-ce pas le Seigneur, dit-il, qui m'enseigne l'intelligence et la science*[j]? Puisque, en effet, celui qui avait parlé avant lui disait que «depuis le temps où l'homme a été établi sur la terre[k]», il en va ainsi[2], Job s'en prend alors à lui, car il ignore ce qui est clair et évident. Il lui dit : Tu as prétendu qu'il n'en est pas comme je dis, mais que c'est même le contraire (qui arrive). Donc, que personne ne croie connaître le secret dessein de Dieu, qui règle toute la création. Dis-moi donc : ceux qui ne sont pas des impies, pourquoi sont-ils châtiés? L'un est dans le besoin, l'autre dans la richesse, alors que leur méchanceté est la même.

Les sages ne connaissent pas tous le bonheur

8. Puis, il ajoute : *Celui-ci jugera les sages; celui-ci mourra dans la force de sa folie, un autre au comble du bonheur et de la*

---

1. **L** et **M** donnent υἱούς comme le texte reçu, mais ce texte n'a pas la négation μή : «Que ses biens manquent à ses fils.» Avec la négation, il faut choisir le datif υἱοῖς, que donne **p**. C'est, du reste, le texte de **A**.

2. «Il en va ainsi», c'est-à-dire que «les impies périront» (XX, 7, 4-5). C'est, en effet, le thème de tout le discours de Sophar.

εὐπαθῶν καὶ εὐθηνῶν · τὰ δὲ ἔγκατα αὐτοῦ πλήρης
στέατος, ὁ δὲ μυελὸς αὐτοῦ διαχεῖται · ὁ δέ γε
5 τελευτᾷ πικρίᾳ ψυχῆς, οὐ φαγὼν οὐδὲν ἀγαθόν. Ὁμοθυμαδὸν δὲ οἱ υἱοὶ αὐτοῦ ἐπὶ γῆς κοιμῶνται · σαπρία
δὲ αὐτοὺς ἐκάλυψεν ἐπὶ γῆς. Ὥστε οἶδα ὑμᾶς, φησίν,
ὅτι τόλμῃ ἐπίκεισθέ μοι · ὥστε ἐρεῖτε · Ποῦ ἐστιν
οἶκος ἄρχοντος; Καὶ ποῦ ἐστι σκέπη τῶν σκηνωμάτων
10 τῶν ἀσεβῶν[1]; Οὐκ ἀπὸ λογισμῶν, φησί, συνετῶν, οὐδὲ
ἀπὸ διανοίας ὀρθῆς, ἐπὶ ταῦτα ἐξετάζειν ὑμᾶς ἐχρῆν; Οὐκ
ἄρα παρακαλέσαι ἤλθετε;

9. Ἐρωτήσατε παραπορευομένους ὁδὸν καὶ τὰ σημεῖα αὐτῶν οὐκ ἀπαλλοτριωθήσεται · ὅτι εἰς ἡμέραν
ἀπωλείας κουφίζεται ὁ πονηρός, καὶ εἰς ἡμέραν
ὀργῆς αὐτοῦ ἀπαχθήσεται. Τίς ἀπαγγελεῖ ἐπὶ πρό-
5 σωπον αὐτοῦ τὴν ὀργήν; Καὶ αὐτὸς ἐποίησεν. Τίς
ἀνταποδώσει αὐτῷ; Καὶ αὐτὸς εἰς τάφους ἀπηνέχθη,
καὶ ἐπὶ σωρῷ ἠγρύπνησεν · ἐγλυκάνθησαν αὐτῷ
χάλικες χειμάρρου καὶ ὀπίσω αὐτοῦ πᾶς ἄνθρωπος
ἀπελεύσεται, καὶ ἔμπροσθεν αὐτοῦ ἀναρίθμητοι. Πῶς
10 δέ με παρακαλεῖτε κενά; Τὸ δὲ ἀφ' ὑμῶν καταπνεῦσαι
με οὐδέν[m].

4 δὲ[1] > p ‖ γε > p ‖ 5 πικρίᾳ : ἐν πικρίᾳ L ‖ ἀγαθόν (p) : ἀγαθῶν LM
‖ 6 οἱ υἱοὶ > p ‖ ἐπὶ γῆς > p ‖ 7 φησίν > p ‖ 8 ἐρεῖτε + μοι p ‖ ἐστιν + ὁ
p ‖ 9 ἐστι + ἡ p ‖ 11 ἐπὶ : ἐπεὶ p ‖ ὑμᾶς ἐξετάζειν ~ p ‖ 12 ἤλθετε : ἤλθατε
M

9, 3 καὶ > p ‖ 5 τὴν ὀφήν : τὴν ὁδὸν αὐτοῦ p ‖ 7 σωρῷ : σορόν p
‖ αὐτῷ : αὐτοῦ p ‖ 10 με > p ‖ 10-11 ἀφ' ὑμῶν καταπνεῦσαι με : ἐμὲ
καταπαῦσαι ἀφ' ὑμῶν p

l. Job 21, 22-28 ‖ m. Job 21, 29-34

prospérité ; ses entrailles regorgent de graisse, et sa moelle ruisselle de partout ; cet autre, au contraire, meurt dans l'amertume de son âme, sans avoir goûté au bonheur. Et ses fils reposent tous ensemble en terre, et la pourriture les y recouvre. Ainsi, je sais, dit-il, *que c'est par arrogance que vous m'attaquez. Aussi, direz-vous : Où est-elle la maison du chef ? Où sont-elles les tentes qui abritaient les impies*[1] *?* N'est-ce donc pas, dit-il, à de sages raisonnements ou à une pensée droite qu'il aurait fallu confier votre enquête sur ce point ? N'êtes-vous donc pas venus pour consoler ?

Qui peut comprendre la conduite de Dieu

9. *Interrogez les passants, et leurs témoignages ne seront pas ignorés ; car le méchant est emporté vers le jour de sa perte et il sera entraîné vers le jour de la colère de Dieu. Qui lui reprochera en face sa colère*[1] *? C'est Dieu qui a agi. Qui pourra lui répondre ? Il a été entraîné au cimetière, et il a veillé sur son tertre*[2] *; les pierres du torrent lui ont été douces ; derrière lui, tous les hommes s'en iront, devant lui il y en a d'innombrables. Mais, comme vous me consolez en vain ! Puissent vos suggestions ne jamais m'inspirer*[m][3] *!*

1. Notre texte porte ὀργήν (au lieu de ὁδόν) entraîné peut-être par une confusion avec le ὀργῆς de la ligne précédente. Nous avons pourtant conservé la leçon de **LM**.
2. «Entraîné au cimetière, le méchant veille sur son tertre». «Il veille sous la forme d'une stèle qui reproduit ses traits.» (Osty).
3. Καταπνεύσαι semble être une faute de copiste pour καταπαῦσαι (**p**), qui est la leçon de **A**, généralement suivi par Chrysostome.

XXII

1. Ὑπολαβὼν δὲ Ἐλιφὰζ ὁ Θαιμανίτης λέγει ·
Πότερον οὐχὶ ὁ Κύριός ἐστιν ὁ διδάσκων σύνεσιν καὶ
ἐπιστήμην[a]; Καὶ οὗτος τοῦτο ὡμολόγησεν ἡττηθείς. Εἶτα,
ἐπειδὴ ἐκ τῶν εἰρημένων συνήγετο τὸ μὴ εἶναι ἀσεβῆ τὸν
5 Ἰώβ, μηδὲ δεῖν ἀπὸ τῶν τιμωριῶν τοὺς τρόπους στοχάζεσθαι, ὅρα πῶς κακούργως ταύτῃ σχεδὸν καὶ τὴν πρόνοιαν
ἀναιρεῖ.

2. Τί γὰρ μέλει τῷ Κυρίῳ, ἐὰν σὺ ᾖς ἄμεμπτος
τοῖς ἔργοις[b]; Τοῦτ' ἔστιν οὐδὲν τοῦτο πρὸς τὸν Θεόν.
Ἢ ὠφέλεια αὐτῷ ὅτι ἁπλώσῃς τὴν ὁδόν σου[c]; Μὴ
γὰρ ὅτι εἰς τὴν αὐτοῦ συντελεῖ τοῦτο ὠφέλειαν, φησίν.
5 Ἐπειδὴ γὰρ ἄνω καὶ κάτω ἔλεγεν ὅτι · ὁ Θεός ταῦτα
ἐποίησεν καὶ δι' αὐτὸν πάσχω, θέλει δεῖξαι ὅτι οὐ παρὰ
τοῦ Θεοῦ.

3. Ἢ λόγον σου ποιούμενος, φησίν, ἐλέγξει σε καὶ
συνεισελεύσεταί σοι εἰς κρίσιν[d]; Μάλιστα μὲν οὖν εἰ καὶ
δίκαιος ᾖς, οὐδὲν αὐτῷ μέλει, οὐδ' ἔχει σου λόγον, τοῦτ'
ἔστιν · οὐ πολλῆς τῷ Θεῷ τοῦτο σπουδῆς ἄξιον.

1, 3 τοῦτο : τοῦτον LM ‖ ἡττηθείς : ἡττηθής (ει = ἡ) p ‖ 4 τὸ > p ‖ 5
τρόπους + αὐτοῦ p
2, 1 ᾖς : ἦσθα p ‖ 1-2 τοῖς ἔργοις ἄμεμπτος ∼ p ‖ 2 τοῦτ' ἔστιν — θεόν
> p ‖ 4 ὅτι : τι pabcyz ‖ τοῦτο > abcyz ‖ 6 δι' αὐτὸν (LMp) : διὰ τοῦτο
abcyz ‖ δεῖξαι + οὗτος p ‖ παρὰ : περὶ p
3, 1 ἢ : ὁ p ‖ φησίν > p ‖ 3 μέλει : μέλλει p ‖ 4 πολλῆς : πολλῷ p

2, 3-7 : μὴ γὰρ — θεοῦ *abc, yχ*

a. Job 22, 1-2 ‖ b. Job 22, 3 ‖ c. Job 22, 3 ‖ d. Job 22, 4

CHAPITRE XXII

TROISIÈME DISCOURS D'ÉLIPHAZ

Crois-tu que ta conduite ait tant d'importance aux yeux de Dieu

1. *Éliphaz de Théman prit la parole et dit : N'est-ce pas le Seigneur qui donne intelligence et savoir*[a]? Vaincu, Éliphaz, à son tour, en a convenu[1]. Puis, comme ce qui avait été dit permettait de conclure que Job n'était pas impie, et qu'il ne fallait pas d'après les châtiments juger de la conduite, remarque avec quelle perfidie il va presque ainsi jusqu'à supprimer la Providence.

2. *Qu'importe-t-il, en effet, au Seigneur, que tu sois irréprochable dans tes œuvres*[b]? C'est-à-dire : cela ne fait rien à Dieu.

Ou bien, a-t-il profit à la droiture de ta conduite[c]? Ne va pas dire que cela contribue, en effet, à lui procurer quelque avantage, dit-il. Puisque Job, en effet, disait sur tous les tons : c'est Dieu qui a fait cela et c'est à cause de lui que je souffre, Éliphaz veut montrer que (ces maux) ne viennent pas de Dieu.

3. *Ou bien*[2], *parce qu'il fait cas de toi,* dit-il, *t'accusera-t-il, et en viendra-t-il en jugement avec toi*[d]? Oui, tu as beau être[3] juste, peu lui importe, et il ne tient aucun compte de toi, c'est-à-dire, cela ne mérite pas beaucoup d'intérêt aux yeux de Dieu.

---

1. Τοῦτο ὡμολόγησεν. Nous avons adopté la leçon de **p** : τοῦτο, contre celle de **LM** : τοῦτον, impossible pour le sens. «Éliphaz, à son tour, en a convenu.» Job, en effet, l'avait déclaré au chap. 21, v. 22, exactement dans les mêmes termes.

2. Ce ἤ, comme celui de la ligne 3, n'introduit pas une nouvelle interrogation, mais un nouveau membre de l'interrogation ouverte par πότερον en 1, 2.

3. Sur ce subjonctif ᾖς après εἰ, cf. SOFFRAY, *l.c.,* p. 137, remarque.

4. Πλήν, εἰ καὶ ἐβούλετό σε κρῖναι, πολλὰ ἂν εὗρεν
ἁμαρτήματα.

Πότερον οὐχὶ ἡ κακία σού ἐστιν πολλή; ἀναρίθμητοι δέ σου αἱ ἁμαρτίαι; Ἡνεχύραζες γὰρ τοὺς
5 ἀδελφοὺς διὰ κενῆς · ἀμφίασιν δὲ γυμνῶν ἀφείλου ·
οὐδὲ ὕδωρ διψῶντας ἐπότισας, ἀλλὰ πεινῶντας ἐστέρησας ψωμόν · ἐθαύμασας δέ τινων πρόσωπα, ἐκοίμησας δὲ πτωχοὺς ἐπὶ γῆς, χήρας δὲ ἐξαπέστειλας
κενάς, καὶ ὀρφανοὺς ἐκάκωσας. Τοιγαροῦν ἐκύκλωσάν
10 σε παγίδες, καὶ ἐσπούδασέν σε πόλεμος ἐξαίσιος[e].
Καὶ πόθεν; ὅτι κολάζῃ, φησίν. Τὸ φῶς σοι εἰς σκότος
ἀπέβη, κοιμηθέντα δέ σε ὕδωρ ἐκάλυψεν[f]. Τουτ' ἔστιν ·
ἐν ἐρημίᾳ, καὶ αἴθριος, ἀλήτης καὶ φυγάς, ἀνέστιος
γέγονας.

5. Μὴ ὁ τὰ ὑψηλὰ ναίων οὐκ ἐφορᾷ; Τοὺς δὲ ὕβρει
φερομένους ἐταπείνωσεν; Καὶ εἶπας · Τί ἔγνω ὁ
ἰσχυρός, ἢ κατὰ τοῦ γνόφου κρίνειν; Νεφέλη
ἀποκρυφὴ αὐτοῦ, καὶ οὐχ ὁραθήσεται · καὶ γῦρον
5 οὐρανοῦ διαπορεύεται. Μὴ τρίβον αἰώνιον φυλάξεις,
ἣν ἐπάτησαν ἄνδρες δίκαιοι, οἳ συνελήφθησαν ἄωροι;
Ποταμὸς ἐπιρρέων οἱ θεμέλιοι αὐτῶν. Οἱ λέγοντες ·
Τί ποιήσει ἡμῖν ὁ Κύριος, ἢ τί ἐπάξει ἡμῖν ὁ
Παντοκράτωρ; Ὁ δὲ ἐνέπλησεν τοὺς οἴκους αὐτῶν
10 ἀγαθῶν, βουλὴ δὲ ἀσεβῶν πόρρω αὐτοῦ. Ἰδόντες

4, 1 εὗρεν + σοι p ‖ 3-4 ἀναρίθμητοι + εἰσιν p ‖ 4 αἱ ἁμαρτίαι σου ~ p
‖ ἠνεχύραζες : ὅτι ἠνεχυρίαζες p ‖ 6 πεινῶντας : πεινῶντων p ‖ 6-7
ἐστέρησας : ἐστέρησα p[ac] ‖ 7 πρόσωπά τινων ~ p ‖ 7-8 ἐκοίμησας : οἰκίσας
p ‖ 8 ἐπὶ + τῆς p ‖ 11 καὶ — φησίν > p ‖ 12 σε > p ‖ ἐκάλυψεν + σε p
‖ τοῦτ' ἔστιν + οἱ ἀφόρητοι ἐκύκλωσάν σε πειρασμοὶ καὶ p ‖ 13 αἴθριος +
καὶ p
5, 3 κρίνειν : κρίνει p ‖ 5 διαπορεύεται : διαπορεύσεται p ‖ 9 δὲ + γε p
‖ 10 αὐτοῦ : ἀπ' αὐτοῦ p

4, 12-14 : τοῦτ' ἔστιν — γέγονας abc

e. Job 22, 5-10 ‖ f. Job 22, 11

Si Dieu devait te juger,
il trouverait bien des fautes en toi

4. D'ailleurs, s'il avait voulu te juger, il aurait trouvé bien des fautes.

Ta perversité n'est-elle pas profonde, et tes fautes innombrables? Tu exigeais, en effet, de tes frères des gages injustifiés; tu as dépouillé de leurs vêtements ceux qui étaient nus; tu n'as pas donné d'eau à boire aux assoiffés, et tu as privé les affamés d'une bouchée de pain; tu as fait parfois acception des personnes, et tu as laissé dormir les pauvres sur la terre; tu as renvoyé les veuves les mains vides et tu as maltraité les orphelins : c'est pourquoi des filets t'ont enveloppé, et une guerre funeste s'est acharnée contre toi[e]. Et d'où (l'affirme-t-il)? Parce que tu es châtié, dit-il. *La lumière, pour toi, s'est transformée en ténèbres et, durant ton sommeil, l'eau t'a submergé*[f], c'est-à-dire : te voilà dans la solitude, à la belle étoile, vagabond et exilé, sans foyer.

Mais Dieu voit tout d'en-haut

5. *Celui qui habite les hauteurs ne surveille-t-il pas? N'a-t-il pas abaissé ceux qui se laissent emporter par l'orgueil? Et tu as dit : Que sait le Tout-Puissant sinon juger dans l'obscurité? La nuée le dissimule, et on ne peut le voir; et il parcourt le pourtour du ciel. Seras-tu fidèle à l'antique sentier qu'ont foulé les justes*[1], *qui ont été emportés prématurément? Leurs fondations ressemblent à un fleuve qui s'écoule. Eux qui disaient : Que pourra nous faire le Seigneur, ou qu'est-ce que le Tout-Puissant pourra provoquer contre nous? Or, c'est lui qui a comblé leurs maisons de biens, mais le conseil des impies était loin de lui. A leur vue, les justes se sont*

---

1. «Les justes, qui ont été emportés prématurément» : il s'agit évidemment des «injustes». La faute est très ancienne, car on la retrouve dans l'ensemble des manuscrits de la LXX. Origène corrigeait déjà, d'après l'hébreu : «Vas-tu suivre le sentier antique que foulaient les hommes pervers?» *(Bible Jérus.)*. Rahlfs adopte ἄδικοι.

72   COMMENTAIRE SUR JOB

δὲ οἱ δίκαιοι ἐγέλασαν, ἄμεμπτος δὲ ἐμυκτήρισεν αὐτούς· εἰ μὴ ἠφανίσθη ἡ ὑπόστασις αὐτῶν, καὶ τὸ κατάλειμμα αὐτῶν καταφάγεται πῦρ. Γενοῦ δὴ σκληρός· ἐὰν ὑπομείνῃς, ἦ ὁ καρπός σου ἔσται ἐν
15 ἀγαθοῖς. Ἔκλαβε δέ, φησίν, ἐκ στόματος αὐτοῦ ἰσηγορίαν σὺν ἐξομολογήσει, καὶ ἀνάλαβε τὰ ῥήματα αὐτοῦ ἐν καρδίᾳ σου^g. Τοῦτ᾽ ἔστι· ἐναντίον αὐτοῦ ἀντίλεξον, ἐὰν ὑπομείνῃς, οὐδαμῶς.

6. Ἐὰν δὲ ἐπιστραφῇς καὶ ταπεινώσῃς σεαυτὸν ἔναντι Κυρίου, καὶ πόρρω ποιήσεις ἀπὸ διαίτης σου τὸ ἄδικον, θήσεις ἐπὶ χώματι ἐν πέτρᾳ, καὶ ὥσπερ πέτρα χειμάρρου Σωφίρ. Ἔσται σοι βοηθὸς
5 ὁ Παντοκράτωρ ἀπὸ ἐχθρῶν, καθαρὸν δὲ ἀποδώσει σε ὥσπερ ἀργύριον πεπυρωμένον· εἶτα, ἐὰν παρρησιάσῃ ἔναντι Κυρίου, ἀναβλέψας εἰς οὐρανὸν ἱλαρῶς, εὐξαμένου δέ σου πρὸς αὐτόν, εἰσακούσεταί σου. Δώσει δὲ τὰς εὐχάς σου ἀποδοῦναι. Ἀποκαταστήσει δέ σοι
10 δίαιταν δικαιοσύνης, ἐπὶ δὲ ὁδοῖς σου ἔσται φέγγος. Ὅτι ἐταπείνωσας σεαυτόν, καὶ ἐρεῖς· Ὑπερηφανευσάμην, καὶ κύφοντα ὀφθαλμοῖς σώσει, ῥύσεται δ᾽ ἀθῷον· καὶ διασώθητι ἐν καθαραῖς χερσίν σου^h.

14 ἦ : εἶτα p ‖ 15 φησίν > p ‖ 15-16 ἰσηγορίαν : ἐξηγορίαν p ‖ 17-18 τοῦτ᾽ ἔστι — οὐδαμῶς > p
6, 1-4 ἐὰν — σωφίρ : in marg. sup. p ‖ 4 ἔσται + οὖν p ‖ 6 παρρησιάσῃ : παρρησιασθήσῃ p ‖ 7 εἰς + τὸν p ‖ 8 δὲ² + σοι p ‖ 11 σεαυτόν : ἑαυτόν p ‖ ἐρεῖς : ἐρεῖ p ‖ 11-12 ὑπερηφανευσάμην : ὑπερηφανεύσατο p ‖ 12 καὶ κύφοντα : κεκυφότα p

g. Job 22, 12-22 ‖ h. Job 22, 23-30

mis à rire, et l'homme irréprochable s'est moqué d'eux; si leur
avoir n'a pas été détruit, alors le feu dévorera ce qui leur reste. Sois
donc ferme : si tu peux tenir bon, sûrement tu récolteras le bonheur.
Reçois de sa bouche, dit-il, *la liberté de parole, en faisant un aveu*
complet, et recueille ses paroles dans ton cœur[g]. C'est-à-dire : Ne
lui réplique jamais en face, si tu peux tenir bon.

Convertis-toi et tu connaîtras le bonheur

6. *Et, si tu te convertis et t'humilies devant le Seigneur, alors tu*
éloigneras l'injustice de ta demeure, tu entasseras (un trésor) sur le
roc, et ton or[1] *sera comme le roc du torrent. Le Tout-Puissant te*
portera secours pour éloigner tes ennemis, et il te rendra pur comme
de l'argent éprouvé par le feu; alors, si tu parles en toute franchise
devant le Seigneur, en levant joyeusement tes regards vers le ciel, et
si tu lui adresses tes prières, il te prêtera l'oreille. Et il t'accordera
le pouvoir d'accomplir tes vœux. Il rétablira pour toi une demeure
de justice, et sur tes chemins il y aura de la lumière. Parce que tu
t'es humilié, tu diras alors : Je me suis enorgueilli, et Dieu sauvera
un homme qui baisse les yeux, il délivrera un innocent; et sois sauvé
grâce à la pureté de tes mains[h].

---

1. On trouve dans le texte grec de *Job,* suivant les manuscrits, soit :
Σωφιρ (**S, A**), cf. *Job* 22, 24; soit : Ωφιρ (**B**), cf. *Job* 28, 16.

XXIII

1. Ὑπολαβὼν δὲ Ἰὼβ λέγει · καὶ δή, οἶδα ὅτι ἐκ χειρῶν μου ἡ ἔλεγξίς ἐστιν[a]. Τοῦτ᾽ ἔστιν · τὸν κατή-γορον μετ᾽ ἐμαυτοῦ περιφέρω τὸν ἔλεγχον · τὴν ἀπόδειξιν τῶν κακῶν οἴκοθεν ἔχω. Ἡ χεὶρ αὐτοῦ βαρεῖα γέγονεν ἐπ᾽ ἐμοί, στενάζω δὲ ἐπ᾽ ἐμαυτόν[b]. Εἰ δὲ ἐνῆν, φησί, παρ᾽ αὐτῷ τῶν τιμωριῶν τὴν ψῆφον φέρεσθαι, ἦν εὑρεῖν αὐτόν. Εἴθε ἐνῆν δικά-σασθαι, φησί, καὶ ἐντυχεῖν αὐτῷ, καὶ μαθεῖν τίνα ἦν ἃ ἔμελλέν μοι πρὸς ταῦτα ἐρεῖν · ἃ ἔμελλεν λέγειν. Ὅρα πῶς ἐπέτυχεν ὅπερ ηὔχετο · τοῦτο γὰρ ἔσχατον γέγονε ἐν τῷ βιβλίῳ. Ἤθελον μαθεῖν τί μοι ἔμελλεν ἐρεῖν, καὶ εἰ ἔμελλέν με ὁμοίως κολάζειν · ταῦτα δὲ εἶπον οὐχ ὡς καταγινώσκων ἀδικίαν.

2. Τίς ἂν γνῶ ὅτι εὔροιμι αὐτὸν καὶ ἔλθοιμι εἰς τέλος; Εἴποιμι δὲ ἐμαυτοῦ κρίμα, τὸ δὲ στόμα μου ἐμπλήσαιμι ἐλέγχου, γνοίην δὲ ῥήματα ἅ μοι ἐρεῖ · αἰσθοίμην δὲ τίνα μοι ἀπαγγελεῖ, καὶ εἰ πολλῇ ἰσχύϊ ἐπελεύσεταί μοι, καὶ εἰ ἐν ἀπειλῇ οὐ χρήσεταί μοι[c]. Καὶ γάρ, εἰ πολλῇ ἰσχύϊ χρήσεταί μοι καὶ ἀπειλῇ, ἀλλ᾽ ὅμως οἶδα ὅτι ἀλήθεια παρ᾽ αὐτῷ ἐστιν.

3. Ἀλήθεια γὰρ καὶ ἔλεγχος παρ᾽ αὐτῷ · ἐξαγάγοι

1, 1 δὲ + ὁ p ‖ 2 χειρῶν : χειρός p ‖ ἔλεγξίς + μου p ‖ τὸν > p ‖ 3 μετ᾽ ἐμαυτοῦ περιφέρω *scripsi* : μεθ᾽ ἐμαυτοῦ περιφέρω LMabc   μεθ᾽ ἑαυτοῦ περιφέρει p > yz ‖ 4 ἔχω + καὶ p ‖ 5-6 δὲ ἐπ᾽ ἐμαυτόν > p ‖ 6 ἐνῆν (pabc) : ἤμην LM ἦν yz ‖ παρ᾽ αὐτῷ (L) : παρ᾽ αὐτὸ Mp   παρ᾽ αὐτὰ abc ‖ 8 φησί > p ‖ 9 ἃ ἔμελλεν λέγειν > p ‖ 10 ὅπερ : οὗπερ p ‖ ἐν (pabcyz) > LM ‖ 12 εἶπον : εἶπεν p

2, 1 τίς ἂν γνῶ (LM) : τίς ἄρα γνοίη p ‖ 3 ἐμπλήσαιμι ἐλέγχου : ἐμπλήσω ἐλέγχων p ‖ 4 αἰσθοίμην : αἰσθοίην p ‖ ἀπαγγελεῖ + περὶ αὐτὸν p ‖ εἰ + ἐν p

CHAPITRE XXIII

RÉPONSE DE JOB

Je sais que mon malheur m'accuse

1. *Job prit la parole et dit : Oui, vraiment, je sais que c'est de mes mains que vient mon accusation*[a]. C'est-à-dire : je porte avec moi la preuve qui m'accuse ; la démonstration de mes maux, c'est de moi-même que je la tire.

Sa main s'est appesantie sur moi, et je gémis sur moi-même[b]. S'il était possible, dit-il, de débattre auprès de lui de (mes) châtiments, il serait possible de le trouver. Ah ! si seulement il était possible, dit-il, de plaider en justice, de le rencontrer et d'apprendre ce qu'il me répondrait. Cela, Dieu allait le dire. Vois comment il a obtenu précisément ce qu'il souhaitait. C'est là, en effet, ce qui se produit à la fin du livre. Je voulais apprendre ce qu'il allait me dire, et s'il allait également me châtier ; et, en parlant ainsi, je n'ai pas eu l'intention de condamner une injustice.

Puissé-je trouver Dieu : lui me justifiera

2. *Qui pourrait savoir, pour que je le trouve et que je parvienne au terme ? Que je plaide ma propre cause, que j'emplisse ma bouche d'arguments, que je sache les paroles qu'il me dira, que j'apprenne la réponse qu'il va me faire, s'il va m'attaquer de toute sa force et s'il n'usera pas de menaces à mon égard*[c]. En effet, même s'il use de toute sa force contre moi et de menaces, cependant, je sais que la vérité réside auprès de lui.

3. *Car, la vérité et la réprobation sont auprès de lui. Puisse-t-il*

1, 2-4 : τοῦτ' ἔστιν — ἔχω abc ‖ 6-13 : εἰ δὲ — ἀδικίαν abc, (yz)
2, 6-7 : καὶ γὰρ — ἐστιν abc, *yζ*

---

a. Job 23, 1-2 ‖ b. Job 23, 2 ‖ c. Job 23, 3-6

δὲ εἰς τέλος τὸ κρίμα[d]. Τοῦτο ηὔξατο – τοῦτό ἐστιν ὃ φησιν – ὥστε πέρας ἐπιτεθῆναί μου τοῖς δεινοῖς· εἶτά φησιν ὅτι ταῦτα ἤθελον γενέσθαι, ὥστε ἀποθανεῖν, οὐχ ὡς 5 νῦν μέλλοντος αὐτοῦ κρίνειν.

4. Ἐὰν γὰρ πορευθῶ εἰς τὰ πρῶτα, οὐκέτι εἰμί, τὰ δὲ ἐπ' ἐσχάτοις, τί οἶδα αὐτόν; Ἀριστερὰ ποιήσαντος αὐτοῦ, καὶ οὐ κατέσχον· περιβαλεῖ δεξιά, καὶ οὐκ ὄψομαι. Οἶδεν γὰρ ἤδη ὁδόν μου, αὐτός, καὶ διέκρινέν 5 με ὥσπερ χρυσίον. Ἐξελεύσομαι δὲ ἐν ἐντάλμασιν αὐτοῦ, ὁδοὺς γὰρ αὐτοῦ ἐφύλαξα καὶ οὐ μὴ ἐκλείπω ἀπὸ ἐντολῶν αὐτοῦ, οὐ μὴ παρέλθω, ἵνα μὴ ἀποθάνω[e]. «Οἶδεν», φησί, «τὴν ὁδόν μου», καὶ ὅτι ἐσπούδασα ἀεὶ ὑπακούειν αὐτῷ· ἀλλὰ «τίς, ὅταν κρίνῃ, ἀντερεῖ 10 αὐτῷ[f]».

5. Ἐν δὲ κόλπῳ μού, φησίν, ἔκρυψα ῥήματα αὐτοῦ. Εἰ δὲ καὶ αὐτὸς ἔκρινεν οὕτω, τίς ἐστιν ὁ ἀντερῶν αὐτῷ; Ὁ γὰρ αὐτὸς ἠθέλησεν, καὶ ἐποίησεν. Διὰ τοῦτο, ἐπ' αὐτῷ ἐσπουδάκειν. Νουθετούμενος δὲ 5 ἐφρόντισα αὐτοῦ. Ἐπὶ τούτῳ ἐπὶ προσώπου αὐτοῦ κατασπουδασθῶ. Κατανοήσω καὶ πτοηθήσομαι ἐξ αὐτοῦ[g]. «Οὐχ ἥμαρτον[h]», φησί· καὶ τί τοῦτο; Οὐ γὰρ δὴ

3, 2-3 τοῦτο[1] — φησιν : τοῦτο οὖν εὔχομαι p
4, 1 ἐὰν γὰρ — εἰμί conj. : ἐὰν γὰρ πορευθῶ, οὐκέτι εἰμὶ εἰς τὰ πρῶτα LM εἰς γὰρ πρῶτα πορεύομαι καὶ οὐκέτι εἰμί p ‖ 2 αὐτόν > p ‖ 6 ἐκλείπω : ἐκκλίνω p ‖ 8 καὶ ὅτι (pabcyz) : καὶ LM
5, 4 ἐσπουδάκειν : ἐσπούδακα p

3, 2-5 : τοῦτο — κρίνειν abc
4, 8-10 : οἶδεν — αὐτῷ abcyz
5, 7-9 : οὐχ ἥμαρτον — λέγω (7 οὐχ — τοῦτο + 9 τῶν — λέγω > yz) abc (yz)

d. Job 23, 7 ‖ e. Job 23, 8-12 ‖ f. Cf. Job 23, 13 ‖ g. Job 23, 12-15 ‖ h. Cf. Job 13, 18; 16, 17

1. «Ce que je voulais, c'était mourir» : Chrysostome interprète ainsi le mot τέλος, qui signifie la fin, le terme et la mort. Ce mot revient, en

conduire ce jugement à son terme[d]! Il a prié, c'est là ce qu'il veut dire, qu'un terme soit mis à mes maux; puis, il ajoute : Ce que je voulais par là c'était mourir[1], mais je ne pensais pas que Dieu allait me juger maintenant.

Mais je ne peux le trouver

4. *Si je m'avance, en effet, vers mes origines, je ne suis plus[2] ; et, en ce qui concerne mes fins dernières, que sais-je de lui? A-t-il agi sur ma gauche, je ne m'en suis pas rendu compte; sa droite m'enveloppera et je ne le verrai pas. Car il sait déjà ma route, lui, et il m'a éprouvé comme l'or. Je marcherai dans ses commandements, car j'ai gardé ses voies, et il n'y a pas de danger que je m'écarte de ses ordres, que je les transgresse, car je ne veux pas mourir*[e]. «Il sait ma route», dit-il, et que je me suis appliqué à toujours lui obéir; «mais, s'il vient à juger, qui lui répondra[f]?»

Qui, d'ailleurs, pourrait répliquer à Dieu?

5. *Dans mon sein,* dit-il, *j'ai caché ses paroles. Mais, si Dieu lui-même a jugé ainsi, qui pourra lui répliquer? Car, ce qu'il veut, il le réalise aussi. C'est pourquoi, j'étais troublé à cause de lui. Et quand j'étais réprimandé, je songeais à lui. Aussi, faut-il que je sois très attentif devant lui. Je réfléchirai et il me remplira d'effroi*[g]. «Je n'ai pas péché[h]», dit-il; alors, que signifie ce qui m'arrive? C'est que – c'est évident – ce n'est pas

---

effet, deux fois dans le texte scripturaire (en **2**, 2 et en **3**, 2). Job désire mourir (III, **4**, 14-15 ; IV, **2**, 12-13 etc.), mais il refuse de se suicider (II, **12**, 32 ; VI, **7**, 6 s. etc.). Il n'y a donc pas de contradiction entre le désir de mourir exprimé ici et le verset 12 (**4**, 7) où Job déclare qu'il ne veut pas mourir en transgressant les commandements du Seigneur.

2. **L** et **M** présentent un texte curieux : ἐὰν γὰρ πορευθῶ, οὐκέτι εἰμι εἰς τὰ πρῶτα. Nous ne le trouvons nulle part ailleurs. En supposant une bévue du copiste, nous proposons une légère inversion qui permet de retrouver le texte de **A** : Ἐὰν γὰρ πορευθῶ εἰς τὰ πρῶτα, οὐκέτι εἰμί.

μόνον ἀπὸ τῆς τῶν ἁμαρτημάτων ἐξουσίας ἔξεστι κολάζειν
θεῷ ἀλλὰ καὶ τούτων χωρίς (τῶν ἁμαρτημάτων λέγω).

6. **Κύριός μου ἐμαλάκυνεν τὴν καρδίαν · ὁ δὲ
Παντοκράτωρ ἐσπούδασεν ἐπ' ἐμέ · οὐ γὰρ ᾔδειν ὅτι
ἐπελεύσεταί μοι γνόφος, πρόσωπον δέ μου καλύψει
σκότος**[i]. Οὐ κατὰ ἀκολουθίαν ἀνθρωπίνην γέγονεν τοῦτο,
5 φησίν, ἀπροσδόκητον κακόν · στοχάζομαι τῆς τοῦ Θεοῦ
χειρὸς εἶναι τὴν πληγήν. Καὶ καλῶς εἶπεν · «πρὸ προσώπου μου», οὐ γὰρ κοινὸν τὸ σκότος ἐστίν, ἀλλὰ τῆς
ἐμῆς ἀθυμίας.

9 θεῷ (LMabcyz) : τῷ θεῷ p
6, 1 κύριος + δὲ p ‖ 2 ἐπ' ἐμέ : με p ‖ 3 γνόφος : σκότος p ‖ πρόσωπον :
πρὸ προσώπου p ‖ καλύψει : ἐκάλυψε p ‖ 4 σκότος : γνόφος p ‖ 5
ἀπροσδόκητον + τὸ p ‖ 7 ἐστίν + τοῦτο p ‖ 8 ἐμῆς (pabcyz) > LM
‖ ἀθυμίας + ἔστιν LM

6, 4-8 : οὐ κατὰ — ἀθυμίας abc, yχ

seulement en vertu de son pouvoir sur les fautes que Dieu peut châtier, mais, même sans elles – je veux dire sans ces fautes.

6. *Le Seigneur m'a fait fondre le cœur; le Tout-Puissant s'est acharné contre moi; je ne savais pas, en effet, que les ténèbres fondraient sur moi, et que l'obscurité couvrirait mon visage*[i]. Ce n'est pas selon une logique humaine, dit-il, que s'est produit ce malheur inattendu; je devine que c'est de la main de Dieu que vient ce coup. Et il a eu raison de dire : «Devant mon visage[1]», car cette obscurité n'est pas l'obscurité ordinaire, mais elle est celle de mon découragement.

i. Job 23, 16-17

1. Il est intéressant de noter ici qu'après avoir donné le texte de **A**, Chrysostome commente ensuite πρὸ προσώπου μου qui appartient au texte commun.

XXIV

1. Εἶτα πάλιν ὁμοίως ἀπορεῖ καί φησιν · Διὰ τί ἀσεβεῖς
εὐπραγοῦσι; **Διὰ τί δέ, φησί, Κύριε, ἔλαθον ὥρας
ἀσεβεῖς ἄνδρες, ὅριον δὲ ὑπερέβησαν, καὶ ποίμνιον
σὺν ποιμένι ἥρπασαν, ὑποζύγιον δὲ ὀρφανῶν ἀπή-**
5 **γαγον, καὶ βοῦν χήρας ἠνεχύρησαν; Ἐξέκλιναν δὲ
ἀδυνάτους ἐξ ὁδοῦ δικαίας, ὁμοθυμαδὸν δὲ ἐκρύβησαν
πραεῖς γῆς, καὶ ἀπέβησαν ὥσπερ ὄνοι ἐν ἀγρῷ, ὑπὲρ
ἐμοῦ ἐξελθόντες τῇ ἑαυτῶν πράξει. Ἀγρὸν πρὸ ὥρας
οὐκ αὐτῶν ὄντα ἐθέρισαν, ἡδύνθη δὲ αὐτῶν ἄρτος εἰς**
10 **νεωτέρους · ἀδύνατοι δὲ ἀσεβῶν ἀμπελῶνας ἀσιτὶ καὶ
ἀμισθὶ εἰργάσαντο. Γυμνοὺς πολλοὺς ἐκοίμισαν ἄνευ
ἱματίων, ἀμφίασιν δὲ ψυχῆς αὐτῶν ἀφείλοντο · ἀπὸ
ψεκάδων ὀρέων ὑγραίνονται, καὶ παρὰ τὸ μὴ ἔχειν
αὐτοὺς σκέπην πέτραν περιεβάλοντο**[a]. Ὥσπερ γὰρ
15 τοῦτο ἀπορίας ἐστίν, διὰ τί ὃ μὲν ἀδίκως πάσχει τοιαῦτα,
ὃ δὲ ποιεῖ, οὕτω κἀκεῖνα ὡς ἑκατέρωθεν θορυβεῖσθαι καὶ
ταράττεσθαι εἰκός.

« Ἀπέβησαν δέ », φησίν, « ὥσπερ ὄνοι ἐν ἀγρῷ. » Τοῦτ᾽
ἔστιν · πάντων κατεφρόνησαν, πάντων κατεγέλασαν. Οὐδεὶς
20 αὐτοὺς ἀδικεῖ, οὐδὲ κακῶς ποιεῖ.

1, 2 φησί > p ‖ κύριε : κύριον p ‖ 3 καὶ > p ‖ 4 ποιμένι : ποιμέσιν p
‖ ἥρπασαν : ἁρπάσαντες p ‖ 7 καὶ ἀπέβησαν : ἀπέβησε δὲ p ‖ 8 τῇ ... πράξει :
τὴν ... πρᾶξιν p ‖ 8-9 ἀγρὸν — ἐθέρισαν *transp. post* νεωτέρους *(l. 10)* p ‖ 9
ἐθέρισαν + ληστρικῶς p ‖ δὲ > p ‖ 10 ἀσεβῶν ἀμπελῶνας : ἀμπελὼν
ἀσεβῶν p ‖ 12 ἀφείλοντο : ἀφείλαντο M ‖ 14 περιεβάλοντο πέτραν ~ p
‖ 14-15 ὥσπερ γὰρ τοῦτο : ταῦτα πάντα ὥσπερ p ‖ 16 ὃ δὲ ποιεῖ (p) > LM
‖ 18 ἀπέβησαν — ἀγρῷ > p

1, 18-23 : τοῦτ᾽ ἔστιν — παρόψεται abc (yz)

a. Job 24, 1-8

1. Le texte scripturaire est très incertain (cf. Rahlfs, app. crit. *Job*
24, 5b). p a un texte conforme au texte reçu : τὴν ἑαυτῶν πρᾶξιν (ils ont

CHAPITRE XXIV

SUITE DE LA RÉPONSE DE JOB

Comment Dieu peut-il permettre
les crimes des impies?

1. Puis, à nouveau, c'est encore l'incertitude et il demande : pourquoi les impies réussissent-ils? *Pourquoi, dit-il, Seigneur, les hommes impies ont-ils échappé à leur heure, dépassé la limite (assignée), enlevé le troupeau avec le berger, emmené l'attelage des orphelins, pris en gage le bœuf de la veuve? Ils ont fait dévier les faibles de la voie juste, et, tous ensemble, les doux de la terre se sont cachés, et (les impies) sont partis comme des ânes dans un champ, et ils m'ont foulé aux pieds dans leur action*[1]. *Ils ont moissonné avant l'heure un champ qui ne leur appartenait pas, et leur pain a été agréable aux jeunes; les faibles ont travaillé les vignes des impies, sans être nourris ni payés. (Les impies) ont laissé dormir bien des gens nus et sans manteau, et ils ont privé leur vie de vêtements; ils sont trempés par les ondées des montagnes, et, faute d'abri, ils se sont blottis contre les rochers*[a]. En effet, de même que nous ignorons pourquoi l'un subit injustement de telles souffrances, tandis que l'autre les inflige[2], il est normal aussi que ces injustices, aussi bien d'un côté que de l'autre, troublent et bouleversent.

« Ils sont sortis, dit-il, comme des ânes dans un champ. » C'est-à-dire : Ils ont méprisé tout le monde, ils se sont moqués de tout le monde. Personne ne commet d'injustice envers eux ni ne les maltraite.

---

renoncé à leur propre action en ma faveur?). **L** et **M** suivent le texte de **A**, qui est aussi celui de **S**[c]. Il faut avouer que ce texte de **A** n'est pas clair non plus. Nous avons essayé de traduire en traitant τῇ πράξει comme un datif de moyen.

2. Ὃ δὲ ποιεῖ est seulement dans **p**; il était indispensable de le rétablir, à cause de ὃ μὲν et de ἑκατέρωθεν.

«Αὐτὸς δὲ οὔπω ἐπισκοπὴν πεποίηται τούτων[b]», ὥστε
ποιήσει μετὰ ταῦτα, καὶ ἐξετάσει τὰ πεπλημμελημένα
αὐτοῖς, καὶ οὐ παρόψεται.

2. Ἥρπασαν δέ, φησίν, ὀρφανὸν ἀπὸ μαστοῦ, καὶ
ἐκπεπτωκότα ἐταπείνωσαν· γυμνοὺς ἐκοίμισαν ἀδί-
κως· πεινώντων δὲ τὸν ψωμὸν ἀφείλοντο· ἐν σκοτεινοῖς ἐνήδρευσαν ἀδίκως· ὁδὸν δικαίων οὐκ ᾔδεισαν.
5 Ἐκ πόλεως καὶ ἐξ οἴκων ἰδίων ἐξέβαλον αὐτούς·
ψυχαὶ δὲ δικαίων νηπίων ἐστέναξαν μεγάλως. Αὐτὸς
δέ, διὰ τί τούτων ἐπισκοπὴν οὐ πεποίηται, ἔτι ὄντων
ἐπὶ γῆς, καὶ οὐκ ἐπέγνωσαν; Ὁδὸν δὲ δικαιοσύνης
οὐκ ᾔδεισαν, οὐδὲ ἐπορεύθησαν ἀτραποὺς αὐτῆς·
10 γνοὺς δὲ αὐτῶν τὰ ἔργα, παρέδωκεν αὐτοὺς εἰς
σκότος[c]. Τοῦτ᾽ ἔστιν· μαθὼν τὰ ἔργα, ἢ ὅτι ἐξέτασας καὶ
βασανίσας – τοῦτ᾽ ἔστι· «Γνούς».

3. Καὶ νυκτός, φησίν, ἔσται ὡς κλέπτης. Καὶ
ὀφθαλμὸς μοιχοῦ ἐφύλαξεν σκότος. Λέγων· οὐ
προσνοήσει ὀφθαλμός, καὶ ἀποκρυβὴν πρὸ προσώπου
σου ἔθετο· διώρυξεν ἐν σκότει οἰκίας· ἡμέρας,
5 ἐσφράγισαν ἑαυτούς· οὐκ ἐπέγνωσαν φῶς, ὅτι ὁμοθυμαδὸν πρωῒ αὐτοῖς σκιὰ θανάτου, ὅτι ἐπιγνώσεται

2, 1 φησίν > p ‖ 1-2 καὶ ἐκπεπτωκότα : ἐκπεπτωκότα δὲ p ‖ 3 τὸν > p
‖ ἀφείλοντο : ἀφείλαντο M ‖ ἀφείλοντο ψώμον ~ p ‖ 3-4 σκοτεινοῖς :
στενοῖς p ‖ 4 ἀδίκως > p ‖ δικαίων : δικαία p ‖ 5 ἐκ πόλεως : οἱ ἐκ πόλεως
p ‖ ἐξ > p ‖ οἴκων : οἰκίων p ‖ ἐξέβαλον αὐτούς : ἐξεβάλλοντο p ‖ 6 ψυχαὶ :
ψυχῇ p ‖ δικαίων > p ‖ ἐστέναξαν : ἐστέναξα p ‖ μεγάλως : μέγα p ‖ 7 ἔτι
> p ‖ 7-8 ἐπὶ γῆς ὄντων ~ p ‖ 8 γῆς + αὐτῶν p ‖ 9 ἀτραποὺς αὐτῆς
ἐπορεύθησαν ~ p ‖ 11-12 τοῦτ᾽ ἔστιν — γνούς > p
3, 1 φησίν > p ‖ 3 προσνοήσει : προνοήσει με p ‖ ἀποκρυβὴν : ἀποκρυφὴν
p ‖ πρὸ > p ‖ 6 πρωῒ αὐτοῖς : αὐτοῖς τὸ πρωῒ p

«Mais c'est que lui ne les a pas encore visités[b]»; donc, il le fera par la suite et examinera leurs fautes, sans les laisser passer.

Mais, quand il a connu leurs œuvres, Dieu les a livrés aux ténèbres

2. *Ils ont arraché à la mamelle,* dit-il, *l'enfant orphelin et ont humilié celui qui avait trébuché; ils ont laissé dormir des gens nus, contre toute justice : ils ont arraché leur pain aux affamés; ils ont tendu injustement des embuscades dans les ténèbres; ils ne connaissaient pas la voie des justes. Ils les ont chassés de la cité et de leurs propres maisons; et les âmes des justes encore tout enfants ont poussé de grands gémissements. Mais lui, pourquoi ne les a-t-il pas visités alors qu'ils étaient encore sur la terre? Et pourquoi ne l'ont-ils pas reconnu? Ils ne connaissaient pas la route de la justice et n'ont pas marché sur ses sentiers; mais, quand il a connu leurs œuvres, il les a livrés aux ténèbres[c].* C'est-à-dire, parce qu'il a appris leurs œuvres, ou bien parce qu'il les a examinées et contrôlées. C'est là le sens de l'expression : «Quand il a connu».

Job maudit les impies

3. *Et la nuit,* dit-il, *(l'impie) sera comme un voleur. Et l'œil de l'adultère guette l'arrivée des ténèbres. Il se dit : aucun œil ne m'apercevra, et il a placé un voile sur ton visage; il a percé les maisons dans les ténèbres; le jour, ils se sont enfermés; ils n'ont pas connu la lumière, car tous sans exception considèrent le petit jour comme l'ombre de la mort, car par l'ombre de la mort il connaîtra*

2, 11-12 : τοῦτ'ἔστιν — γνούς abc (yz)

b. Job 24, 12 ‖ c. Job 24, 9-14

ταραχὰς σκιᾷ θανάτου. Ἐλαφρός ἐστιν · ἀπὸ προσώπου ὕδατος καταραθείη ἡ μερὶς αὐτῶν · ἀναφανείη
δὲ τὰ φυτὰ αὐτῶν ἐπὶ γῆς ξηρά · ἀγκαλίδα γὰρ
10 ὀρφανοῦ ἥρπασαν. Εἶτα, ἐμνήσθη αὐτοῦ ἡ ἁμαρτία,
καὶ ὥσπερ ὁμίχλη δρόσου ἀφανὴς ἐγένετο. Ἀποδοθείη αὐτῷ, καθ' ἃ ἔπραξεν · συντριβείη δὲ πᾶς
ἄδικος ἴσα ξύλῳ ἀνιάτῳ. Στεῖραν οὐκ ἐποίκτειραν,
οὐδὲ γύναιον οὐκ ἠλέησεν · θυμῷ δὲ κατέστρεψεν
15 ἀδυνάτους. Ἀναστὰς τοιγαροῦν, οὐ μὴ πιστεύσῃ
ὑπὲρ τῆς ἑαυτοῦ ζωῆς · μαλακισθείς, μὴ ἐλπιζέτω
ὑγιᾶναι, ἀλλὰ πεσεῖται νόσῳ, πολλοὺς γὰρ ἐκάκωσεν
τὸ ὕψωμα αὐτοῦ · ἐμαράνθη δὲ ὥσπερ χλόη ἐν
καύματι, ἢ ὥσπερ στάχος αὐτόματος πεσὼν ἀπὸ
20 καλάμης. Εἰ δὲ μή, τίς ἐστιν ὁ φάμενός με ψευδῆ
λέγειν, καὶ θήσει εἰς οὐδὲν τὰ ῥήματά μου[d];

7-8 ἀπὸ προσώπου : ἐπὶ πρόσωπον p ‖ 8 αὐτῶν + ἐπὶ γῆς p ‖ 10
ἥρπασαν : ἥρπασε p ‖ εἶτα : ἰτὰν (= εἶτ' ἄν) p ‖ αὐτοῦ : αὐτῶν p ‖ 11-12
ἀποδοθείη + δὲ p ‖ 12 καθ' ἃ : ἃ p ‖ 12-13 ἴσα ξύλῳ ἀνιάτῳ πᾶς ἄδικος ~
p ‖ 13 στεῖραν + γὰρ p ‖ ἐποίκτειραν : εὖ ἐποίησε p ‖ 14 οὐδὲ : καὶ p ‖ 16
ὑπὲρ : περὶ p ‖ 17 ὑγιᾶναι : ὑγιασθῆναι p ‖ 18 χλόη : μαλάχη p ‖ 19-20
στάχος — καλάμης : στάχυς ἀπὸ καλάμης αὐτόματος ἀποπεσὼν p ‖ 20-21
ψευδῆ με λέγειν ~ p

des troubles. (L'impie) est léger. Que loin de la surface[1] de l'eau leur part d'héritage soit maudite! Que leurs plantes, à leur apparition sur la terre, se dessèchent! car ils ont volé la gerbe de l'orphelin. Puis, sa faute est revenue en mémoire, et, telle une vapeur de rosée, il a disparu. Qu'on lui rende selon ses œuvres! Que tout homme injuste soit broyé comme un bois vermoulu! Ils ne se sont pas lamentés sur la femme stérile; il n'a pas pris en pitié une faible femme; mais, dans sa colère, il a renversé les faibles. Par conséquent, quand l'impie se lève, il ne peut pas être en sécurité pour sa propre vie; s'il tombe malade, qu'il n'espère pas guérir, mais la maladie le fera périr, car bien des gens ont souffert de son orgueil; il s'est flétri comme l'herbe nouvelle sous une ardente chaleur, ou comme l'épi de blé qui, de lui-même, tombe de sa tige. Et si ce n'est pas vrai, qui prétend que je dis des mensonges et réduira à rien mes paroles[d]?

d. Job 24, 14-25

1. **p** a la leçon : ἐπὶ πρόσωπον, qui est celle du texte reçu; **A** porte ἐπὶ προσώπου. Avec l'une ou l'autre de ces deux leçons, la traduction serait bien facilitée. Nous conservons, cependant, la leçon scripturaire originale de **LM** : ἀπὸ προσώπου.

XXV

1. Ὑπολαβὼν δὲ Βαλδὰδ ὁ Σαυχίτης λέγει · Τί γάρ ἐστιν προοίμιον ἢ φόβος παρ' αὐτοῦ[a]; Τοῦτ' ἔστι · πάντα φόβου γέμει καὶ τρόμου, καὶ οὐκ ἔστιν οὐδεὶς ὃς δυνήσεται τὴν χεῖρα διαφυγεῖν ἐκείνην.

2. Ὁ ποιῶν, φησί, τὴν σύμπασαν ἐν ὑψίστῳ ἐστίν. Μὴ γάρ τις ὑπολάβοι ὅτι ἔστι παρέλκυσις πειραταῖς; Ἐπὶ τίνας δὲ αὐτῶν οὐκ ἐπελεύσεται ἐνέδρα παρ' αὐτοῦ; Πῶς ἄρα ἔσται βροτὸς δίκαιος ἔναντι Κυρίου;
5 Ἢ τίς ἂν ἀποκαθαρίσαι ἑαυτὸν γεννητὸς γυναικῶν[b]; Ἐπειδὴ γὰρ εἶπεν · «Οὔπω ἐπισκοπὴν αὐτοῦ πεποίησαι[c]». Ναί, φησίν · «οὐκ ἔστι παρέλκυσις» ἀνδράσι «πειραταῖς». Καὶ μὴν τοὐναντίον τῶν συμβαινόντων, φησίν · «ἔστι γὰρ παρέλκυσις.» Ἀλλ' ὥστε ἐναντιωθῆναι τῷ Ἰὼβ ταῦτά
10 φησιν οὗτος.

«Πῶς γὰρ ἔσται βροτὸς δίκαιος ἔναντι Κυρίου[d];» Ὅτι πᾶσα ἀνάγκη, κολάζεται. Ἐπειδὴ γὰρ ὁ Ἰὼβ ἔλεγεν ὅτι ἐβουλόμην ἐλθεῖν εἰς κρίσιν · εἰ μὴ ἥμαρτον, ἀλλ' ὅμως κολάζομαι, πρὸς τοῦτο οὗτός φησιν ὅτι οὐκ ἔστι δίκαιος
15 οὐδεὶς ἐν ἀνθρώποις. Πῶς γὰρ ἔσται δυνατὸν τοῦτο, φησί, δίκαιον ἕνα εἶναι καθόλου. Ὥστε περιττῶς ζητεῖς τὴν κρίσιν καὶ τὴν ἐξέτασιν.

2, 1 φησί > p ‖ ἐστίν > p ‖ 2 ὑπολάβοι : ὑπολάβῃ p ‖ 3 αὐτῶν > p ‖ 4 ἄρα : γὰρ p ‖ ἔσται p : ἐστι LM ‖ δίκαιος ἔσται βροτὸς ∼ p ‖ 5 γυναικῶν : γυναικός p ‖ 6 εἶπεν + ὅτι p ‖ πεποίησαι : πεποίηται p ‖ 11 ὅτι : ὥστε p ‖ 12 κολάζεται : κολάζεσθαι p ‖ 13 κρίσιν + καὶ abc + καὶ ὅτι pyz ‖ εἰ + καὶ pyz ‖ 16 ἕνα εἶναι δίκαιον ∼ p ‖ περιττῶς + φησίν p

1, 2-4 : τοῦτ'ἔστιν — ἐκείνην (τοῦτ' ἔστιν > yz) abcyz
2, 11-17 : ὅτι — ἐξέτασιν (11-12 : ὅτι — κολάζεται > yz) abc (yz)

a. Job 25, 1-2 ‖ b. Job 25, 2-4 ‖ c. Job 24, 12 ‖ d. Job 25, 4; cf. 9, 2

CHAPITRE XXV

Troisième discours de Baldad

Dieu ne peut accorder de répit au méchant

1. *Baldad de Suhé prit la parole et dit : Par où donc commencer sinon par la crainte qu'il inspire*[a]*?* C'est-à-dire : tout est plein de crainte et d'effroi; et il n'y a personne qui puisse échapper à cette main-là.

2. *Celui*, dit-il, *qui crée l'univers, se tient dans les hauteurs. Pourrait-on croire, en effet, qu'il y a un répit pour les brigands? Contre lesquels d'entre eux ne dressera-t-il pas d'embuscade? Comment donc un mortel sera-t-il*[1] *juste devant le Seigneur? Ou quel être né de la femme pourra-t-il se purifier lui-même*[b]*?* Car, puisqu'il a dit : «Tu ne l'as pas encore visité[c]», si, répond (Baldad) : «Il n'y a pas de répit pour les brigands[2].» Pourtant, il dit le contraire de ce qui se passe; car il y a un répit. Mais c'est pour faire pièce à Job qu'il parle ainsi.

«Comment donc un mortel sera-t-il juste devant le Seigneur[d]?» Car de toute nécessité, il est châtié. Puisque Job disait, en effet : Je voulais passer en jugement, et, bien que je n'aie pas péché, je suis pourtant puni, Baldad lui répond qu'il n'y a aucun juste parmi les hommes. Comment donc sera-t-il possible, dit-il, qu'il existe jamais un seul juste? Aussi est-ce en vain que tu désires être jugé et examiné.

---

1. **LM** portent ἐστι, qui est manifestement une faute de copiste, car le texte est repris en **2**, 11 avec la forme ἔσται, qui est celle du texte présenté par tous les grands manuscrits de l'Écriture.

2. Les deux textes de *Job* 24, 12c et 25, 3a sont cités ici approximativement. Souvent, Jean devait citer de mémoire, ce qui ne facilite pas la tâche de ceux qui s'efforcent de déterminer le texte scripturaire qu'il utilisait.

3. «Οὐρανός, φησίν, οὐ καθαρός[c].» Ὁ λέγων τῷ ἡλίῳ
μὴ ἀνατέλλειν, καὶ οὐκ ἀνατέλλει[f], σελήνη δὲ
συντάσσει, καὶ οὐκ ἐπιφαύσκει· ἄστρα δὲ οὐκ
ἄμεμπτα ἐναντίον αὐτοῦ. Ἔα δέ, πᾶς ἄνθρωπος
5 σαπρία, καὶ υἱὸς ἀνθρώπου σκώληξ[g].

3, 1 οὐρανός — καθαρός > p ‖ 1-4 ὁ — αὐτοῦ : εἰ συντάσσει σελήνη καὶ
οὐκ ἐπιφάσκει (sic), ἡλίῳ δὲ ἀνατέλλειν καὶ οὐκ ἀνατέλει (sic) ἄστρα δὲ οὐ
καθαρὰ ἐναντίον αὐτοῦ p ‖ 4 πᾶς > p

e. Job 15, 15 ‖ f. Job 25, 5 (A ex 9, 7) ‖ g. Job 25, 5-6

L'homme est misérable et impur devant Dieu

3. «Le ciel n'est pas pur[e 1]», dit-il. *Lui qui dit au soleil de ne pas se lever, et il ne se lève pas[f], commande aussi à la lune, et elle ne répand pas son éclat; et les astres ne sont pas irréprochables devant lui. Hélas! tout homme est corruption, et le fils de l'homme est un ver de terre[g].*

1. Il est difficile de décider si cette petite phrase est une citation de *Job* 15, 15, ou si elle fait partie du texte scripturaire ici commenté. Rahlfs fait remarquer que **A** porte à cette place le texte : Οὐδ' ἄνθρωπος οὐ καθαρός. Il se pourrait que Ὀυρανός soit une mélecture pour Οὐδ' ἄνος. **L** et **M** retrouveraient alors le texte de **A**.

XXVI

1. Ὑπολαβὼν δὲ Ἰὼβ λέγει · Τίνι πρόσκεισαι ἢ τίνι
μέλλεις βοηθεῖν; Πότερον οὐχ ᾧ πολλὴ ἰσχὺς καὶ ὁ
βραχίων κραταιός ἐστιν; Τίνι συμβεβούλευσαι; Οὐχ ᾧ
ἡ πᾶσα σοφία; Ἢ τίνι ἐπακολουθεῖς; Οὐχ ᾧ μεγίστη
5 δύναμις; Τίνι ἀπήγγειλας ῥήματα; Πνοὴ δὲ τίνος
ἐστὶν ἐξελθοῦσα ἐκ σοῦ[a]; Τοῦτ᾽ ἔστιν · οὐδὲ ἐγὼ ἐγκαλῶ
ὅτι τοῦ θεοῦ τὸ μέρος ἀνεδέξω · καὶ γὰρ οὕτως ἔδει · οὐ
μὴν ἐμὲ καταδικάζειν ἐχρῆν · καὶ γὰρ ἔστιν καὶ τὸν ὑπὲρ
τοῦ Θεοῦ λόγον εἰπεῖν, καὶ τοῦτον μὴ ἀφεῖναι γενέσθαι
10 ἐγκλήμασιν ὑπεύθυνον.

2. Μὴ γίγαντες μαιωθήσονται ὑποκάτωθεν ὕδατος,
καὶ γειτόνων αὐτοῦ; Γυμνὸς ὁ Ἅιδης ἐνώπιον αὐτοῦ,
καὶ οὐκ ἔστι περιβόλαιον τῇ Ἀπωλείᾳ, ἐκτείνων
Βορέαν ἐπ᾽ οὐδενί, κρεμνῶν γῆν ἐπ᾽ οὐδενός,
5 δεσμεύων ὕδωρ ἐν νεφέλαις αὐτοῦ, καὶ οὐκ ἐρράγη
νέφος ὑποκάτωθεν αὐτοῦ. Ὁ κρατῶν πρόσωπον
θρόνου, σκέπων ἐπ᾽ αὐτὸν νέφος αὐτοῦ. Πρόσταγμα
ἐγύρωσεν ἐπὶ πρόσωπον ὕδατος, μέχρι συντελείας
φωτὸς μετὰ σκότους · στῦλοι οὐρανοῦ ἐπετάσθησαν,
10 καὶ ἐξετάσθησαν ἀπὸ τῆς ἐπιτιμήσεως αὐτοῦ · ἰσχύι
ἑαυτοῦ κατέπαυσεν θάλασσαν · ἐπιστήμη δὲ ἐστερέωσεν τὸ κῆτος, κλεῖθρά τε οὐρανοῦ δεδοίκεισαν αὐτόν ·

1, 3 ᾧ : ὡς p ‖ 6 ἐστὶν[1] + ἡ p
2, 1 μαιωθήσονται : μεωθήσονται LM ‖ 2 καὶ + τῶν p ‖ 4 κρεμνῶν :
κρεμάζων p ‖ ἐπ᾽ οὐδενός : ἐπὶ μηδενός p ‖ 7 σκέπων — αὐτοῦ > p
‖ πρόσταγμα + δὲ p ‖ 9 στῦλοι + οὖν p ‖ 10 ἐξετάσθησαν : ἐξέστησαν p
‖ 11 κατέπαυσεν + τὴν p ‖ δὲ + αὐτοῦ p ‖ 11-12 ἐστερέωσεν : ἐστώρεσε p
‖ 12 κλεῖθρά — αὐτόν > p

1, 6-10 : τοῦτ᾽ ἔστιν — ὑπεύθυνον (τοῦτ᾽ ἔστιν > yz) abcyz

a. Job 26, 1-4

CHAPITRE XXVI

RÉPONSE DE JOB

Pourquoi vouloir prendre la défense de Dieu?

1. *Job prit la parole et dit : Qui défends-tu ou qui vas-tu secourir? N'est-ce pas celui qui est doué d'une grande force et dont le bras est puissant? A qui as-tu porté conseil? N'est-ce pas à celui qui possède toute sagesse? Qui est celui que tu viens servir? N'est-ce pas celui qui possède une très grande puissance? A qui as-tu adressé tes paroles? Et à qui appartient le souffle qui est sorti de toi[a]?* C'est-à-dire : Moi non plus, je ne te reproche pas d'avoir pris la défense du rôle de Dieu; à vrai dire, il le fallait ainsi; cependant, tu n'aurais pas dû me condamner; et, de fait, il est possible de plaider en faveur de Dieu, sans pour autant permettre que Job soit soumis à des accusations.

Dieu se défend lui-même par toutes ses œuvres

2. *Les géants seront-ils enfantés des profondeurs de l'onde, et parmi les êtres qui la hantent? L'Hadès est nu devant lui, et la Perdition sans vêtement, car il étend le Septentrion sur le vide, il suspend la terre sur le vide, il enchaîne l'eau dans ses nuages, et la nuée n'a pas crevé sous son poids. C'est lui qui soutient la face de son trône, qui met sur lui la protection de sa nuée. Il a imposé une limite circulaire à la surface des eaux, jusqu'aux confins de la lumière et des ténèbres; les colonnes du ciel ont été dressées, et elles ont été éprouvées par ses reproches; par sa puissance, il a apaisé la mer; par sa science, il a fortifié[1] le monstre marin et les barrières*

---

1. Nous avons affaire ici à une faute commune de **LM**, qui présentent une forme curieuse : ἐστερέωσεν, résultat sans doute d'une mélecture, pour ἔστρωσε, qui est la leçon de **A** et de *multi* (cf. Rahlfs, app. crit. *Job* 26, 12b). Nous avons conservé, par principe, la leçon ἐστερέωσεν.

προστάγματι δὲ ἐθανάτωσεν Δράκοντα ἀποστάτην.
Ἰδοὺ ταῦτα μέρη ὁδοῦ αὐτοῦ, καὶ ἐπὶ ἰκμάδα λόγου
15 ἀκουσώμεθα ἐν αὐτῷ · σθένος δὲ βροντῆς αὐτοῦ, τίς
οἶδεν ὅποτε ποιήσει[b];

b. Job 26, 5-14

du ciel le redoutaient; par son ordre, il a mis à mort le Dragon rebelle. Ce n'est là qu'une partie de son chemin, et écoutons-le à la moindre suggestion de sa parole; mais, la force de son tonnerre, qui sait quand elle agira[b]?

1. Ἔτι δὲ προσθεὶς Ἰὼβ εἶπεν τῷ προοιμίῳ· Ζῇ
Κύριος ὃς οὕτω με κέκρικεν, καὶ ὁ Παντοκράτωρ ὁ
πικράνας μου τὴν ψυχήν· ἦ μὴν ἔτι τῆς πνοῆς μου
ἐνούσης ἐν ἐμοί – πνεῦμα δὲ θεῖον τὸ περιὸν ἐν ῥινί
5 μου – οὐ μὴ λαλήσει, φησί, τὰ χείλη ἄνομα, οὐδὲ ἡ
ψυχή μου μελετήσει ἄδικα[a]. Τοῦτ' ἔστιν· ἐπὶ τῆς αὐτῆς
στήσομαι ψήφου· οὐδείς με παρατρέψαι δυνήσεται, οὐδεὶς
ἐκκροῦσαι, οὐδεὶς ἀπαγαγεῖν τοῦ προκειμένου.

2. Μή μοι εἴη δικαίους ὑμᾶς ἀποφῆναι, ἕως ἂν
ἀποθάνω[b], τοῦτ' ἔστιν· οὐ κατηγορήσω ἐμαυτοῦ, οὐδὲ
μεταθήσομαι· κἂν μυρία λέγητε, οὐ προήσομαι τῆς ψήφου.

3. Οὐ γὰρ ἀπαλλάξω τὴν ἀκακίαν μου ἀπ' ἐμοῦ·
δικαιοσύνη δὲ προσέχων, οὐ μὴ προῶμαι· οὐ γὰρ
σύνοιδα ἐμαυτῷ ἄτοπα πρᾶξαι[c]. Ὃ λέγει τοιοῦτόν
ἐστιν· ὅτι, φησίν, ὁ ἀδικῶν οὐκ ἔχει παρρησίαν, οὐδὲ
5 φθέγξασθαι, οὐδὲ εἰπεῖν ταῦτα, ἅπερ ἐγὼ νῦν, ἀλλ'

1, 1 τῷ προοιμίῳ εἶπεν ∼ p ‖ 4 ἐν ἐμοί > p ‖ 4-5 ἐν ῥινί μου : μου ἐν
ῥισὶν p ‖ 5 οὐ > p ‖ λαλήσει : λαλήσῃ p ‖ φησί > p ‖ χείλη + μου p
‖ ἄνομα : ἀνομίαν p
2, 3 λέγητε (pyz) : λέγετε LMb λέγεται c λέγιεται a ‖ προήσομαι
(abcyz) : προσθήσομαι LMp ‖ τῆς ψήφου (LMabcyz) : τῇ ψήφῳ p
3, 3 πρᾶξαι : πράξας p ‖ 3-4 τοιοῦτόν ἐστιν ὃ λέγει ∼ p ‖ 4 φησίν > p

---

1, 6-8 : τοῦτ' ἔστιν — προκειμένου (τοῦτ' ἔστιν > yz) abcyz
2, 2-3 : τοῦτ' ἔστιν — ψήφου abcyz
3, 3-7 : ὃ λέγει — οὕτως (7 : οἱ — οὕτως > yz) abcyz

---

a. Job 27, 1-4 ‖ b. Job 27, 5 ‖ c. Job 27, 5-6

CHAPITRE XXVII

SUITE DE LA RÉPONSE DE JOB

C'est le Seigneur qui m'a jugé, mais vous, vous êtes injustes

1. *Puis Job ajouta encore ces paroles au début (de son discours) : Vivant est le Seigneur qui m'a jugé ainsi et le Tout-Puissant qui m'a aigri l'âme; oui, vraiment, tant que mon haleine sera encore en moi — et c'est un souffle divin qui circule dans mes narines — jamais mes lèvres ne proféreront d'impiétés, ni mon âme ne méditera l'injustice*[a]. C'est-à-dire : je m'en tiendrai à mon jugement; personne ne pourra me faire changer d'avis, personne (ne pourra) m'ébranler, personne (ne pourra) me détourner de ma résolution.

2. *Que je n'aie jamais à vous déclarer justes avant de mourir*[b], c'est-à-dire : je ne m'accuserai pas moi-même et je ne changerai pas d'avis; quand bien même vous avanceriez mille arguments, je n'abandonnerai pas[1] mon avis.

Je ne renoncerai pas à proclamer mon innocence

3. *Car je ne rejetterai pas loin de moi mon innocence; mais, m'attachant à la justice, à aucun prix je ne l'abandonnerai; car je n'ai pas conscience d'avoir commis des fautes*[c]. Voici ce qu'il veut dire : celui qui est injuste, dit-il, n'a la liberté ni de s'exprimer ni de dire ce que je dis maintenant, mais elle lui

---

1. Nous suivons ici les chaînes, contre **LMp** qui ont προσθήσομαι; le verbe προΐεναι convient, en effet, infiniment mieux pour le sens, et c'est ce verbe qui est repris trois lignes plus bas, sans complément, il est vrai, cette fois : οὐ μὴ προῶμαι. Mais l'erreur commise par **LMp** (contre le témoignage de toutes les chaînes) souligne bien que ces trois manuscrits appartiennent à la même famille.

ἀφήρηται, καὶ ἐπεστόμισται. Ἐγὼ δὲ τοῦτο οὐκ ἔπαθον, ἀλλὰ λέγω καὶ ἀντιλέγω. Οἱ δὲ ἄδικοι οὐχ οὕτως.

4. **Οὐ μὴν δὲ ἀλλά, εἴησαν οἱ ἐχθροί μου,** φησίν, **ὥσπερ ἡ καταστροφὴ τῶν ἀσεϐῶν, καὶ οἱ ἐπ' ἐμὲ ἐπανιστάμενοι, ὥσπερ ἡ ἀπώλεια τῶν ἀσεϐῶν**[d]. Ἀπόλοιντο, φησίν, οἱ ἐχθροί μου, συκοφαντοῦσι γάρ με.

5. **Ναὶ μήν, τίς γάρ ἐστιν ἔτι ἐλπὶς ἀσεϐεῖ, ὅτι ἐπέχει, μὴ πεποιθὼς ἐπὶ Κύριον, εἰ ἄρα σωθήσεται; Ἢ τὴν δέησιν αὐτοῦ ἀκούσῃ ὁ Θεός; Ἐπελθούσης δὲ ἀνάγκης, μὴ ἔχειν τινὰ παρρησίαν ἐναντίον αὐτοῦ. Ἢ πῶς, ἐπικαλεσαμένου αὐτοῦ, εἰσακούσεται αὐτοῦ**[e]; «Τίς γάρ, φησίν, ἐστιν ἔτι ἐλπὶς ἀσεϐεῖ, ὅτι ἐπέχει;» Καθάπερ ἐγώ, φησί, προσδοκῶ σώζεσθαι, καὶ διαφεύξεσθαι τὸν κίνδυνον τοῦτον ἐγὼ λέγω, φησίν.

6. **Ἀλλὰ δή, ἀναγγελῶ ὑμῖν τί ἐστιν ἐν χειρὶ Κυρίου, ἃ ἐστι παρὰ τῷ Παντοκράτορι· οὐ ψεύσομαι**[f]. Τοῦτ' ἔστι· τί πράττει, τί οἰκονομεῖ ἀεί, τί ἔργον αὐτῷ.

7. **Ἰδοὺ δὴ πάντες ὑμεῖς ἑωράκατε διότι κενὰ κενοῖς ἐπιβάλλετε· αὕτη ἡ μερὶς ἀνθρώπου ἀσεβοῦς**

---

6 ἐπεστόμισται (pabcyz) : ἐπιστόμισται LM ‖ 7 λέγω > p
4, 1 φησίν > p ‖ 2 ἀσεϐῶν : παρανόμων p
5, 1 ναὶ μήν : καὶ p ‖ 2 μὴ > p ‖ εἰ > p ‖ 3 ἀκούσῃ : εἰσακούσεται p ‖ 4 ἔχειν : ἔχει p ‖ 5 πῶς : ὡς p ‖ αὐτοῦ¹ : αὐτόν p ‖ 7 φησί > p ‖ διαφεύξεσθαι : διαφεύξασθαι p^{ac}
6, 1 ἐν + τῇ p ‖ 3 τοῦτ' ἔστι > p
7, 1 ἑωράκατε : οἴδατε p ‖ διότι : ὅτι p ‖ 2 αὕτη ἡ μερὶς : αὕτη ἡμέρα p

4, 3-4 : ἀπόλοιντο — γάρ με abc, yz
5, 7 : καθάπερ — σώζεσθαι abcyz
6, 3 : τοῦτ' ἔστι — αὐτῷ (τί πράττει > abc) abc

a été enlevée, et il demeure bouche close. Moi, au contraire, je n'ai pas éprouvé cela, mais je parle et je réponds. Il n'en va pas de même pour ceux qui sont injustes.

Que Dieu punisse mes adversaires!

4. *Cependant, que mes ennemis soient renversés,* dit-il, *comme les impies, et que mes adversaires périssent comme eux*[d]. Que mes ennemis périssent, dit-il, car ils me calomnient.

5. *En vérité, quel espoir a donc encore l'impie, pour qu'il s'y attache, s'il n'a pas confiance que le Seigneur alors le sauvera? Est-ce que Dieu écoutera sa prière? Si une tribulation survient, qu'il ne puisse s'exprimer*[1] *librement devant lui! Ou comment Dieu l'écoutera-t-il, s'il l'a invoqué*[e]? «Quel espoir a donc encore l'impie, pour qu'il s'y attache? De même que moi, dit-il, je m'attends à être sauvé. Et moi j'affirme, dit-il, que j'échapperai à ce danger.

Vous accumulez les paroles inutiles

6. *Eh bien! je vais vous annoncer ce qu'il y a dans la main du Seigneur, ce qu'il y a chez le Tout-Puissant : je ne mentirai pas*[f]. C'est-à-dire : (je dirai) ce qu'il fait, ce qu'il organise sans trêve, quelle est son œuvre.

7. *Voici précisément que tous, vous avez vu que vous accumulez vanités sur vanités : telle est la part que l'impie reçoit du*

---

d. Job 27, 7 ‖ e. Job 27, 8-10 ‖ f. Job 27, 11

---

1. Signalons que les leçons ὁ θεός et ἔχειν proviennent de **S**; elles se trouvent mêlées ici à des leçons de **A** : ἀκούσῃ, ἐπελθούσης δέ. On voit, par cet exemple précis, que si, dans le texte suivi par Chrysostome, les leçons de **A** sont largement majoritaires, elles se trouvent souvent en contact avec des leçons provenant d'autres traditions, et parfois avec des leçons entièrement originales et irréductibles. Il s'agit donc d'un texte où **A** prédomine, mais qui est composite. Cf. Introd., p. 38 s.

παρὰ Κυρίου, ὀργὴ δὲ δυναστῶν ἐλεύσεται παρὰ
Παντοκράτορος ἐπ' αὐτούς[g]. Τοῦτο ἔργον αὐτῷ, φησί,
5 τοὺς ἀσεβεῖς ἀπολλύναι · οἶδα γὰρ τοῦτο κἀγώ · διὰ τοῦτο
γὰρ πανταχοῦ τοῦτο τίθησιν ὅτι τοὺς πονηροὺς κολάζει, ἵνα
μὴ νομίζωσιν ὅτι ἀδικίαν τινὰ καταγινώσκῃ τοῦ Θεοῦ.

8. Ἐὰν πολλοὶ γένωνται, φησίν, οἱ υἱοὶ αὐτοῦ, εἰς
σφαγὴν ἔσονται · ἐὰν δὲ καὶ ἀνδρωθῶσι, προσαιτήσωσιν · οἱ δὲ περιόντες αὐτῶν κακῷ θανάτῳ τελευτήσωσιν, καὶ χήρας αὐτῶν οὐθεὶς ἐλεήσει · ἐὰν δὲ
5 συναγάγῃ, ὥσπερ γῆν, ἀργύριον, ἴσα δὲ πηλῷ χρυσίον ἑτοιμάσῃ, ταῦτα πάντα δίκαιοι περιποιήσονται,
τὰ δὲ χρήματα αὐτοῦ ἀληθινοὶ καθέξουσιν · ἀπέβη δὲ
ὁ οἶκος αὐτοῦ ὥσπερ σῆτες, καὶ ὥσπερ ἀράχνη ὁ
πλοῦτος αὐτοῦ. Πλούσιος κοιμηθείς, οὐ προσθήσει.
10 Ὀφθαλμοὺς αὐτοῦ διήνοιξεν · καὶ οὐκ ἔστιν. Κοιμη-
θέντι συναντήσουσιν αὐτῷ, ὥσπερ ὕδωρ, ὀδύναι, νυκτὶ
δὲ ὑφείλετο αὐτὸν γνόφος · ἀναλήψεται αὐτὸν καύσων
καὶ ἀπελεύσεται καὶ λικμήσει αὐτὸν ἐκ τοῦ τόπου
αὐτοῦ, καὶ ἀπορρίψει αὐτὸν καὶ οὐ φείσεται · ἐκ
15 χειρὸς αὐτοῦ φυγῇ φεύξεται · κροτήσει ἐπ' αὐτὸν
χεῖρας αὐτοῦ, καὶ συριεῖ αὐτὸν ἐκ τοῦ τόπου αὐτοῦ[h].

3 ὀργή : κτῆμα p ‖ 5 κἀγώ : ἐγώ p
8, 1 ἐὰν + δὲ p ‖ φησίν > p ‖ 2 καὶ > p ‖ 2-3 προσαιτήσωσιν :
προσαιτήσω p ‖ 3 κακῷ > p ‖ 3-4 τελευτήσωσιν : τελευτήσουσιν p ‖ 4 δὲ
> p ‖ 8 ὥσπερ σῆτες ὁ οἶκος αὐτοῦ ∼ p ‖ 10-11 κοιμηθέντι > p ‖ 12
ὑφείλετο : ὑφείλατο p ‖ 14 ἀπορρίψει αὐτὸν : ἐπιρρίψει ἐπ' αὐτὸν p

g. Job 27, 12-13; cf. 20, 29 ‖ h. Job 27, 14-23

1. On remarquera que *Job* 27, 13 reprend presque littéralement *Job*
20, 29, qui est justement la fin du second discours de Sophar. Certains
pensent (cf. *Bible Jér.*) que nous avons ici le commencement du troisième
discours de Sophar et que ces paroles ne peuvent être mises dans la
bouche de Job. Il est, en effet, curieux de noter que le livre de Job est

Seigneur[1], *et la fureur des princes s'abattra sur eux de la part du Tout-Puissant*[g]. C'est là son œuvre, dit-il, de faire périr les impies ; car je sais cela, moi aussi ; c'est pour cela, en effet, que toujours il pose le principe que Dieu châtie les impies, pour qu'ils (ses amis) ne croient pas[2] qu'il accuse Dieu de quelque injustice.

La fureur du Tout-Puissant s'abattra sur les impies

8. *S'il lui est né*, dit-il, *beaucoup de fils, ils seront destinés à être égorgés ; s'ils arrivent à l'âge d'homme, qu'ils mendient ; ceux d'entre eux qui survivront, qu'ils périssent de male mort ! et personne n'aura pitié de leurs veuves ; s'il a entassé de l'argent comme de la terre, et s'il a préparé de l'or comme de la glaise, tout cela, ce sont les justes qui se l'approprieront, et, sur ses biens, ce sont les gens sincères qui feront main basse. Sa demeure a disparu comme des vers, et sa richesse comme une toile d'araignée. Il s'est endormi dans la richesse : cela ne lui servira de rien. Il a ouvert les yeux : et elle n'est plus. Durant son sommeil, des douleurs l'accableront comme l'eau, et, la nuit, les ténèbres l'ont emporté ; un vent brûlant l'enlèvera et il disparaîtra ; il le vannera hors de sa place et le rejettera sans ménagement ; il s'échappera de sa main en fuyant ; il applaudira des mains contre lui, et le chassera de sa place, en le huant*[h].

construit sur un rythme ternaire. Les trois amis de Job prononcent trois discours, et à chacun de leurs discours correspond une réponse de Job. Or, dans le texte, manque le troisième discours de Sophar. Il débuterait avec le verset 13 : « Ta part est celle que l'impie reçoit du Seigneur. » Celui de Job s'achèverait avec le verset 12 : Vous accumulez des formules creuses, des platitudes, des « vanités ».

2. On pourrait donner aussi à la remarque une portée générale, et traduire par : « afin qu'on ne croie pas ».

XXVIII

1. Ἔστι γάρ, φησίν, ἀργυρίῳ τόπος, ὅθεν γίνεται, τόπος δὲ χρυσίῳ, ὅθεν διηθεῖται. Σίδηρος μὲν γὰρ ἐκ γῆς γίνεται, χαλκὸς δὲ ἴσα λίθῳ λατομεῖται. <Τάξιν, φησίν, ἔθετο σκότει, καιρῶν πέρας αὐτὸς ἐξακριβάζε-
5 ται> [a]. Ἤτοι τοῦτό φησιν ὅτι, ἐν τοῖς τυχοῦσι τάξιν ὁρίσας, πολλῷ μᾶλλον ἐν τοῖς ἀνθρωπίνοις. [...] Ὅτι προνοεῖ καὶ μέλει τῶν πραγμάτων αὐτῷ, οὐδὲν ἁπλῶς οὐδὲ εἰκῇ παρέρχεται. Ἢ ὅτι τὰ μὲν ἄλλα δῆλα δή ἐστιν, ἡ δὲ οἰκονομία ἄδηλος τοῦ θεοῦ · ἀργύριον μὲν γὰρ καὶ χαλκὸς
10 τόπον ἔχει, τῆς δὲ σοφίας «τόπον», οὐδεὶς ἔγνω, ἀλλ᾽ αὐτὸς «μόνος οἶδεν [b]» τὴν σοφίαν, ἀνθρώποις δὲ εἶπεν ὅτι «ἡ θεοσέβειά ἐστι σοφία [c]», καὶ τὸ καλὰ πράττειν, ἐπιστήμη.

2. «Τάξιν ἔθετο σκότει», φησίν. Καλῶς εἶπεν · «τάξιν» · οἶδεν παραχωρεῖν καὶ ὑπεξίστασθαι. Τίς ἀπε-λαύνει τὸν ζόφον ἐκεῖνον; Πόθεν εὐταξία τοσαύτη ἐν πράγματι τοιούτῳ; Εἶτα τὴν δύναμιν, εἶτα τὴν σοφίαν

1, 1 φησίν > p ‖ 4 φησίν > p ‖ καιρῶν : καὶ πάν p ‖ 5 ἤτοι > pabc ‖ ὅτι (Mpabc) : + εἰ L + ὁ yz ‖ 6 ὁρίσας (Mpabcyz) : ὥρισας L ‖ ὅτι (LMabc) : καὶ ὅτι yz > p ‖ 7 προνοεῖ (LMabc) : προνοεῖται p ‖ μέλει : μέλλει p ‖ αὐτῷ + καὶ p ‖ 8 δὴ > pabcyz ‖ 9 ἄδηλος (LMp) : δῆλος abc ἀτέκμαρτος καὶ ἄγνωστος yz
2, 1-2 τάξιν — τάξιν : καλῶς δὲ εἶπε τάξιν ἔθετο σκότει p ‖ 2 οἶδεν + γὰρ p ‖ ὑπεξίστασθαι + τῇ ἡμέρᾳ p ‖ 3 τοσαύτη (pabcyz) : τοιαύτη LM

1, 5-9 : τοῦτο — θεοῦ abc (yz)
2, 1-5 : καλῶς — εὐθύνας abc, yχ

a. Job 28, 1-3 ‖ b. Job 28, 23b ‖ c. Job 28, 28a

1. Le texte de **L** et de **M** a malencontreusement inséré le verset 28, 2 de *Job* dans le développement que p donne d'un seul tenant, et qui est, en fait, d'un seul tenant, car le ἤτοι de la ligne 5 annonce le ἢ ὅτι de la

CHAPITRE XXVIII

FIN DE LA RÉPONSE DE JOB

L'ordre du monde manifeste la puissance de Dieu

1. *Il existe, en effet,* dit-il, *un endroit d'où provient l'argent, un endroit d'où on tire l'or pour le purifier. Le fer, en effet, provient de la terre ; le cuivre, lui, est extrait des carrières, comme la pierre.* <*Il a assigné,* dit-il, *une place aux ténèbres ; c'est lui qui détermine exactement la limite des saisons*[a1].> Il veut dire ou bien que, si Dieu a établi un ordre quand il s'agit des réalités courantes, à plus forte raison quand il s'agit des réalités humaines [...] : parce qu'il prévoit et se soucie des choses, rien n'arrive de soi-même ni par hasard. Ou bien (il veut dire) que l'ensemble des réalités est bien visible, mais que le dessein de Dieu, lui, est invisible ; car l'argent et le cuivre ont une place, tandis que «la place» de la sagesse, personne ne l'a connue, mais c'est Dieu «seul qui connaît[b]» la sagesse, et il a dit aux hommes que «c'est la piété qui est la sagesse[c]», et que c'est de faire le bien qui est la science.

2. «Il a assigné une place aux ténèbres», dit-il ; il a eu raison de dire : «une place», car les ténèbres savent céder le pas et s'effacer (devant le jour)[2]. Qui chasse cette obscurité ? D'où vient une si belle ordonnance en une pareille

---

ligne 8. Nous avons donc retiré ce verset pour le replacer dans le texte scripturaire du début.

2. «devant le jour». Ces mots, ajoutés par **p** explicitent bien la pensée de Chrysostome, mais le témoignage de ce manuscrit (contre **LMabc**) est trop isolé pour pouvoir être accepté. Cette leçon souligne donc la propension de **p** pour l'infidélité intelligente. Nous en avons bien d'autres exemples (cf. chap. XIX, p. 42, n. 1 ; chap. XXIX, p. 106, n. 1). Voir aussi l'*Introd.,* p. 21, b.

5 αὐτοῦ διηγεῖται, πείθων μὴ θέλειν ἀπαιτεῖν αὐτὸν εὐθύνας. Διὰ τί σκότος, φησίν; Μὴ ἴσμεν; Πάντα δύναται, πάντα σοφῶς ποιεῖ.

3. Εἶτα, πολλὰ τὰ μεταξὺ εἰπών · **Ἰδοὺ ἡ θεοσέβειά ἐστι σοφία, τὸ δὲ ἀπέχεσθαι ἀπὸ κακῶν ἐστιν ἐπιστήμη**[d]. Οὐδὲν ταύτης τῆς τέχνης ἴσον, οὐδέν ταύτης τῆς σοφίας δυνατώτερον. « Ἀρχὴ σοφίας, φόβος Κυρίου, 5 σύνεσις δὲ ἀγαθὴ πᾶσι τοῖς ποιοῦσιν αὐτήν[e]. » Τοῦτό ἐστιν τὸ μέγιστον ἀγαθόν, τοῦτο ἡ μεγίστη σοφία τὸ θεοσεβεῖν, οὐ τὸ περιεργάζεσθαι καὶ ψήφους τιθέναι καὶ εὐθύνας ἀπαιτεῖν τῶν γινομένων. Μὴ δὴ ἑτέραν νομίζετε σοφίαν εὑρίσκειν.

3, 1 εἰπών + φησι p ‖ 6 ἡ > p ‖ 8 τῶν γινομένων (pabcyz) > LM ‖ νομίζετε ἑτέραν ~ p

3, 3-4 : οὐδὲν — δυνατώτερον abcyz ‖ 6-8 : τοῦτο — γινομένων abcyz

d. Job 28, 28 ‖ e. Prov. 1, 7ab

1. Très curieusement, p a conservé la phrase : Εἶτα, πολλὰ τὰ μεταξὺ εἰπών, et le dernier verset du chapitre qu'elle annonce. Puis il reprend son commentaire au verset 3. Cette maladresse, qu'il évite ailleurs, nous permet d'affirmer que ces phrases de liaison, que nous trouvons si souvent dans L et M (cf. XXXIV, 1, 1 ; XXXVII, 1, 1 etc.) appartiennent bien au texte de Chrysostome.

affaire? Ensuite, il traite de sa puissance, ensuite de sa
sagesse, pour (nous) persuader qu'il ne veut pas demander
des comptes (à Dieu). Pourquoi l'obscurité, dit-il? Est-ce
que nous le savons? Dieu peut tout, il fait tout avec
sagesse.

On ne saurait lui demander des comptes

3. Puis, après avoir fait, entre temps, bien des considéra-
tions[1], il ajoute *Voici que la sagesse, c'est la piété, et que
s'abstenir du mal, c'est la science*[d]. Rien ne vaut cet art-là, rien
n'est plus puissant que cette sagesse-là. «La crainte du
Seigneur, c'est le commencement de la sagesse, et tous
ceux qui la pratiquent ont une bonne intelligence[e].» C'est
là le plus grand des biens. C'est là la suprême sagesse que
de vénérer Dieu, au lieu de prendre une peine inutile
non seulement pour émettre des avis, mais encore pour
demander compte des événements[2]. Ne croyez donc pas
découvrir une autre sagesse.

---

2. Les manuscrits **p abcyz** ont τῶν γινομένων après ἀπαιτεῖν. Nous
avons donc rétabli ces mots, tombés dans le modèle de **LM** par la
négligence d'un copiste.

1. Προσθεὶς δὲ Ἰὼβ λέγει τῷ προοιμίῳ · τίς ἄν με
θείη μῆνα κατὰ μῆνα ἡμερῶν τῶν ἔμπροσθεν[a]; τί ἐστι ·
«προσθεὶς τῷ προοιμίῳ»; Οὐ τελειοῖ τοὺς λόγους, ἀλλὰ εἰς
ἀρχὴν πάλιν ἀνήγαγεν, μὴ συγχωρῶν διακόπτειν ἐκείνοις,
5 μηδὲ εἰς ἀντιλογίαν καθιέναι. Τί οὖν φησιν; Ἐβουλόμην
γίνεσθαι μῆνα ἐπὶ τῆς εὐπραγίας τῆς παλαιᾶς · ὥστε ὑμῶν
ἐμφράξαι τὰ στόματα, ὥστε δειχθῆναι τίς ἤμην.
«Μῆνα ἕνα κατὰ μῆνα ἡμερῶν τῶν ἔμπροσθεν.» Οὐδὲν
μέγα ἐξήτησεν · τριάκοντα ἡμέρας μόνον γενέσθαι ἐπὶ τῶν
10 προτέρων ἀγαθῶν, καὶ τῆς εὐθηνίας ἀπολαῦσαι ἐκείνης, ἣν
οὐδεὶς οὐδέπω παραστῆσαι δύναται. Εἶτα, ἐπεξέρχεται τῷ
λόγῳ. Ἐπειδὴ γὰρ τοῦτο ἀδύνατον ἦν, κατὰ δύναμιν αὐτῷ
τῷ λόγῳ παρίστησι καὶ λέγει τίνα ἐποίει, καὶ ἐν τίσιν ἦν
τὸ πρότερον. Ὅρα τὴν εὐσέβειαν τοῦ ἀνδρός · τὸ πᾶν τῷ
15 θεῷ ἀνατίθησιν. Οὐ γὰρ ἔστι τῆς ἄνωθεν ἀπεστερημένον
ῥοπῆς δυνηθῆναι στῆναί ποτε.

2. Ἡμερῶν, φησίν, ὧν ὁ θεὸς ἐφύλαττέν με, ὡς ὅτε
ηὖγει ὁ λύχνος αὐτοῦ ὑπὲρ κεφαλῆς μου, ὅτε ἐν τῷ
φωτὶ αὐτοῦ ἐπορευόμην ἐν σκότει, ὅτε ἤμην ἐπιβρίθων
ὁδοῖς, ὅτε ὁ Κύριος ἐπισκοπὴν ἐποιεῖτο τοῦ οἴκου
5 μου, ὅτε ἤμην ὑλώδης λίαν, κύκλῳ δέ μου οἱ παῖδες[b].
Ὅτι γὰρ διὰ τοῦτο ἐζήτει τὴν προτέραν εὐπραγίαν, ἵνα

1, 1 προσθεὶς — προοιμίῳ : ἐτὶ δὲ προσθεὶς Ἰὼβ τῷ προοιμίῳ εἶπεν p ‖ 2
μῆνα¹ > p ‖ ἡμερῶν τῶν ἔμπροσθεν : ἔμπροσθεν ἡμερῶν ὄν με ὁ θεὸς
ἐφύλαξεν p ‖ 4 πάλιν ἀνήγαγεν : τούτους πάλιν λέγει p ‖ ἐκείνοις : ἐκείνες
(sic) p ‖ 8 μῆνα¹ + δὲ p ‖ ἕνα > p ‖ 12 αὐτῷ : αὐτὸ M ‖ 14 ὅρα + δὲ p
2, 1 ἡμερῶν, φησίν : διὸ φησιν ἡμέρων p ‖ 2 ἐν > p ‖ 6 γὰρ > p

2, 6-8 : ὅτι — ἐφύλαττέν με abc, yχ

a. Job 29, 1-2 ‖ b. Job 29, 2-5

CHAPITRE XXIX

LE GRAND PLAIDOYER DE JOB :
IL ÉVOQUE SA GLOIRE PASSÉE

Job rappelle la prospérité
que Dieu lui avait accordée

1. *Puis, Job ajouta ces paroles au début (de son discours) : Qui pourrait me rendre un mois semblable à un mois des jours d'antan*[a]*?* Que signifie : «Il ajouta au début de son discours»? Ce n'est pas qu'il achève ses discours, mais il est revenu à nouveau à son point de départ, sans permettre à ses adversaires de l'interrompre ou de se lancer dans la contradiction. Que dit-il donc? Je voudrais vivre un mois de mon bonheur d'autrefois. Pour vous fermer la bouche, pour vous montrer qui j'étais.

«Un seul mois comparable à un mois des jours d'antan.» Il n'a réclamé rien d'extraordinaire : seulement de vivre pendant trente jours son bonheur d'autrefois, et de jouir de cette prospérité que personne ne peut plus lui procurer. Puis, il la décrit par son discours. Car, puisque c'était impossible, autant qu'il le peut, c'est par son discours même qu'il montre et qu'il dit ce qu'il faisait et dans quelle situation il se trouvait auparavant. Remarque la piété du personnage : il attribue tout à Dieu. Car il n'est pas possible qu'un homme privé du secours d'en-haut puisse jamais tenir debout.

2. *Les jours où Dieu me gardait,* dit-il, *à l'époque où sa lampe brillait sur ma tête, où, à sa lumière, je marchais dans l'obscurité, où mon poids se faisait sentir sur les routes, où le Seigneur protégeait ma maison, où j'étais en pleine verdeur, et où mes enfants m'entouraient*[b]. Si, en effet, il recherchait son bonheur d'antan, c'était pour montrer la Providence de Dieu; cela

δειχθῇ τοῦ θεοῦ ἡ πρόνοια, δῆλον ἐκ τοῦ λέγειν · «Ὅτε ὁ
Θεὸς ἐφύλαττέν με.» Εἶτα λέγει τῆς φυλακῆς αὐτοῦ τὰ
τεκμήρια · «Ὅτε ηὔγει, φησίν, ὁ λύχνος ὑπὲρ κεφαλῆς
10 μου.» Τοῦτ' ἔστι · τὸ φῶς καὶ τὸν λύχνον μου φωτιεῖς ·
λύχνου γὰρ ὄντως χρεία, τοσοῦτόν ἐστι τὸ σκότος τὸ
παρόν, τοσαῦται τῶν πραγμάτων αἱ περιστάσεις, τῶν
σωματικῶν παθῶν αἱ ἐπαναστάσεις, πονηρῶν ἀνθρώπων αἱ
ἐπιβουλαί, δαιμόνων ἀγρίων μάχαι καὶ στάσεις, ὥστε τοῦτο
15 αὐτὸ δεῖξαι ὅτι «ἐν τῷ φωτὶ αὐτοῦ ἐπορευόμην ἐν σκότει».
Ὁρᾷς ὅτι σκότος τὰ πάντα κατέχει καὶ «τὸ φῶς ἐν τῇ
σκοτίᾳ φαίνει[c]». Ἀλλ' ὥσπερ τοῦτο τὸ σκότος χρήσιμον
πρὸς ἀνάπαυσιν, οὕτως ἐκεῖνο χρήσιμον ἡμῖν, οὐ παρὰ τὴν
οἰκείαν φύσιν, ἀλλὰ παρὰ τὴν σοφίαν τοῦ τὰ πάντα
20 τεκτηναμένου Θεοῦ. «Ὅτε ἤμην ἐπιβρίθων ὁδοῖς», τοῦτ'
ἔστιν πάντοθεν τῷ καρπῷ βρίθων. «Ὅτε ὁ Κύριος
ἐπισκοπὴν ἐποιεῖτο τοῦ οἴκου μου.» Ὁρᾷς ὅτι τοῦτο
ἐπεθύμει, τὴν ἐπισκοπὴν καὶ τὴν πρόνοιαν δεῖξαι τοῦ Θεοῦ.

3. **Ὅτε ἐχέοντό μου αἱ ὁδοὶ βουτύρῳ, τὰ δὲ ὄρη
μου ἐχέοντο γάλακτι**[d]. Ὁρᾷς ὅτι οὐδαμοῦ πλούτου
μέμνηται ἀδίκου οὐδὲ περιττοῦ, ἀλλὰ τοῦ χρησίμου καὶ
λόγον ἔχοντος.

4. **Ὅτε ἐξεπορευόμην ὄρθριος ἐν πόλει, ἐν δὲ πλα-
τείαις ἐτίθετό μου ὁ δίφρος**[e]. Τὴν παρρησίαν λέγει καὶ
τὴν ἀξίαν τὴν προτέραν. Εἶτα τὴν δόξαν.

---

7 ἐκ τοῦ λέγειν (abcyz) : ἐκ τοῦ θεοῦ LM ἐκ τῶν προλαβόντων p ‖ 9 φησίν
> p ‖ 14-15 τοῦτο αὐτὸ *conj.* : τοῦτον αὐτὸν LMp ‖ 21-22 ὅτε — μου > p
‖ 22 ὁρᾷς : ὅρα δὲ p ‖ 23 ἐπεθύμει (LMabcy) : ἐπιθύμη p
3, 2 ὁρᾷς ὅτι οὐδαμοῦ : καὶ ὅτι οὐδαμῶς p
4, 2-3 τὴν — δόξαν > p ‖ 3 εἶτα τήν (abcyz) : εἶτα LM

22-23 : ὁρᾷς — θεοῦ abc, yz
4, 2-3 : τὴν παρρησίαν — δόξαν abc, yz

c. Jn 1, 5 ‖ d. Job 29, 6 ‖ e. Job 29, 7

1. **LM**, suivis par **y** (dont on notera, en passant, l'accord avec nos

est clair d'après ce qu'il dit[1] : «Lorsque Dieu me gardait.»
Puis, il donne les preuves de cette garde divine. «A
l'époque, dit-il, où sa lampe brillait sur ma tête.» C'est-à-
dire : tu feras briller la lumière de ma lampe; car une lampe
est vraiment nécessaire : si profonde est l'obscurité présente, si graves les difficultés de la situation, les assauts des
souffrances physiques, les complots des méchants, les
combats et les attaques des démons cruels, que cela même[2]
montre que «c'est à sa lumière que je marchais dans
l'obscurité»! Tu vois que l'obscurité envahit tout et que
«la lumière brille dans les ténèbres[c]». Mais, tout comme
l'obscurité naturelle est utile au repos, celle-là nous est
utile, non en raison de sa nature propre, mais en raison de
la sagesse de Dieu qui a tout façonné. «A l'époque où mon
poids se faisait sentir sur les routes», c'est-à-dire où, de
toutes parts, j'étais lourd de fruits. «Où le Seigneur
protégeait ma maison.» Tu vois que, ce qu'il désirait,
c'était de montrer la protection et la providence de Dieu.

3. *A l'époque où mes chemins ruisselaient de beurre, et où mes
montagnes ruisselaient de lait*[d]. Tu vois que nulle part il
n'évoque une richesse injuste ou arrogante, mais celle qui
est utile et raisonnable.

4. *A l'époque où je sortais de bonne heure dans la ville, et où
mon siège était installé sur les places publiques*[e]. Il parle de sa
liberté d'expression et de sa dignité d'autrefois. Ensuite de
sa gloire.

---

deux manuscrits de base), ont une faute commune : ἐκ τοῦ θεοῦ, leçon
erronée, mais explicable par la présence de τοῦ θεοῦ à la ligne au-dessus;
p corrige **LM** en : ἐκ τῶν προλαβόντων : «d'après ce qui précède»; **abc**
ont ἐκ τοῦ λέγειν, **z** : ἐκ τοῦ λέγειν + ὅτι. Nous avons adopté : ἐκ τοῦ
λέγειν qui représente à nos yeux la leçon originelle. (Cf. *Introd.* p. 17, c;
et surtout p. 23).
    2. Le masculin τοῦτον αὐτὸν est sans doute une erreur de copiste.
Nous avons rétabli le neutre qui, seul, présente un sens acceptable.

5. Ἰδόντες δέ με νεανίσκοι ἐκρύβησαν, πρεσβῦται
δὲ πάντες ἐπανέστησαν · ἁδροὶ δὲ ἐπαύσαντο
λαλοῦντες, δάκτυλον θέντες ἐπὶ στόματι αὐτῶν[f]. Ἐμοὶ
δοκεῖ καὶ τούτους πλήττειν καὶ αἰνίττεσθαι, ἅτε ἐπεμβαί-
5 νοντας αὐτῷ. Ὅτι πρὸ τούτου φοβερὸς ἤμην, φησί, καὶ
ἐπίδοξος.

6. Οἱ δὲ ἀκούσαντες περὶ ἐμοῦ ἐμακάρισάν με, καὶ
γλῶσσα αὐτῶν τῷ λάρυγγι αὐτῶν ἐκολλήθη, ὅτι οὖς
ἤκουσεν καὶ ἐμακάρισέν με, ὀφθαλμὸς δέ με ἰδὼν
ἐξέκλινεν. Διέσωσα γὰρ πτωχὸν ἐκ χειρὸς δυνάστου,
5 καὶ ὀρφανῷ, ᾧ οὐχ ὑπῆρχεν βοηθός, ἐβοήθησα[g]. Τίνος
ἕνεκεν ἐμακάριζον αὐτόν, λέγει αὐτοῦ τὰ κατορθώματα ·
«Διέσωσα γάρ», φησί, «πτωχὸν ἐκ δυνάστου», ἀλλὰ
πρῶτον ἀναθεὶς τῷ Θεῷ τὴν ἐπισκοπὴν καὶ τὴν φυλακὴν
αὐτοῦ, τότε «καυχᾶται ἐν Κυρίῳ[h]».

7. Εὐλογία ἀπολλυμένου ἐπ' ἐμὲ ἔλθοι · στόμα δὲ
χήρας εὐλόγησέν με · δικαιοσύνην δὲ ἐνεδεδύκειν ·
ἠμφιασάμην δὲ κρίμα ἴσα διπλοΐδι · ὀφθαλμὸς ἤμην
τυφλῶν, ποὺς δὲ χωλῶν · ἐγὼ ἤμην πατὴρ ἀδυνάτων ·
5 δίκην δέ, ἣν οὐκ ᾔδειν, ἐξιχνίασα · συνέτριψα δὲ
μύλας ἀδίκων, ἐκ δὲ μέσου ὀδόντων ἅρπαγμα
ἐξήρπασα. Εἶπον · Ἡλικία μου γηράσει ὥσπερ στέ-

5, 1 δέ > p ‖ 2 ἐπανέστησαν : ἔστησαν p ‖ 4 τούτους πλήττειν (abc) :
τούτους πλήττεσθαι LM τοὺς φίλους πλήττειν (πλήττῃ p) pyz ‖ 4-5
ἐπεμβαίνοντας (pabcyz) : -νοντες LM
6, 1 περὶ ἐμοῦ > p ‖ καὶ + ἤ p ‖ 4 ἐκ χειρὸς p > LM ‖ 5 ὑπῆρχεν : ἦν p
‖ ἐβοήθησα + εἶτα δεικνὺς yz ‖ 6 λέγει : ἐπιφέρει pabcyz ‖ αὐτοῦ τὰ
κατορθώματα > pabcyz ‖ 7 διέσωσα : ἔσωσα p ‖ ἐκ δυνάστου > p ‖ 9
αὐτοῦ > p
7, 2 ἐνεδεδύκειν (p) : ἦν ἐδεδοίκειν LM ‖ 7 εἶπον + δὲ p ‖ ἡλικία :
ἡλικίας L

5, 3-6 : ἐμοί — ἐπίδοξος abc, (yz)
6, 5-9 : τίνος — κυρίῳ (6 λέγει αὐτοῦ τὰ κατορθώματα : ἐπιφέρει) abc,
yz

Job évoque la considération
dont il jouissait auprès de tous

5. *A ma vue, les jeunes gens se sont éclipsés, et tous les vieillards se sont levés et portés à ma rencontre; les notables ont cessé de causer en mettant leur doigt sur leur bouche*[f]. Il me semble que ce sont eux aussi (ses amis) qu'il attaque et auxquels il fait allusion, parce qu'ils l'insultent. Car auparavant, dit-il, j'étais redoutable et illustre.

6. *Ceux qui ont entendu parler de moi m'ont proclamé bienheureux, et leur langue s'est collée à leur gosier, car leur oreille a entendu et m'a proclamé bienheureux, et, à ma vue, ils ont baissé les yeux, car j'ai sauvé le pauvre de la main*[1] *du puissant et j'ai apporté de l'aide à l'orphelin qui n'avait personne pour l'aider*[g]. Pour expliquer pourquoi ils le proclamaient bienheureux, il cite ses bonnes actions : « J'ai sauvé », en effet, dit-il, «le pauvre (de la main) du puissant», mais c'est après avoir d'abord attribué à Dieu (le mérite) de l'avoir protégé et gardé qu'alors «il se glorifie dans le Seigneur[h]».

Sa bonté à l'égard de tous lui promettait
une vieillesse heureuse

7. *Que la bénédiction du mourant vienne sur moi; la bouche de la veuve m'a béni; je m'étais revêtu de justice; je me suis drapé dans le jugement comme dans un double manteau; j'étais l'œil des aveugles, le pied des boiteux; c'est moi qui étais le père des faibles; j'ai suivi à la trace la cause que je ne connaissais pas; j'ai brisé les molaires des gens injustes, j'ai arraché d'entre leurs dents le fruit de leurs rapines; j'ai dit : Ma vie vieillira comme le tronc du palmier,*

---

f. Job 29, 8-9 ‖ g. Job 29, 10-12 ‖ h. Cf. I Cor. 1, 31

---

1. Nous rétablissons devant δυνάστου les mots ἐκ χειρὸς, omis dans **LM** par la négligence des copistes. Ils seront notés plus bas, en 7, l. 11, dans la reprise de la citation.

λεχος φοίνικος, πολὺν δὲ χρόνον βιώσω[i]. Οὐκ ἐπειδὴ
ταύτῃ τῇ ἐλπίδι ἐποίουν, ἀλλ᾽ ὅτι προσεδόκων ἐκ τούτου
10 γῆρας μακρὸν ἀπὸ συνειδότος καλοῦ καὶ χρηστῶν ἐλπίδων.
«Διέσωσα γάρ, φησί, πτωχὸν ἐκ χειρὸς δυνάστου.»
Ὅρα αὐτὸν οὐκ ἐπὶ τῇ τῶν κακῶν ἀποχῇ μέγα φρονοῦντα,
οὐκ ἐπὶ ταῖς θυσίαις, καθάπερ Ἰουδαῖοι, ἀλλ᾽ ἐπὶ τούτῳ ὃ
βούλεται ὁ Θεός. «Κρίνατε, φησίν, ὀρφανῷ, καὶ δικαιώσατε
15 χήραν[j].» Ὅρα αὐτὸν οὐκ ἐπαιρόμενον, ἀλλὰ τῇ δυνάμει
πρὸς δέον χρώμενον, λιμένα κοινὸν ὄντα καὶ καταφυγὴν
τῶν ἐν ἀνάγκῃ · κοινὸς πατὴρ καὶ προστάτης ἦν · οὐ πρὸς
ἀδικίαν ἐκέχρητο τῷ πλούτῳ, οὐ πρὸς ἀλαζονείαν τῇ δόξῃ,
οὐ πρὸς κακουργίαν τῇ σοφίᾳ, ἀλλ᾽ ὥστε ἀπαλλάττειν τῶν
20 κατεχόντων δεινῶν τοὺς ἁλισκομένους.

«Καὶ ὀρφανῷ ᾧ οὐκ ἦν βοηθὸς ἐβοήθησα.» Ὅρα αὐτὸν
καὶ αὐτὰ μεθ᾽ ὑποστολῆς λέγοντα.

«Στόμα δέ», φησί, «χήρας εὐλόγησέν με.» Ἴστε δὲ ὅτι
ἀχάριστόν πως τὸ γένος ἐστίν, οὐ παρὰ τὴν οἰκείαν φύσιν,
25 οὐδὲ προαίρεσιν, ἀλλὰ παρὰ τὴν ἀνάγκην τῆς πενίας. Καὶ
πρᾶγμα δύσκολον ἐπαινέσαι τὸν εὖ ποιοῦντα. «Κάμινος γὰρ
πτωχείας ἐστίν[k].»

«Δικαιοσύνην δέ», φησίν, «ἐνεδεδύκειν.» Εἰσὶ γὰρ οἱ
ἑτέρων μὲν προΐστανται, αὐτοὶ δὲ ἀδικοῦσι πολλάκις ·
30 ἀλλ᾽ οὗτος οὐχ οὕτως · οὕτω διηνεκῶς ἦν ἐν τῷ δικαίῳ
βίῳ. Ὥστε καὶ περὶ Θεοῦ, ὅταν ἀκούσῃς ὅτι ἱμάτιον

8 δὲ > p ‖ 9 προσεδόκων L^pcp : προσεδόκουν Mabcyz ‖ ἐκ τούτου
(LMpabc) : ἐκ τοῦ βοηθεῖν τοῖς τοιούτοις yz ‖ 13 ὃ (p) : ᾧ LMabcyz ‖ 15
χήραν (Labcyz) : χήρα Mp ‖ 28 ἐνεδεδύκειν : ἦν ἐδεδοίκειν LM ‖ 30
διηνεκῶς : διηνυκῶς p ‖ 31 ἱμάτιον : ἱμάτια p

7, 8-10 : οὐκ ἐπειδὴ — ἐλπίδων abc, (yz) ‖ 12-15 : ὅρα — χήραν abc, yz
‖ 23-26 : ἴστε — ποιοῦντα abc, yz ‖ 28-30 : εἰσὶ — οὕτως abc, yz

i. Job 29, 13-18 ‖ j. Is. 1, 17 ‖ k. Cf. Is. 48, 10

1. On retrouve les mêmes expressions en XXXI, 9, 4 : καὶ κοινὸς

et je vivrai longtemps[i]. Ce n'est pas que j'agissais dans cet espoir, mais c'est que j'en attendais une longue vieillesse, fruit d'une bonne conscience et de vertueuses espérances.

«Car j'ai sauvé», dit-il, «le pauvre de la main du puissant.» Regarde : il ne s'enorgueillit pas de s'être abstenu du mal, ni des sacrifices qu'il a offerts, comme le font les Juifs, mais de ce que Dieu désire. «Jugez en faveur de l'orphelin», dit-il, «et faites valoir les droits de la veuve[j].» Remarque-le : il n'était pas hautain mais il usait de sa puissance comme il le fallait ; il était le port commun et le refuge[4] de tous ceux qui étaient dans le besoin ; il était le père et le défenseur de tous ; il n'utilisait pas sa richesse pour l'injustice, ni sa gloire pour la vantardise, ni la sagesse pour le mal, mais pour délivrer des maux qui les oppressaient ceux qui en étaient accablés.

«J'ai apporté de l'aide à l'orphelin, qui n'avait personne pour l'aider.» Remarque que, même cela, il le dit avec retenue.

«La bouche de la veuve, dit-il, m'a béni.» Or, vous savez que ce genre de femme est quelque peu ingrat, non en raison de sa nature propre ou d'un choix arrêté, mais en raison de la misère qu'impose la pauvreté. Et c'est chose difficile de louer celui qui fait du bien. «C'est là, en effet, la fournaise de la pauvreté[k].»

«Je m'étais revêtu de justice», dit-il. Il y a des gens, en effet, qui sont plus haut placés que les autres, mais qui, eux-mêmes, commettent souvent des injustices ; mais ce n'était pas le cas de Job, tellement il vivait de façon continuelle dans la justice ! Aussi, quand, à propos de Dieu également, tu entends dire qu'«il est vêtu de justice[l]», ne

---

λιμήν, καὶ κοινὴ καταφυγή. Nouvel indice de la cohérence de notre commentaire.

ἔχει δικαιοσύνης[1], μὴ νομίσῃς ἱμάτια περὶ τὴν ἀσωμάτων
φύσιν · οὐδὲ γὰρ οὗτος ταῦτα εἶχεν τὰ ἱμάτια.
« Ἠμφιασάμην δὲ κρίμα ἴσα διπλοΐδι.» Οὕτως ἐνεκαλ-
35 λωπιζόμην · καίτοι ἕτεροι τὸ πρᾶγμα δυσκολαίνουσιν, ἀγα-
νακτοῦσι, φορτικὸν εἶναι καὶ βαρὺ νομίζουσι · ἀλλ᾽ οὐκ
ἐγώ, φησίν · ἀλλ᾽ ὥσπερ ἂν εἴ τις ἐπὶ διπλοΐδι καλ-
λωπίζοιτο, οὕτω καὶ ἐγὼ διηνεκῶς, οὐχὶ σήμερον μέν,
αὔριον δὲ οὐκέτι, ἀλλ᾽ ὥσπερ ἀνάγκη τὰ ἱμάτια διὰ
40 παντὸς ἔχειν, οὕτω καὶ τὰ πράγματα. Καίτοι τίς αὐτὸν
κατέστησεν δικαστήν; Αὐτοχειροτόνητος κριτὴς παρὰ τῆς
ἀρετῆς γέγονεν αὐτῆς, καθάπερ Μωϋσῆς · τοιούτους εἶναι
ἐχρῆν τοὺς ἀνθρώπους, ἀλλ᾽ ἐπειδὴ ἐγκατέλειπον τὴν
ἀρετήν, ἔταξεν ὁ Θεὸς ἐξουσίας. Ὁρᾷς ἐν τῇ φύσει τὸ
45 πρᾶγμα κείμενον, τὸ προστατικὸν λέγω. Ἐπεὶ ποῖος, εἰπέ
μοι, νόμος τοῦτον ἐπαίδευσεν; Τίς κατηνάγκασεν; Τίς τὴν
ψῆφον ἔδωκεν; Τίς ἐπὶ τὸν θρόνον ἀνεβίβασεν;
« Ὀφθαλμὸς ἤμην», φησί, «τυφλῶν, πούς δὲ χωλῶν.»
Οὐκ εἶπεν · Ἐπεκούφισα τὴν συμφοράν, οὐδὲ τῆς πηρώ-
50 σεως τὴν αἴσθησιν ἀνήρουν, ἀλλ᾽ · « Ὀφθαλμὸς ἤμην.»
Ἔβλεπον δι᾽ ἐμοῦ, οὐκ ἐλάμβανον πεῖραν τῆς οἰκείας
συμφορᾶς δι᾽ ἐμέ. Οὐκ ἐπεζήτουν τοὺς χειραγωγοῦντας,
τοὺς ὁδηγοῦντας · πανταχοῦ τὸ σκότος αὐτοῖς ἐποίουν
φῶς · καθάπερ καὶ ὀφθαλμοὺς ἔχοντες πολλοὶ σκότος
55 ὁρῶσιν, οὕτω καὶ οὗτος τυφλοὺς ἐποίει βλέπειν. Ὅρα

32 ἀσωμάτων : ἀσώματον p ‖ 38 διηνεκῶς : διηνυκῶς p ‖ μέν + αὔριον
μὲν pᵃᶜ ‖ 41 δικαστήν + ἀλλὰ p ‖ 45 τὸ προστατικὸν : τὰ προστατικὰ p ‖ 53
αὐτοῖς > p ‖ 54 καὶ καθάπερ ~ p ‖ 55 οὗτος + τοὺς p

34-43 : οὕτως — ἀνθρώπους abc, yχ ‖ 49-54 : οὐκ εἶπεν — φῶς abc, yχ
‖ 55-61 : ὅρα — φύσεως abc, yχ

1. Cf. Is. 59, 17

1. Nous avons traduit τὸ πρᾶγμα par « fonction »; on pourrait aussi le
traduire par « activité ».

2. Cette admirable idée que Job était « l'œil des aveugles, le pied des
boiteux », sera développée par Jean dans la IIIᵉ des *Lettres à Olympias*,

va pas croire que des vêtements entourent les êtres incorporels : Job non plus ne portait pas ce genre de vêtements-là.

« Je me suis drapé dans le jugement comme dans un double manteau. » C'était là mon élégance ; certes, d'autres sont mécontents de cette fonction[1] ; ils s'irritent, ils trouvent qu'elle est pénible et lourde. Eh bien ! pas moi, dit-il. Mais, comme si quelqu'un se glorifiait d'un double manteau, de même, moi aussi, continuellement, demain comme aujourd'hui — tout comme par nécessité on porte continuellement ses vêtements — moi aussi, dis-je, je me glorifiais de ces fonctions. Or, qui l'a constitué comme juge ? C'est de lui-même qu'il l'est devenu, grâce à sa vertu même, comme Moïse : voilà comme il faudrait que soient les hommes. Mais comme ils délaissaient la vertu, Dieu leur a imposé des magistrats. Tu vois que c'est dans sa nature que sa fonction trouve son fondement : je veux parler de son rôle de protecteur. Car, dis-moi, quelle loi l'a formé ? Qui l'a contraint ? Qui l'a élu ? Qui l'a fait monter sur ce trône ?

« J'étais, dit-il, l'œil des aveugles, le pied des boiteux[2]. » Il n'a pas dit : J'ai allégé leur malheur, ni : J'ai supprimé le sentiment de leur cécité, mais : « J'étais (leur) œil. » Ils voyaient par moi ; grâce à moi, ils ne subissaient pas l'épreuve de leur propre malheur. Ils n'étaient pas en quête de gens qui les prennent par la main, qui les guident sur le chemin ; partout, pour eux, je transformais l'obscurité en lumière ; de même que bien des gens, bien qu'ils aient des yeux, ne voient qu'obscurité[3], de même Job permettait de

---

SC 13 bis, p. 265. « Comme il ne pouvait pas leur rendre leurs membres, aux aveugles les yeux, aux boiteux les pieds, il tenait pour eux la place des membres, et, grâce à lui, ceux qui avaient perdu leurs yeux, ceux qui n'avaient plus de jambes, ceux-là voyaient, ceux-ci marchaient. »

3. Σκότος ὁρᾶν ou βλέπειν : ne rien voir, être aveugle. Réminiscence littéraire de Chrysostome. L'expression est tirée des Tragiques. Cf. *Œdipe Roi*, 419 et *Les Phéniciennes*, 377.

«σημεῖα ἀποστολικά[m]» · οὐκ ὀφθαλμοὺς ἀπεδίδου · οὔπω
γὰρ ἦν αὕτη ἡ χάρις, ἀλλά, μενόντων πεπηρωμένων, φῶς
παρέχων · οἱ δὲ νῦν καὶ τοὺς βλέποντας τυφλοὺς ποιοῦσιν[n].
Οὐκ εἶπεν · διὰ τῶν οἰκετῶν ἐποίουν, ἀλλ' ἐγὼ αὐτὸς
60 τῆς φύσεως τὰ ἁμαρτήματα διώρθουν, οὐ τὰ παρὰ τῶν
ἀνθρώπων μόνον, ἀλλὰ καὶ τὰ παρ' αὐτῆς τῆς φύσεως.
«Ἐγὼ ἤμην πατὴρ ἀδυνάτων.» Ὅρα μετὰ πόσον χρόνον
ταῦτα λέγει · οὐχὶ καυχώμενος, οὐδὲ μεγαλοφρονῶν, ἀλλ'
ἀναγκαζόμενος εἰπεῖν τοῦ Θεοῦ τὴν πρόνοιαν καὶ ἐπὶ τίσιν
65 ἀπήλαυεν αὐτοῦ, καὶ ἐν τίσιν ἐστὶ νῦν.
«Δίκην, ἣν οὐκ ᾔδειν, ἐξιχνίασα.» Ὁρᾷς τὴν προστα-
σίαν, οὐ μέχρι χρημάτων, οὐδὲ μέχρι τροφῆς καὶ ἐνδυμάτων, ἀλλὰ καὶ μέχρι κινδύνων. Ἀλλοτρίας προιστάμην
μάχης, οὐδέν μοι διαφέροντος πράγματος · ἐζήτουν,
70 καθάπερ τις ἄριστος θηρατής. Οὐ γνωρίμους μόνον οὐ
παρεπεμπόμην, καθάπερ νῦν, οὐδὲ τοὺς ὄντας διωθούμην,
ἀλλ' εἰ καὶ μηδεὶς ἦν, καθάπερ ἔργον τοῦτο ἔχων, καὶ
καθάπερ τις θηρατὴς ἄριστος, περιῄειν συνεχῶς, περισκο-
πούμενος μή πού τις καταδυναστεύηται. «Ἐξιχνίασα»,
75 φησίν. Καὶ ὅρα τὰς πάνυ λανθανούσας φησὶ καὶ κεκρυμ-
μένας καὶ δυσκολίαν ἔχουσας καὶ πρὸς τὸ διαλυθῆναι.
«Καὶ συνέτριψα μύλας ἀδίκων.» Τὸ ἀποστολικὸν ἐκεῖνο
«ὁ προιστάμενος ἐν σπουδῇ[o]». «Ἐκ μέσου δὲ ὀδόντων
αὐτῶν ἅρπαγμα ἐξήρπασα.» Ὅρα τὴν δυσκολίαν τοῦ

56 σημεῖα ἀποστολικά : σημεῖον ἀποστολικόν p ‖ ἀπεδίδου : ἀπεδίδω p
‖ 56-57 οὔπω — αὕτη : αὕτη γὰρ οὔπω p ‖ 58 παρέχων : παρεῖχε p ‖ 59 ἐγὼ
+ φησίν p ‖ 60 παρὰ : περὶ p ‖ 61 μόνον : μόνων M ‖ παρὰ : περὶ p ‖ 65
αὐτοῦ : αὐτῆς p ‖ 66 ᾔδειν : εἶδον p ‖ 68 κινδύνων + οὖσαν p ‖ ἀλλοτρίας :
ἀλλοτρίῳ φησίν p ‖ 70 οὐ + γὰρ τοὺς p ‖ 74 καταδυναστεύηται : ἀδικεῖται p
‖ 76 διαλυθῆναι : εὑρεθῆναι p

62-69 : ὅρα — μάχης abc, yχ ‖ 77-81 : τὸ ἀποστολικόν — ἀνώρθωσα abc,
yχ

m. Cf. Act. 5, 12. ‖ n. Cf. Jn 9, 39 ‖ o. Rom. 12, 8

voir à des gens privés de la vue. Vois ces «miracles dignes des apôtres[m]». Job ne leur rendait pas la vue, car ce charisme n'existait pas encore, mais il leur procurait de la lumière, même s'ils restaient aveugles, tandis que nos contemporains rendent aveugles même ceux qui voient[n]. Il n'a pas dit : j'utilisais mes serviteurs pour le faire, mais c'est moi-même, dit-il, qui redressais les erreurs de la nature, non pas seulement celles qui proviennent des hommes, mais aussi celles qui proviennent de la nature même.

«C'est moi qui étais le père des faibles.» Remarque combien de temps il a attendu pour parler ainsi; il le fait non par vantardise, ni par orgueil, mais parce qu'il était obligé de parler de la providence de Dieu et des circonstances dans lesquelles il en jouissait, et de la situation où il se trouve maintenant.

«J'ai suivi à la trace la cause que je ne connaissais pas.» Tu vois que son rôle protecteur ne s'étendait pas seulement aux richesses, ni à la nourriture et aux vêtements, mais encore jusqu'aux dangers. Dans un combat qui ne me concernait pas, je me tenais en première ligne; dans une affaire où je n'étais nullement intéressé, je me mettais en quête comme un bon chasseur. Ce n'était pas les gens connus de moi que je refusais d'éconduire, comme on le fait aujourd'hui; non seulement je ne repoussais pas ceux qui étaient présents, mais, n'y eût-il personne, comme si c'était là ma tâche, et tel un bon chasseur, je circulais sans arrêt, observant soigneusement si quelqu'un, d'aventure, n'était pas tyrannisé. «J'ai suivi à la trace», dit-il. Et note-le : il parle des causes tout à fait secrètes, cachées et difficiles même à trancher.

«Et j'ai brisé les molaires des gens injustes.» Voilà la recommandation de l'Apôtre : «Que celui qui commande le fasse avec zèle[o].» «J'ai arraché d'entre leurs dents le fruit de leurs rapines.» Note la difficulté de l'opération : ce qui

80 πράγματος · καταποθὲν ἤδη καὶ προληφθὲν τὸ πρᾶγμα
ἀνώρθωσα. Οὐ καθάπερ ἡμεῖς · οὐ δύναται, φησίν, ἀνήνυτόν
ἐστιν. «Συνέτριψα μύλας ἀδίκων.» Ὅρα ἐν ἑκατέρᾳ τῇ
ἀρετῇ πρῶτα ἔχοντα, καὶ ἔνθα κολάζειν, καὶ ἔνθα βοηθεῖν
ἐχρῆν. Τίνος δὲ ἕνεκεν; «Συνέτριψα, φησίν, τὰς μύλας τῶν
85 ἀδίκων.» Αὐτοῖς ἐκείνοις βοηθῶν καὶ ποιῶν ἀχρήστους
λοιπὸν πρὸς ἑτέραν τοιαύτην πλεονεξίαν · καὶ τὸ δὴ θαυμαστόν, οὐδεμίαν ἀντὶ τούτων εἶχον ἀπέχθειαν, ἀλλὰ
«προσεδέχοντο», φησίν, λαλοῦντός μου.

8. Εἶτα λέγει · Ἡ ῥίζα μου διήνοικται ἐπὶ ὕδατος,
καὶ δρόσος αὐλισθήσεται ἐπὶ τῷ θερισμῷ μου · ἡ δόξα
μου καινὴ μετ' ἐμοῦ, καὶ τὸ τόξον μου ἐν χειρὶ αὐτοῦ
πορεύεται · πρεσβύτεροι ἀκούσαντές μου προσεῖχον,
5 ἐσιώπησαν δὲ ἐπὶ τῇ ἐμῇ βουλῇ. Ἐπὶ δὲ τῷ ἐμῷ
ῥήματι οὐ προσέθεντο, καὶ περιχαρεῖς ἐγίνοντο, ὁπότε
αὐτοῖς ἐλάλουν. Ὥσπερ γῆ διψῶσα προσδεχομένη
ὑετόν, οὕτως οὗτοι τὴν ἐμὴν λαλιὰν προσεδέχοντο · εἰ
ἐγέλων πρὸς αὐτούς, οὐκ ἐπίστευον[p]. Ὅρα τί φησιν ·
10 οὐχ ὁ πλοῦτος αὐτὸν ἐπίφθονον ἐποίει, οὐ τὸ τῶν ἀδικουμένων προΐστασθαι, οὐκ ἄλλο τι τοιοῦτον οὐδέν.

9. Καὶ φῶς, φησί, τοῦ προσώπου μου οὐ κατέ-
πιπτεν · ἐξελεξάμην ὁδὸν αὐτῶν, καὶ ἐκάθισα ἄρχων,
καὶ κατεσκήνουν, ὡσεὶ βασιλεὺς ἐν μονοζώνοις, ὃν
τρόπον συμπαθεῖς παρακαλῶν[q].

81 ἀνώρθωσα (L[pc]abcyz) : ἀνώρθωσαι M[pc] ἀνωρθώσας L[ac]M[ac]p ‖ ἡμεῖς
+ λέγομεν p ‖ 82 τῇ > p ‖ 83 ἀρετῇ + τὰ p
8, 10 αὐτὸν (pabcyz) : αὐτοῦ LM
9, 1 φησί > p ‖ 4 συμπαθεῖς scr. (A) : συμπαθὴς LM παθεινοὺς p
‖ παρακαλῶν : παρεκάλουν p

8, 9-11 : ὅρα — οὐδὲν (11 > τι) abc, yz

p. Job 29, 19-24 ‖ q. Job 29, 24-25

était déjà englouti et saisi, je l'ai fait restituer. Il ne dit pas, comme nous : c'est impossible, c'est inutile. «J'ai brisé les molaires des gens injustes.» Remarque que sa vertu est incomparable dans les deux cas : là où il fallait punir et là où il fallait secourir. Pourquoi dit-il : «J'ai brisé les molaires des impies»? C'est qu'il venait en aide même à ces gens-là, et les rendait incapables désormais d'un autre excès semblable; et l'extraordinaire, justement, c'est qu'ils n'avaient aucune haine en retour, mais «ils me faisaient bon accueil», dit-il, quand je parlais[1].

8. Puis il ajoute : *Ma racine s'est déployée au bord de l'eau, et la rosée se déposera sur ma moisson; ma gloire gardera avec moi sa fraîcheur, et mon arc s'avance dans la main (de Dieu); les vieillards m'écoutaient attentivement, et ils ont gardé le silence devant mon avis. Ils n'ont rien ajouté à mes paroles, et ils étaient pleins de joie quand je leur parlais. Comme une terre assoiffée qui accueille une ondée, ces gens-là faisaient bon accueil à ma parole; si je leur souriais, ils n'osaient y croire[p].* Regarde ce qu'il dit : non, sa richesse ne le faisait pas détester, ni la protection qu'il accordait aux opprimés, ni rien d'autre de semblable.

9. *Et la lumière de mon visage,* dit-il, *ne faiblissait pas; je leur ai choisi leur route, je me suis assis en chef, et j'ai dressé ma tente, comme si j'étais un roi au milieu de mes guerriers, à la manière d'un homme qui console les affligés[q].*

---

1. Ailleurs encore, Chrysostome explique que «Job a brisé les mâchoires des impies» en «opposant à leur amour des querelles sa bonté prévenante». Cf. *Lettres à Olympias* III, *SC* 13 bis, p. 265; *Ad eos qui scandalizati sunt, PG* 52, 511, l. 4 *a.i.* = *Sur la Providence de Dieu, SC* 79, p. 196, 13, l. 10-11.

XXX

1. **Νυνὶ δὲ κατεγέλασάν μου ἐλάχιστοι**[a]. Τίνα οὖν
ἐστι τὰ παρόντα ἔναντι τούτων; «Κατεγέλασάν μου, φησίν,
ἐλάχιστοι», **νῦν νουθετοῦσί με ἐν μέρει, ὧν ἐξουθένουν
τοὺς πατέρας αὐτῶν, οὓς οὐχ ἡγησάμην ἀξίους εἶναι**
5 **κυνῶν τῶν ἐμῶν νομάδων**[b]. Οὐχ ὑπερόπτης ὢν οὐδὲ
ἀλαζών, ὥστε ἀνθρώπους κυσὶ παραβάλλειν, ἀλλὰ τοὺς
πονηροὺς καὶ μιαροὺς αἰνίττεται · τοὺς γὰρ τοιούτους οὐδὲν
ἡγεῖτο. Ὅτι γὰρ διὰ τοῦτο, φησίν ·

2. **Καί γε ἰσχὺς χειρῶν αὐτῶν, ἵνα τί μοι; Ἐπ᾽
αὐτοὺς ἀπώλετο συντέλεια, ἐν ἐνδείᾳ καὶ ἐν λιμῷ
ἀγῶνος · οἱ φεύγοντες ἄνυδρον ἐχθὲς συνοχὴν καὶ
ταλαιπωρίαν · οἱ περικυκλοῦντες ἅλιμα ἐπὶ ἠχοῦντι,**
5 **ὧν ἅλιμα ἦν τὰ σιτία, ἄτιμοί τε καὶ πεφαυλισμένοι,
ἐνδεεῖς παντὸς ἀγαθοῦ, οἳ καὶ ῥίζας ξύλων ἐμασῶντο
ὑπὸ λιμοῦ μεγάλου · ἐπανέστησάν μοι κλέπται, ὧν
οἴκοι αὐτῶν ἦσαν τρῶγλαι πετρῶν · ἀνὰ μέσον εὐήχων
βοήσονται, ἢ ὑπὸ φρύγανα ἄγρια διητῶντο, ἀφρόνων**
10 **υἱοί, καὶ ἄτιμον ὄνομα καὶ κλέος ἐσβεσμένον ἀπὸ
γῆς**[c]. Ὅρα καὶ ἑτέραν ἀρετήν · ὅπερ ὁ Προφήτης ἔλεγεν ·

1, 3 ἐξουθένουν : ἐξουδένουν p ‖ 4 τούς > p ‖ αὐτῶν + καὶ p ‖ 5 νομάδων
> p ‖ ὧν + φησίν p ‖ 8 φησίν + δηλοῖ τὰ ἐξῆς p
2, 1 αὐτῶν : αὐτοῦ LM ‖ 2 ἐν² > p ‖ 5 ὧν : οἵτινες p ‖ ἦν + αὐτῶν p
‖ σιτία : σῖτα p ‖ 7 ὧν + οἱ p ‖ 9 ἢ : οἱ p ‖ 11 ὅρα — ἔλεγεν > p

1, 7-8 : τούς — ἡγεῖτο abcyz

a. Job 30, 1 ‖ b. Job 30, 1 ‖ c. Job 30, 2-8

1. Ce thème est repris, à propos de *Job* 30, 10 dans les *Lettres à
Olympias, SC* 13 bis, p. 191.
2. Nous avons corrigé le texte scripturaire de **LM** : αὐτοῦ, pour
adopter celui de **p** et du texte reçu : αὐτῶν, qui seul a un sens. Il s'agit,

CHAPITRE XXX

Job souligne ses souffrances présentes

Maintenant, les plus misérables se moquent de lui

1. *Mais maintenant les plus petits se sont moqués de moi*[a 1]. Quelle est donc sa situation actuelle en face de la précédente? «Les plus petits se sont moqués de moi», dit-il; *maintenant, ils me réprimandent chacun à leur tour, eux, dont je dédaignais les pères, qui, à mes yeux, ne valaient pas les chiens de mes troupeaux*[b]. Ce n'est pas qu'il soit méprisant ni prétentieux, pour comparer des hommes à des chiens, mais il fait allusion aux méchants et aux criminels; il n'avait, en effet, aucune estime pour ces gens-là. Que c'est bien pour cette raison, il le dit :

2. *A vrai dire, à quoi me servirait la force de leurs*[2] *mains? Sur eux, ce qu'ils ont réalisé s'est écroulé, dans le dénuement et la famine, fruits du combat; eux qui fuyaient, hier, la détresse et la misère desséchantes; eux qui recherchaient les arroches de mer sur le rivage bruissant, dont les arroches étaient la nourriture, sans honneur et méprisés, privés de tout bien, ils allaient jusqu'à mâcher des racines d'arbres, sous la pression d'une faim terrible; contre moi ils se sont levés (comme) des voleurs, eux dont les maisons étaient des grottes dans les rochers; ils pousseront des cris au milieu des pierres sonores; ou bien*[3] *ils vivaient sous les buissons sauvages, fils de gens insensés, dont le nom était sans honneur et la réputation rayée de la terre*[c]. Vois encore là une autre (forme) de vertu,

---

sans doute, d'une erreur de copiste, car Rahlfs ne signale aucune variante.

3. Nous avons gardé ἤ, leçon de **LM**, au lieu de οἵ, leçon de **p** et du texte reçu. Mais peut-être s'agit-il seulement, dans nos deux manuscrits, d'un itacisme, car Rahlfs ne signale aucune leçon divergente.

«Ἐξουδένωται ἐνώπιον αὐτοῦ πονηρευόμενος, τοὺς δὲ φοβουμένους τὸν Κύριον δοξάζει[d].»

«Ἄτιμοι», φησί, «καὶ πεφαυλισμένοι, ἐνδεεῖς παντὸς 15 ἀγαθοῦ, οἳ καὶ ῥίζας ξύλων ἐμασῶντο.» Ἑτέρα πονηρία τὸ καὶ ἐν πενίᾳ τοιούτους εἶναι· πένητες, ἀπόλιδες, ἀνέστιοι, οὔτε ἀπὸ κοσμικῆς εὐημερίας ἔχοντες μέγα φρονεῖν, οὔτε ἀπὸ ἀρετῆς κατὰ ψυχήν.

3. Νυνὶ δέ, φησί, κιθάρα αὐτῶν ἐγὼ εἰμί, καὶ ἐμὲ θρύλημα ἔχουσιν· ἐβδελύξαντό με ἀποστάντες μακράν· ἀπὸ δὲ προσώπου μου οὐκ ἐφείσαντο πτυέλου· ἀνοίξας φαρέτραν αὐτοῦ ἐκάκωσέν με, καὶ 5 χαλινὸν ἐπὶ πρόσωπόν μου ἐξαπέστειλεν. Ἐπὶ δὲ δεξιῶν τοῦ βλαστοῦ μου ἐπανέστησαν· πόδα αὐτοῦ ἐξέτεινεν καὶ ὡδοποίησεν ἐπ' ἐμὲ τρίβους ἀπωλείας αὐτῶν· ἐξετρίβησαν τρίβοι μου[c]. Ὁρᾶς τίνα ἐστὶ τὰ μάλιστα αὐτὸν λυποῦντα, τὸ παρὰ τοιούτων σκώπτεσθαι 10 ἐπὶ βλάβῃ τῇ ἐκείνων. «Κλέπται[f]», φησί, καὶ πονηροὶ καὶ μιαροὶ ἄνδρες καὶ παράνομοι μελέτημα καὶ θρύλημα ἡμᾶς ἐποιήσαντο.

4. Εἶτα, λέγει τὴν συμφορὰν καὶ ἐπαίρει πάλιν καὶ ἐκτραγῳδεῖ ὅτι ὁ Θεὸς τοῦτο ἐποίησεν. Ἐξέδυσεν γάρ, φησί, με τὴν στολήν μου, βέλεσιν αὐτοῦ κατηκόντισέν με· κέχρηται δέ μοι ὡς ἐβούλετο· ἐν ὀδύναις 5 πέφυρμαι· ἐπιστρέφονται δέ μου αἱ ὀδύναι· ᾤχετό μου δὲ ἡ ἐλπὶς ὥσπερ πνεῦμα, καὶ ὥσπερ νέφος ἡ σωτηρία μου παρῆλθεν. Καὶ νῦν, ἐπ' ἐμὲ ἐκχυθήσεται

12-15 ἐξουδένωται — ἐμασῶντο > p ‖ 15-16 ἑτέρα — εἶναι transp. post ψυχήν (l. 18) p ‖ 15 ἑτέρα πονηρία : τοῦτο γὰρ ἄκρας πονηρίας p ‖ 16 ἐν πενίᾳ + τοιαύτη p ‖ πένητες : ξένη τις (sic) φησίν p ‖ 18 ἀρετῆς + τῆς p
3, 1 νυνὶ : νυν p ‖ φησί > p ‖ 2 ἔχουσι θρύλημα ~ p ‖ 4 πτυέλου : πτυέλον p ‖ 5 πρόσωπον : προσώπου p ‖ δὲ > Lp ‖ 6 δεξιῶν : δεξιᾷ p ‖ πόδα : πόδας p ‖ 7 ὡδοποίησεν : ὡδοποίησαν p
4, 2-3 ἐξέδυσεν — μου > p ‖ 4 δέ > p ‖ ἐβούλετο : βούλεται p ‖ 6 μου — καὶ > p ‖ 6-7 παρῆλθεν ἡ σωτηρία μου ~ p

celle dont parlait précisément le prophète : «A ses yeux
celui qui fait le mal est méprisé, et il glorifie ceux qui
craignent le Seigneur[d].»

«Eux qui, dit-il, sans honneur et méprisés, privés de tout
bien, allaient jusqu'à mâcher des racines d'arbres.» C'est
aussi une autre forme de perversité de se montrer tel dans
la pauvreté : ce sont des pauvres sans patrie, sans foyer,
incapables de se glorifier, ni d'un succès dans le monde, ni
d'une vertu dans leur âme.

3. *Et maintenant*, dit-il, *ils me chansonnent, et font de moi le
sujet de leurs entretiens; me prenant en horreur, ils se sont éloignés
de moi; ils n'ont pas ménagé leurs crachats contre mon visage;
(Dieu) a ouvert son carquois et m'a mis à mal, il m'a jeté un mors
au visage, et ils se sont dressés sur la droite de ma descendance. Il a
étendu son pied, et il a frayé jusqu'à moi leurs chemins de perdition,
et mes sentiers ont été effacés*[g]. Tu vois ce qui l'afflige
surtout : c'est de se voir raillé par des gens pareils,
qui lui reprochent le mal qu'ils font. «Des voleurs[f]»,
dit-il, des méchants, des criminels, des bandits ont fait de
nous le sujet de leurs propos et de leurs entretiens.

Les souffrances et la maladie le submergent

4. Ensuite, parlant de son malheur, il l'amplifie à
nouveau et expose sur un ton dramatique que c'est Dieu
qui en est la cause. *Il m'a, en effet*, dit-il, *dépouillé de ma robe,
m'a abattu de ses javelots; il m'a traité à sa guise; je macère dans
les souffrances; les souffrances me submergent. Mon espérance s'est
dissipée comme un souffle, et, tel un nuage, ma sécurité a disparu.
Et maintenant, c'est sur moi que mon âme va se répandre; des jours*

2, 15-16 : ἑτέρα — εἶναι abcyz
3, 8-10 : ὁρᾷς — ἐκείνων abyz (c *def.*)

d. Ps. 14, 4 ‖ e. Job 30, 9-13 ‖ f. Cf. Job 30, 5

ἡ ψυχή μου · ἔχουσι δέ με ἡμέραι ὀδυνῶν · νυκτὸς δέ
μου τὰ ὀστᾶ συνέθλασαν, καὶ τὰ νεῦρά μου δια-
10 λέλυται. Πολλῇ ἰσχύϊ ἐπελάβετό μου τῆς στολῆς,
ὥσπερ τὸ περιστόμιον τοῦ χιτῶνός μου περιέσχεν με ·
ἥγηται δέ με ἴσα πηλῷ · ἐν γῇ καὶ σποδῷ ἡ μερίς
μου · κέκραγα δὲ πρὸς σὲ καὶ οὐκ εἰσακούεις μου ·
ἔστησαν καὶ κατενόησάν μοι · ἐπέβησαν δέ μοι ἀνε-
15 λεημόνως · χειρὶ κραταιᾷ μεμαστίγωμαι · ἔταξας δέ με
ἐν ὀδύναις καὶ ἀπέρριψάς με ἀπὸ σωτηρίας. Οἶδα γὰρ
ὅτι θάνατός με ἐκτρίψει, οἰκία γὰρ παντὶ θνητῷ γῆ.
Εἰ γὰρ ὄφελον, φησίν, ἠδυνάμην ἐμαυτὸν χειρώσασθαι,
ἢ δεηθῆναι ἑτέρου καὶ ποιήσει μοι τοῦτο[g]. Ὁρᾷς ὅτι
20 τὸ «ἠδυνάμην», οὐ δι᾽ ἀσθένειαν λέγει, ἀλλὰ διὰ τὸ
κεκωλύσθαι.

5. Ἐγὼ δὲ ἐπὶ παντὶ ἀδυνάτῳ ἔκλαυσα[h]. Οὐ μικρὸν
καὶ τοῦτο, ἀγαπητέ, ἀλλ᾽ εἰ δεῖ τι εἰπεῖν, καὶ ἐκείνου
μεῖζον τὸ συμπαθητικὴν ἔχειν διάνοιαν.

6. Ἐστέναξα δὲ ἰδὼν ἄνδρα ἐν ἀνάγκαις[i]. Καίτοι ἐν
πλούτῳ ὤν, οὐδὲν τοιοῦτον ἐποίησα · οὐκ ἐφήσθην, φησίν,
ταῖς ἀλλοτρίαις συμφοραῖς ὅπερ πάσχω νῦν.

7. Καὶ ἐπεῖχον ἐγὼ ἐν ἀγαθοῖς, καὶ ἰδοὺ
συνήντησάν μοι μᾶλλον ἡμέραι κακῶν · ἡ κοιλία
μου ἐξέζεσεν, καὶ οὐ σιωπήσεται · προέφθασαν δέ
με ἡμέραι πτωχείας · στένων πεπόρευμαι ἄνευ φιμοῦ.

---

8 νυκτὸς : νυκτί p ‖ 9 τὰ ὀστᾶ μου ~ p ‖ συνέθλασαν : συγκέκαυται p
‖ καὶ τὰ : τὰ δὲ p ‖ 10 πολλῇ : ἐν πολλῇ p ‖ 12 ἥγηται : ἥγησαι p ‖ 14 μοι :
με p ‖ 14 ἐπέβησαν : ἐπέβης p ‖ 15 κραταιᾷ + με p ‖ μεμαστίγωμαι :
ἐμαστίγωσας p ‖ ἔταξας : ἐτάραξας L ‖ 18 φησίν > p ‖ ἠδυνάμην : δυναίμην
p ‖ 19-21 ὁρᾷς — κεκωλύσθαι > p
5, 2 τοῦτο : τὸ ἐλεεῖν πράγματα p
7, 1 καὶ ἐπεῖχον ἐγώ : ἐγὼ ἐπέχων p ‖ καὶ² > p ‖ 3 δέ > p

4, 19-21 : ὁρᾷς — κεκωλύσθαι abc, yz

de souffrance se sont emparés de moi; la nuit, on a brisé mes os, et
mes nerfs se sont désagrégés. Avec une grande force, Dieu m'a saisi
par ma tunique; il m'a serré comme s'il serrait le col de ma
tunique; il m'a regardé comme de la boue; la terre et la poussière,
voilà mon lot; j'ai crié vers toi, et tu ne m'écoutes pas; ils se sont
dressés et m'ont épié; ils m'ont attaqué sans pitié; une main
puissante me flagelle; tu m'as établi dans les douleurs, et tu as
écarté de moi le salut. Je sais, en effet, que la mort va m'anéantir,
car la terre est la demeure de tout mortel. Ah! si seulement, dit-il,
je pouvais me suicider, ou demander à un autre de me rendre ce
service[g]. Tu comprends que l'expression : «Ah! si je pouvais...» ne signifie pas qu'il n'en a pas la force, mais que
c'est interdit.

Lui, au contraire, compatissait
au malheur des autres

5. *Moi, au contraire, j'ai pleuré sur tous les faibles*[h]. Cela
aussi n'est pas négligeable, bien-aimé, et, s'il faut le dire,
c'est une qualité plus grande encore, cette compassion que
l'on éprouve dans ses pensées.

6. *J'ai gémi à la vue d'un homme dans la détresse*[i]. Oui, quand
j'étais dans la richesse, je n'ai jamais eu cette attitude-là : je
ne me suis pas réjoui, dit-il, des maux d'autrui, comme on
le fait maintenant à mon égard.

Il attendait le bonheur.
C'est le malheur qui est venu

7. *Alors que j'attendais le bonheur, voici que se sont présentés à*
moi, au contraire, des jours de malheur; mes entrailles se sont mises
à bouillonner, et ne se tairont pas; les jours de l'indigence m'ont
devancé; je me suis avancé en gémissant sans retenue. Je me tiens

---

5, 1-3 : οὐ μικρόν — διάνοιαν abc, (yz)
6, 1-3 : καίτοι — νῦν abcyz

g. Job 30, 13-24 ‖ h. Job 30, 25 ‖ i. Job 30, 25

5 Ἕστηκα δὲ ἐν ἐκκλησίᾳ κεκραγώς · ἀδελφὸς γέγονα
σειρήνων, ἑταῖρος δὲ στρουθῶνʲ. Ἡ γὰρ ὑπερβολὴ τῶν
κατειληφότων αὐτὸν δεινῶν ἠνάγκαζεν θρηνεῖν καὶ ἀποδύ-
ρεσθαι. Οὐδὲ βουλόμενος ἡσυχάσαι δύναμαι, φησίν.

« Ἕστηκα δὲ ἐν ἐκκλησίᾳ κεκραγώς », οὐδένα τῶν
10 παρόντων αἰδούμενος, οὐδὲ αἰσχυνόμενος πλῆθος συνόδου ·
τοῦτο δὲ ἀπὸ τοῦ μεγέθους γίνεται τῆς συμφορᾶς · Εἰς τὴν
τῶν ὀρνίθων θηριωδίαν ἐξέπεσα, φησίν. Ἠγνόησα τὴν
φύσιν τὴν οἰκείαν · οὐδὲν ἐκείνων ἄμεινον διάκειμαι. Τοῦτο
καὶ ὁ Δάυιδ φησίν · « Ὡμοιώθην πελεκᾶνι ἐρημικῷ, ἐγεν-
15 νήθην ὡσεὶ νυκτικόραξ ἐν οἰκοπέδῳᵏ. »

8. Τὸ δὲ δέρμα μου, φησί, μεμελάνωται μεγάλως,
τὰ δὲ ὀστᾶ μου ἀπὸ καύματος συνεφρύγη. Ἀπέβη δὲ
εἰς πένθος ἡ κιθάρα μου, ὁ δὲ ψαλμός μου εἰς
κλαυθμὸν ἐμοίˡ. Ὅρα καὶ ὄψιν ἀηδῆ τινα καὶ ἀποτρόπαιον
5 ἅπαν ἀπηνθισμένον αὐτῷ κάλλος.

« Τὰ δὲ ὀστᾶ μου », φησίν, « ἀπὸ καύματος συνεφρύγη »,
ἤτοι ἀπὸ τῆς συμφορᾶς ἤτοι ἀπὸ τοῦ αἴθριος εἶναι διὰ
παντός. Ποικίλη καὶ πολύτροπος ἡ συμφορά · παντοδαπὴ
τὰ δεινά.

10 « Ἀπέβη εἰς πένθος ἡ κιθάρα μου, ὁ δὲ ψαλμός μου
εἰς κλαυθμὸν ἐμοί. » Ἄρα καὶ κιθάρᾳ ἐκέχρητο · ἀλλ᾽
οὐκέτι μοι μελῳδίας ἐστὶν ὑπόθεσις τὸ ὄργανον, ἀλλὰ
τῶν ἐναντίων. Μείζων ἡ συμφορά, ὅταν τῇ αὐτῇ πρὸς τὰ

6 ἑταῖρος : ἑτέρως L ‖ γὰρ > p ‖ 7 ἠνάγκαζεν + αὐτὸν p ‖ 12 ἐξέπεσα :
ἐξέπεσον p ‖ 14 ὁ > p
8, 1 φησί > p ‖ μεμελάνωται : ἐσκότωται p ‖ 4 καὶˡ + καὶ (sic) p ‖ 4
ἀποτρόπαιον + καὶ p ‖ 5 αὐτῷ : αὐτοῦ τὸ p ‖ 6-7 τὰ — συμφορᾶς : τὰ ὀστᾶ
συνεφρύγη ἀπὸ τῆς συμφορᾶς p ‖ 8-9 παντοδαπὴ τὰ δεινά : καὶ παντοδαπά
τινα ἔπασχε p ‖ 11 ἐκέχρητο : ἐχρῆτο p ‖ 12 ἐστὶν + φησίν p ‖ 13 μείζων
+ γὰρ p ‖ τῇ > p

7, 6-8 : ἡ γὰρ — φησίν abc, (yz) ‖ 10-13 : οὐδὲ — διάκειμαι (> 11 :
τοῦτο — συμφορᾶς) abc yʒ

debout dans l'assemblée en criant : je suis devenu le frère des sirènes[4] *et le compagnon des autruches*[j]. C'est, en effet, l'excès des maux qui ont fondu sur lui qui le forçait à gémir et à se lamenter. Même si je le veux, je ne peux pas garder le silence, dit-il.

«Mais je me tiens debout dans l'assemblée en criant», sans avoir honte devant aucun des assistants, et sans rougir devant la multitude de l'assemblée; et cette attitude est provoquée par la grandeur de son malheur. Je suis tombé, dit-il, dans la condition animale des oiseaux. Je n'ai plus reconnu ma propre nature; ma situation n'est pas meilleure que la leur. C'est aussi ce que dit David : «Je suis devenu semblable au pélican du désert, comparable à une chouette dans une maison en ruines[k].»

8. *Ma peau s'est profondément noircie, dit-il, mes os ont été brûlés par la chaleur. Ma cithare s'est mise à gémir; ma lyre à se lamenter sur moi*[l]. Remarque que sa vue est devenue fort déplaisante, et sa beauté, toute flétrie, repoussante.

«Mes os, dit-il, ont été brûlés par la chaleur», soit par suite de son malheur, soit par suite de son exposition permanente aux intempéries. Son malheur est varié et multiple; ses souffrances sont de toutes sortes.

«Ma cithare s'est mise à gémir, ma lyre à se lamenter sur moi.» Donc, il jouait aussi de la cithare. Mais mon instrument n'est plus pour moi le soutien de mon chant, mais de mes adversités. Mon malheur s'accroît chaque fois

---

j. Job 30, 26-29 ‖ k. Ps. 101, 7 ‖ l. Job 30, 30-31

---

1. Chrysostome parle de «la condition animale des oiseaux». On voit, par là, que les sirènes n'ont pas le même sens dans la Bible et dans la mythologie grecque. Il s'agit d'une bête du désert (cf. *Is.* 13, 23; 34, 13 etc.). Chrysostome semble y voir un oiseau, puisque, dans le texte, elles sont rapprochées de l'autruche. Dans l'hébreu, il s'agit du chacal.

ἐναντία κέχρημαι· ὑπόμνησίς μοι τὸ ὄργανον τῆς παλαιᾶς
15 εὐπραγίας γίνεται. Τῇ γὰρ μουσικῇ ἐχρῶντο οἱ παλαιοί,
ψάλλοντες· ἐντεῦθεν ἡμῖν δῆλον ὅτι πρὸ τοῦ Μωσέως ἦν·
ψαλμὸς γὰρ ἦν μετ᾽ ἐκεῖνον, πρὸ ἐκείνου δέ, οὐδαμῶς.

14 κέχρημαι + καὶ p ‖ 16 πρὸ LM : οὐ πρό p

1. **p** ajoute une négation entre ὅτι et πρὸ τοῦ Μωσέως, croyant rendre
la phrase plus logique, car ἐκεῖνος lui semble renvoyer à Moïse. Mais
c'est aller contre toute la pensée de Chrysostome qui met Job avant
Moïse (cf. le Prologue). Il trouve, dans ce verset, une preuve que la lyre,

que je me sers de cette même cithare pour exprimer mes adversités : cet instrument devient pour moi le rappel de mon bonheur passé. Les anciens, en effet, pratiquaient la musique et s'accompagnaient sur la lyre; ce qui nous prouve clairement que Job était antérieur à Moïse [1]; car la lyre a existé après lui (Job), mais, avant lui, elle n'existait pas.

dont Moïse s'est servi (cf. les psaumes de Moïse), existait déjà à l'époque de Job, et voit en cela une dépendance de Moïse par rapport à Job.

XXXI

1. Διαθήκην ἐθέμην τοῖς ὀφθαλμοῖς μου, καὶ οὐ
συνήσω ἐπὶ παρθένον · καὶ ἐπεμέρισεν ὁ Θεὸς ἄνωθεν,
καὶ κληρονομία ἱκανοῦ ἐξ ὑψίστου. Οὐαί, καὶ ἀπώλεια
τῷ ἀδίκῳ, καὶ ἀπαλλοτρίωσις τοῖς ποιοῦσιν ἀνομίαν.
5 Οὐχὶ αὐτὸς ὄψεται ὁδόν μου, καὶ πάντα τὰ διαβή-
ματά μου ἀριθμηθήσεται; Εἰ δὲ ἤμην, φησί, πεπορευ-
μένος μετὰ γελοιαστῶν, εἴ γε καὶ ἐσπούδασεν εἰς
δόλον ὁ πούς μου[a]... Βαβαί, τῆς ἀκριβείας. Οὐκ ἔχει
τις εἰπεῖν, οὐκ ἔχει, ὅτι τῷ πλούτῳ καὶ τοῖς ἀγαθοῖς
10 τοῖς ἔμπροσθεν εἰς ῥαθυμίαν καὶ διάχυσιν ἀποχρησάμενος,
ταύτην τίνω τὴν δίκην καὶ μεταβέβλημαι, τοῦ Θεοῦ
κατάλληλόν μοι φάρμακον ἐπιθέντος. Τὸν μὲν γὰρ φιλογέ-
λωτα, καὶ τρυφῇ προσεσχηκότα, καὶ φιλοπαίγμονα, εἰκότως
ἄν τις εἰς τὴν ἐναντίαν καταστήσειεν, ἕξει γοερῷ τινι καὶ
15 πολυθρήνῳ παραδοὺς αὐτὸν βίῳ. Τὸν δὲ καὶ πρὸ τούτου
φεύγοντα μὲν κώμους, διώκοντα δὲ ἀνθρώπους παίζοντας
καὶ γελωτοποιοῦντας, ποῖον ἂν ἔχοι λόγον ἐμπεσεῖν εἰς
σκυθρωπὸν καὶ κατηφῆ βίον; Ὁρᾷς ὅτι τὸ τοῦ ψαλμοῦ
ἐπὶ τούτου ἐμπληροῦτο, τό · «Καὶ ἀγαλλιᾶσθε αὐτῷ ἐν

1, 1-3 διαθήκην — ὑψίστου > p ‖ 5-6 καὶ — μου > p ‖ 6 εἰ δὲ : ἴδε p
‖ φησί > p ‖ 7 γε > p ‖ 7-8 ὁ πούς μου εἰς δόλον ~ p ‖ 9 εἰπεῖν + φησίν p
‖ ὅτι τῷ (pabcyz) > LM ‖ 11 τίνω (pabcyz) : τιννύω LM ‖ 14
καταστήσειεν (abc) : κατάστασιν ἐν LMp καταστήσειε yz ‖ ἕξει (LMa) :
ἕξειν bc -άξη p τάξιν yz ‖ 15 πολυθρήνῳ (LMpyz) : πολυθρηνωδεῖ abc
‖ παραδοὺς αὐτὸν βίῳ (pabcyz) > LM ‖ τὸν — τούτου (LMyz) : καὶ πρὸ
τούτου p τὸ δὲ καὶ πρὸ τούτου bc τὸ δὲ καὶ παρὰ τούτου a ‖ 17 ποῖον ἂν ἔχοι
λόγον (λόγος *(sic)* c) cyz : ποῖος ἂν ἔχοι (ἔχῃ L, ἔχει Mab) λόγος LMpab
‖ 18 ψαλμοῦ + καὶ p

1, 8-18 : βαβαί — βίον *abc, yz*

a. Job 31, 1-5

1. Nous n'avons pas hésité à rétablir : ὅτι τῷ, omis par **LM**, mais
donné par toutes les chaînes.

CHAPITRE XXXI

RIEN DANS SA CONDUITE NE JUSTIFIE UN SORT PAREIL

Dieu ne voit-il pas sa conduite?

1. *J'ai fait un pacte avec mes yeux, et je ne prêterai pas attention à une vierge. C'est Dieu qui d'en-haut distribue aussi (les récompenses), et l'héritage vient du Puissant, du haut (des cieux). Malheur! c'est la perdition pour l'injuste, et la ruine pour ceux qui commettent l'iniquité. Ne va-t-il pas voir lui-même ma route? Et toutes mes démarches ne seront-elles pas comptées? Ah! dit-il, si j'avais marché en compagnie des rieurs! Ah! si mon pied s'était hâté vers la fourberie*[a]...! Vraiment! quelle rigueur! Impossible, impossible de dire que c'est pour avoir gaspillé ma richesse[1] et mes biens antérieurs en plaisirs et en prodigalités que je subis le châtiment actuel et que me voilà renversé, parce que Dieu m'aurait appliqué un remède approprié. En effet, celui qui aime rire, qui s'adonne à la sensualité, qui aime s'amuser, il est normal qu'on le place dans la situation opposée en le mettant dans un état d'affliction et une vie de désolation[2]. Mais, celui qui, déjà auparavant, fuyait les banquets, repoussait rieurs et joueurs, quelle raison aurait-on[3] pour qu'il tombe dans une vie triste et morose? Tu vois que le mot du psaume se réalisait à son sujet : «Réjouissez-vous en lui, dans la

---

2. Pour l'établissement de ce texte corrompu : εἰκότως ἄν τις ... παραδοὺς αὐτὸν βίῳ, on se reportera à l'apparat critique et à l'Introduction p. 17, b et p. 22.

3. Pour cette phrase, très corrompue dans les manuscrits, on se reportera à l'apparat critique. Le sens est clair, mais nous présentons la leçon adoptée : ποῖον ἂν ἔχοι λόγον, sans conviction, car elle s'appuie essentiellement sur les moins bons manuscrits. Peut-être la leçon originelle était-elle : ποῖος ἂν εἴη λόγος ou même ποῖος ἀνέχει λόγος quelle raison y a-t-il (surgit, se présente); ἀνέχει aurait été lu ἂν ἔχει, leçon de **LMab**.

20 τρόμῳ[b].» Καίτοι πολυτελῆ παρατιθεὶς τράπεζαν, καὶ πολλῆς ἀπολαύων εὐετηρίας, καὶ τρυφῇ συζῶν διηνεκεῖ, οὐδὲν τοιοῦτον ἔπαθεν οἷον ἐν ἡμέρᾳ μιᾷ τῶν Ἑβραίων τὸ γένος.

Οὐκ εἶπεν· εἰ ἐγέλασα, ἀλλ᾽ «εἰ ἐπορεύθην μετὰ 25 τούτων»· οὐδὲ τῆς αὐτῆς ὁδοῦ, φησίν, ἐκοινώνησα. Καίτοι ποῖος τοῦτο ἀπηγόρευσε νόμος;

«Εἰ δὲ καὶ ἐσπούδασεν εἰς δόλον ὁ πούς μου.» Οὐκ ἔχει τις εἰπεῖν, φησίν, ὅτι ῥαθυμίαν μὲν καὶ διάχυσιν καὶ τὸν ὑγρὸν τοῦτον οὐκ ἐδίωκον βίον, κατεσκληκὼς δὲ ἤμην, 30 καὶ κατεστυμμένος ἐπὶ τὰς διαφερούσας ἐκείνῳ τῷ βίῳ κακίας κατέπεσα, πονηρίαν λέγω καὶ δόλον. Ἀλλ᾽ ἑκατέρας ὁμοίως τῆς πονηρίας ἀπέστην μακράν.

2. «Ἵσταμαι γὰρ ἐν ζυγῷ δικαίῳ[c].» Τοσαύτης ἀκριβείας ὁ βίος μου μετέχει, καὶ ἐν τοῖς μικροῖς, ὅσης δικαιοσύνης τὰ ζυγά. Οὐδὲ τὸ μικρότατόν μοι παρημέληται.

5 Τούτων οὐκ ἄνθρωπον καλῶ μάρτυρα, φησί, τὸν καὶ χαρίσασθαι δυνάμενον, τὸν καὶ ἀγνοοῦντα πολλά, ἀλλὰ τὸν τὰ ἀπόρρητα μετὰ ἀκριβείας ἐπιστάμενον ἅπαντα Θεόν, ὃν οὐδὲν δύναται τῶν ἡμετέρων λαθεῖν.

3. Οἶδεν δὲ ὁ Κύριος, φησί, τὴν ἀκακίαν μου, εἰ

24 οὐκ + γὰρ p ‖ ἐγέλασα : ἐγέλασεν p ‖ 25 φησίν > p ‖ 29 οὐκ ἐδίωκον (p) : ἔφυγον yz ἐδίωκον LMabc ‖ κατεσκληκὼς δὲ (LMp) : ἐπεὶ δὲ κατεσκληκὼς abcyz ‖ ἤμην : ὢν p ‖ 31 κατέπεσα : ἐξέπεσον p 2, 2 μετέχει + φησὶν p ‖ ὅσης + μοι p ‖ 3 οὐδὲ + γὰρ p ‖ μοι > p ‖ 3-4 παρημέληται + καὶ p ‖ 6 χαρίσασθαι : χαρίζεσθαι p ‖ τον¹ > p ‖ τὸν² + καὶ p ‖ 7 ἅπαντα : ἅπαν p ‖ 8 οὐδὲν (p) : οὐδεὶς LM 3, 1 οἶδεν : ἴδεν p ‖ φησί > p

27-32 : οὐκ ἔχει — μακράν abc, yz
2, 5-7 : τούτων — ἐπιστάμενον abyz (c def.)

b. Ps. 2, 11 ‖ c. Job 31, 6

1. A quoi Chrysostome veut-il faire allusion? On peut penser à

crainte[b].» Il avait beau offrir une table somptueuse, jouir d'une immense prospérité, vivre dans un bien-être continuel, il n'a rien éprouvé de comparable à ce (qu'a éprouvé), en un seul jour, le peuple des Hébreux[1].

Il n'a pas dit : Si j'ai ri, mais : «Si j'ai marché avec ces gens-là (les rieurs)»; je n'ai même pas, dit-il, emprunté la même route (qu'eux). Or, quelle loi le lui avait interdit?

«Si mon pied s'était hâté vers la fourberie.» Impossible de dire, dit Job, que si je ne recherchais pas[2] les plaisirs, les prodigalités et cette vie voluptueuse, par contre j'étais austère et que, devenu dur, je suis tombé dans les vices opposés à ce genre de vie-là : je veux parler de la méchanceté et de la fourberie. Non, je me suis tenu également éloigné de chacun de ces deux vices :

2. *Car je me place sur une juste balance*[c]. Il y a autant de rigueur dans ma vie, même dans les détails, qu'il y a de justesse dans le fléau (d'une balance). Je n'ai même pas négligé le plus petit détail.

De cela, j'en appelle, dit-il, non au témoignage d'un homme qui peut vouloir faire plaisir et qui ignore aussi bien des choses, mais au témoignage de Dieu qui connaît avec exactitude tout ce qui est caché, à qui aucun de nos actes ne peut échapper.

Le Seigneur, pourtant, sait son innocence

3. *Le Seigneur sait,* dit-il, *mon innocence et si mon pied a dévié*

---

l'épisode des cailles (cf. *Nombr.* 11, 36 s.). Le mot τρυφή se retrouve dans *Sagesse* 19, 11, en référence à ce texte.

2. Le mouvement de la pensée nous fait adopter la négation οὐκ ἐδίωκον que nous trouvons dans **p**. On trouvera une phrase symétrique en **17**, 14. Il semble que cette négation soit tombée dans un modèle très ancien, car nous ne la trouvons ni dans **LM**, ni dans **abc**. Les manuscrits **y** et **z** ont bien vu la difficulté et remplacent ἐδίωκον par ἔφευγον (= οὐκ ἐδίωκον).

132   COMMENTAIRE SUR JOB

ἐξέκλινεν ὁ πούς μου ἀπὸ τῆς ὁδοῦ αὐτοῦ, εἰ δὲ καὶ
τῷ ὀφθαλμῷ μου ἐπηκολούθησεν ἡ καρδία μου[d]. Ἔτι
τοῦτο μικρόν; Μέγα μὲν οὖν ὡς ἐν ἐκείνοις τοῖς χρόνοις,
5 τάχα δὲ καὶ ὡς ἐν τοῖς παροῦσι. Τὸ μὲν γὰρ μηδὲ
ἐπιθυμῆσαι μέγα, καὶ τούτου δὲ οὐκ ἔλαττον, τὸ δεξαμέ-
νους τὴν ἐπιθυμίαν μὴ προσθεῖναι τὴν πρᾶξιν. Προιὼν δὲ
καὶ τὸ τούτου μεῖζόν φησιν, ὅτι οὐδὲ οἱ ὀφθαλμοὶ ἔπαθόν
τι τοιοῦτον.

4. Καὶ εἰ ἐν ταῖς χερσί μου ἡψάμην δώρων[c]. Καὶ
τὸν Θεὸν μάρτυρα καλεῖ καὶ ἐπαρᾶται ἑαυτῷ.

5. Σπείραιμι, φησί, καὶ ἄλλοι φάγονται, ἄρριζός τε
γενοίμην ἐπὶ τῆς γῆς, εἰ ἐξηκολούθησεν ἡ καρδία μου
γυναικὶ ἀνδρὸς ἑτέρου · εἰ δὲ καὶ ἐγκάθετος ἐγενόμην
ἐπὶ θύραις αὐτῆς, ἀρέσαι ἄρα καὶ ἡ γυνή μου ἄλλῳ,
5 τὰ δὲ νήπιά μου ταπεινωθείη[f]. Οὐκ εἶπεν · Ὁ ὀφθαλμός
μου, ἀλλ' οὐδὲ ἡ καρδία μου · οὐδὲ τὴν διάνοιάν μου,
φησίν, εἴασα διαφθαρῆναί ποτε, μή τί γε τὸ σῶμα. Ὅπερ
φησὶν ὁ Χριστός · «Ὁ ἐμβλέψας γυναικὶ πρὸς τὸ ἐπιθυμῆσαι αὐτήν, ἤδη ἐμοίχευσεν αὐτὴν ἐν τῇ καρδίᾳ αὐτοῦ[g].»

6. Θυμὸς γὰρ ὀργῆς ἀκάθεκτος, τὸ μιᾶναι ἀνδρὸς
γυναῖκα. Πῦρ γὰρ ἔσται καιόμενον ἐκ πάντων τῶν
μερῶν · οὗ δ' ἂν εἰσέλθῃ, ἐκ ῥιζῶν ἀπώλεσεν[h]. Τίνος
δὲ ἕνεκεν καὶ τὴν τιμωρίαν ἐξηγεῖται; Ἤδειν, φησί, τῆς
5 ἀδικίας τὸ μέγεθος · ἐπεσκεψάμην ἀκριβῶς τῆς ἐπηρείας
τὴν ὑπερβολήν · ὅπερ εἰ καὶ ἡμεῖς ἐπάσχομεν, οὐκ ἂν

2 ἀπὸ : ἐκ p ‖ 3 ἐπηκολούθησεν τῷ ὀφθαλμῷ μου ~ p ‖ 8 ὀφθαλμοὶ +
αὐτοῦ p
4, 1 καὶ εἰ ἐν : εἰ δὲ καὶ p ‖ 1-2 καὶ² — ἑαυτῷ > p
5, 1 σπείραιμι : σπείραι μοι p ‖ φησί : ἄρα p ‖ φάγονται : φάγοισαν p
‖ 1-2 ἄρριζός — γῆς > p ‖ 2 εἰ + δὲ καὶ p ‖ 3 δὲ καὶ > p ‖ 4 ἄλλῳ : ἑτέρῳ
p ‖ 8 ἐμβλέψας + φησί p
6, 1 ἀκάθεκτος : ἀκατάσχετος p ‖ 2 ἔσται : ἐστι p ‖ 3 μερῶν : μελῶν p
‖ εἰσέλθῃ : ἐπέλθῃ p ‖ 4 δὲ > p ‖ ἐξηγεῖται : ἀνεξήγηται p ‖ φησί + καὶ p

de son chemin, et si mon cœur s'est laissé entraîner par mon regard[d]. Est-ce là encore un détail? Oui vraiment, c'est important, étant donnée l'époque et ce l'est peut-être aujourd'hui. Il est important, en effet, de ne même pas désirer, et non moins important, quand on a accueilli le désir, de ne pas y ajouter l'action. Et, allant plus loin, il affirme quelque chose de plus important encore, c'est que même ses yeux n'ont rien accepté de pareil.

4. *Et si de mes mains j'ai touché des présents*[e]... Non seulement il en prend Dieu à témoin, mais il se maudit lui-même.

5. *Que je sème, dit-il, et que d'autres mangent, et que je sois sans racines sur la terre, si mon cœur a poursuivi la femme d'un autre homme, si je me suis posté à sa porte; alors, que ma femme, aussi, plaise à un autre; que mes enfants soient humiliés*[f]. Il n'a pas dit : mes yeux, mais : mon cœur non plus; jamais, dit-il, je n'ai permis à ma pensée de se laisser corrompre, encore moins à mon corps. C'est précisément ce que dit le Christ : «Celui qui a jeté son regard sur une femme pour la désirer, a déjà commis l'adultère en son cœur[g].»

6. *Car c'est l'élan d'une passion irrépressible, que de souiller la femme d'un homme. Car ce sera un feu qui brûle de toutes parts, et là où il pénètre, il détruit jusqu'aux racines*[h]. Pourquoi en raconte-t-il aussi le châtiment? Je savais, dit-il, la grandeur de cette injustice; j'ai examiné soigneusement l'excès de cet outrage; or, si nous éprouvions, nous aussi, (les sentiments

---

3, 3-9 : ἔτι — τοιοῦτον ab, yz (c *def.*)
5, 5-9 : οὐκ εἶπεν — αὐτοῦ (7-9 : ὅπερ — αὐτοῦ > yz) ab, yz (c *def.*)
6, 4-5 : ᾔδειν — μέγεθος ab, yz (c *def.*)

d. Job 31, 6-7 ‖ e. Job 31,7 ‖ f. Job 31, 8-10 ‖ g. Matth. 5, 28 ‖ h. Job 31, 11-12

ἡμάρτομεν. Ὁ πλεονέκτης, εἰ τὴν ὀδύνην καὶ τὴν τηκεδόνα
τοῦ πένητος ᾔδει τοῦ πλεονεκτουμένου, οὐκ ἂν ἐποίησεν
ὅπερ ἐποίησεν, ἀλλά, εἰ καὶ ὁ τοῦ Θεοῦ φόβος αὐτὸν μὴ
10 κατεῖχεν, ὁ τῆς φύσεως ἂν ἐπέκαμψεν ἔλεος · ἀλλ᾽ οἶδεν
μέν, οὐκ οἶδεν δὲ ὥσπερ ὁ πάσχων αὐτός. Ἐγὼ δὲ αὐτῶν
τῶν ἀδικουμένων οὐχ ἧττον ἠπιστάμην τὰς ἐπηρείας. «Ὁ
μισεῖς, ἄλλῳ μὴ ποιήσῃς[i].» «Ὁ θέλετε ἵνα ποιῶσιν ὑμῖν οἱ
ἄνθρωποι, τοῦτο καὶ ὑμεῖς ποιεῖτε αὐτοῖς[j].» Διὰ τοῦτο,
15 ἐπειδὰν πολλάκις ἑτέρους ἀδικῶμεν, καὶ μυρία παραινῶν ὁ
Θεὸς μηδὲν ἰσχύσῃ, καθίστησιν ἡμᾶς εἰς τὴν πεῖραν τῶν
πραγμάτων αὐτῶν · δι᾽ ὧν πάσχομεν, μανθάνωμεν καὶ ὅσον
ἐστὶ τὸ δεινὸν παιδευθῶμεν · λέγεται καὶ περὶ τοῦ Ἡλία[k]
τοῦτο γεγενῆσθαι, καὶ ὅτι διὰ τοῦτο αὐτὸν εἴασεν ἐν λιμῷ.
20 Τοῦτο καὶ ἐπὶ τοῦ Ἰωνᾶ γέγονε · διὰ τοῦτο καὶ ἐπεμβαίνει
αὐτῷ λοιπὸν εὐκαίρως λέγων · «Σὺ μὲν γὰρ ἐφείσω ὑπὲρ
τῆς κολοκύνθης, ἐγὼ δὲ οὐ φείσομαι ὑπὲρ Νινευῆ τῆς
πόλεώς μου τῆς μεγάλης, ἐν ᾗ κατοικοῦσι πλείους ἢ
δώδεκα μυριάδες ἀνδρῶν[l];» Τοῦτο καὶ ἐπὶ Ἰερεμίου
25 γέγονε. Τί γάρ φησι; Κατέστρεψεν αὐτοὺς ὁ θεός[m], καὶ
τότε αὐτοῖς ἀρᾶται. Ἐμοὶ δοκεῖ καὶ τὸ πάθος διηγεῖσθαι,
καθαιρῶν ἑαυτοῦ τὸ ἐγκώμιον, ὅτι οὐδὲν μέγα ἐποίησα, μὴ
μοιχεύσας, μηδὲ τὴν ἀνομίαν τὴν οὕτω μεγάλην ἐργασά-
μενος. «Ἐκριζοῖ» γάρ, φησίν, τὴν οἰκίαν «οὗ ἂν εἰσέλθῃ».

7. Εἶδες σωφροσύνην, ὅρα καὶ ταπεινοφροσύνην. Εἰ δὲ
καὶ ἐφαύλισα, φησί, κρίμα θεράποντός μου ἢ θερα-

12 ἐπηρείας + φησίν p ‖ δ + γάρ p ‖ 13 ποιήσῃς + καί p ‖ 15
παραινῶν : ποιῶν p ‖ 16 ἰσχύσῃ + σωφρονεῖσαι p ‖ 17 αὐτῶν : ἵνα p
‖ πάσχομεν : πάσχωμεν p ‖ μανθάνομεν : μανθάνωμεν Mac ‖ 18 παιδευθῶμεν : παιδευώμεθα p ‖ 22 ὑπὲρ + τῆς p ‖ 28 τὴν¹ > p ‖ τὴν² > p ‖ 29
εἰσέλθῃ : εἰσέλθοι p
7, 1 εἶδες — ταπεινοφροσύνην > p ‖ 2 φησί > p

i. Tob. 4, 15 ‖ j. Matth. 7, 12 ‖ k. Cf. III Rois 17, 1-16 ‖ l. Jon.
4, 10-11 ‖ m. Cf. Jér. 5, 19 s.

de Job), nous n'aurions pas péché. Si l'homme cupide savait la souffrance et le mauvais sang que se fait le pauvre qui a été victime de sa cupidité, il n'aurait pas fait ce qu'il a fait, et, même si la crainte de Dieu ne le retenait pas, la pitié naturelle l'aurait fait fléchir; il le sait, sans doute, mais pas comme le sait celui qui subit personnellement l'injustice. Quant à moi, dit-il, je ne connaissais pas moins leurs calomnies que ceux qui les subissaient eux-mêmes. «Ce que tu détestes, ne le fais pas subir à un autre[i].» «Ce que vous voulez que les hommes vous fassent, faites-le leur aussi[j].» C'est pourquoi, puisque, souvent, nous faisons du tort à d'autres, et que Dieu, malgré d'innombrables avertissements, n'a rien pu obtenir, il nous fait faire l'expérience de leur situation; que nos épreuves nous instruisent et nous apprennent combien grande est la souffrance. C'est ce qui, dit-on, est arrivé aussi dans le cas d'Élie[k], et c'est pour cela que Dieu l'a laissé dans la disette. C'est ce qui est arrivé également au temps de Jonas : c'est pourquoi aussi, Dieu l'attaque alors fort à propos, en disant : «Tu as eu pitié de la citrouille, et moi, je n'aurais pas pitié de Ninive, ma grande ville, où habitent plus de douze myriades d'hommes[l]?» C'est ce qui est arrivé aussi du temps de Jérémie. Que dit-il, en effet? C'est Dieu qui les a abattus[m], et ensuite, il (Jérémie) lance contre eux des imprécations. Il me semble aussi que Job raconte cet événement, pour rabaisser son propre éloge : je n'ai rien fait d'extraordinaire, en ne me livrant pas à l'adultère, et en ne commettant pas cette faute si grave. Car, dit-il, elle «déracine» la maison «où elle pénètre».

Job n'a pas méprisé les petits

7. Tu as vu la sagesse, vois aussi l'humilité : *Si j'ai méprisé aussi*, dit-il, *le jugement de mon serviteur ou de ma*

παίνῃς, κρινομένων αὐτῶν πρός με[n]. Οὔτε δοῦλος, οὔτε ἐλεύθερος παρ' ἐμοῦ, φησίν, ἠδίκηται.

8. Τί γὰρ ποιήσω, ἐὰν ἔτασίν μου ποιήσηται ὁ Κύριος; Ἐὰν δὲ καὶ ἐπισκοπήν, τίνα ἀπόκρισιν ποιήσωμαι; Πότερον οὐχ, ὡς ἐγὼ ἐγενόμην ἐν γαστρί, καὶ ἐκεῖνοι γεγόνασιν; Γεγόναμεν δὲ ἐν τῇ αὐτῇ κοιλίᾳ[o]. Ὅρα πῶς ὑποτέμνεται αὐτοῦ τὰ ἐγκώμια πανταχοῦ καὶ καθαιρεῖ τὰ κατορθώματα · οὐδὲν μέγα ἐποίησα, φησίν. Τοῦτο αὐτὴ ἡ φύσις βούλεται. Κοινωνοῦμεν ἀλλήλοις ἁπάντων · ἡ αὐτὴ γένεσις, ἡ αὐτὴ εἴσοδος, πάντα κοινά · οὐ σεμνότερος ἐγὼ τῆς ἐκείνων φύσεως.

9. Ἀδύνατοι δέ, ἥν ποτε εἶχον χρείαν, οὐκ ἀπέτυχον, καὶ χήρας τὸν ὀφθαλμὸν οὐκ ἐξέτηξα[P]. Ὁρᾶς πῶς οὐκ ἦν ὑπερόπτης, πῶς μέτριος, πῶς κοινὸς ἁπάντων ἰατρός, καὶ κοινὸς λιμήν, καὶ κοινὴ καταφυγὴ τῶν ἐν 5 ἀνάγκαις ὄντων. «Ἥν ποτε εἶχον χρείαν», φησίν. Οὐχὶ τὴν μὲν ναί, τὴν δὲ οὔ, ἀλλ' οἱανδήποτε, εἰ καὶ κινδύνων ἔγεμεν, εἰ καὶ δαπανηρά τις ἦν, εἰ καὶ ἐπισφαλής. Καὶ ὅρα · τούτοις ἐβοήθει παρ' ὧν οὐδὲν προσεδόκα, χήραις καὶ ὀρφανοῖς καὶ ἀδυνάτοις. Καὶ ὅτι οὐδὲ πρὸς ἐπίδειξιν ἐποίει 10 καὶ φιλοτιμίαν, ἀλλὰ διὰ τὸν Θεόν, δῆλον μὲν ἐκ τοῦ μὴ θελῆσαι ἢ ὅτε ταῦτα εἶπεν, καίτοι μακρῶν οὕτω λόγων ἀποταθέντων, καὶ πολλῆς τῆς ὁμιλίας γεγενημένης, δῆλον δὲ ἐκ τοῦ καὶ ἐκεῖνα κατορθοῦν ὧν οὐδένα μάρτυρα

3 με + εἶδες σωφροσύνην ὅρα καὶ ταπεινοφροσύνην p
8, 7-8 κοινωνοῦμεν + γὰρ p
9, 1 χρείαν ἥν ποτε εἶχον ~ p ‖ 2 χήρας + δὲ p ‖ 3 μέτριος : μέτρῳ p ‖ κοινὸς > p ‖ 9 ἐποίει + τοῦτο p ‖ 10 μὲν + καὶ p ‖ 11 ἢ > p ‖ ὅτε ταῦτα εἶπεν : πρὸ τούτου ταῦτα εἰπεῖν p ‖ 13 καὶ ἐκ τοῦ ~ p

7, 3-4 : οὔτε — ἠδίκηται ab, yz (c def.)
8, 5-9 : ὅρα — φύσεως ab, yz (c def.)
9, 2-9 : ὁρᾶς — ἀδυνάτοις ab, yz (c def.)

servante, quand ils plaidaient contre moi[n]... Ni esclave, ni homme libre, dit-il, n'a subi de ma part aucune injustice.

8. *Que faire donc, si le Seigneur m'examine? Et s'il me visite, quelle réponse donner? N'ont-ils pas été formés, eux aussi, comme moi, dans un ventre (de femme)? Nous avons été formés, en effet, dans le même sein*[o]. Vois comment partout il coupe court aux éloges et rabaisse ses bonnes actions : je n'ai rien fait d'extraordinaire, dit-il. C'est la nature elle-même qui l'exige. Nous avons tout en commun, les uns et les autres : même conception, même naissance, tout est commun; ma nature n'est pas plus noble que la leur[1].

9. *Quant aux faibles, quels qu'aient été leurs besoins, ils n'ont pas été frustrés, et je n'ai pas fait pleurer l'œil de la veuve*[p]. Vois-tu comme il refusait l'arrogance, comme il était modéré, comme il était le médecin commun à tous, le port commun, le refuge commun de ceux qui étaient dans la détresse[2]. «Quels qu'aient été leurs besoins», dit-il. Ce n'était pas : oui à tel besoin, et non à tel autre, mais : oui à tout besoin sans distinction, même s'il était périlleux, même fort coûteux, même hasardeux. Et remarque-le : il venait en aide à ceux dont il n'espérait rien : aux veuves, aux orphelins et aux faibles. Et qu'il n'agissait pas par ostentation ni par gloriole, mais pour Dieu, c'est évident, d'abord parce qu'il n'a pas consenti à en parler avant ce moment-là, bien qu'il ait déjà tellement développé de si longs discours, et que l'entretien ait duré longtemps; c'est évident encore parce qu'il redressait même ces fautes qui

---

n. Job 31, 13 ‖ o. Job 31, 14-15 ‖ p. Job 31, 16

1. Chrysostome développera, dans le même sens, ce même verset 15 du chapitre XXXI de Job, dans *Sur la vaine gloire et l'éducation des enfants;* cf. *SC* 188, p. 175.

2. Mêmes expressions, déjà, au chap. XXIX, **7**, 16. Voir *supra,* p. 110, n. 1.

138

ἀνθρώπων εἶχεν, τὰ κατὰ διάνοιαν λέγω τὰ περὶ τῶν
15 παίδων.

«Εἰ ἐξηκολούθησεν ἡ καρδία μου, φησί, γυναικὶ ἀνδρὸς
ἑτέρου[q]...» Καίτοι τούτου μάρτυρα ἄνθρωπον οὐκ εἶχεν,
ἀλλὰ τὸν ἀκοίμητον ὀφθαλμόν, ἀλλ᾽ ὅμως καὶ ἐκεῖνα αὐτῷ
κατώρθωτο · εὔδηλον ὅτι καὶ ταῦτα δι᾽ ἐκεῖνον. «Χήρας δὲ
20 τὸν ὀφθαλμὸν οὐκ ἐξέτηξα», ὑπερορῶν καὶ παρατρέχων καὶ
ἐν θρήνοις ἐῶν εἶναι.

10. **Εἰ δὲ καὶ τὸν ψωμόν μου ἔφαγον, φησί, μόνος,
καὶ οὐχὶ μετέδωκα ὀρφανῷ ἐξ αὐτοῦ, καὶ ἐκ νεότητός
μου ἐξέτρεφον ὡς πατήρ, καὶ ἐκ γαστρὸς μητρὸς
ὡδήγησα, εἰ δὲ καὶ ὑπερεῖδον γυμνὸν ἀπολλύμενον,**
5 **καὶ οὐκ ἠμφίασα · ἀδύνατοι δὲ εἰ μὴ ηὐλόγουν με,
ἀπὸ δὲ κουρᾶς ἀμνῶν μου ἐθερμάνθησαν οἱ ὦμοι
αὐτῶν, <εἰ ἐπῆρα ὀρφανῷ χεῖρα, πεποιθὼς> ὅτι
πολλή μοι βοήθεια πάρεστιν, ἀποσταίη ἄρα ἀπὸ τῆς
κλειδός μου ὁ ὦμός μου, ὁ δὲ βραχίων μου ἀπὸ τοῦ**
10 **ἀγκῶνος συντριβείη. Φόβος γὰρ Κυρίου συνεῖχέν με ·
καὶ ἀπὸ τοῦ λήμματος αὐτοῦ οὐχ ὑποίσω, εἰ ἔταξα
χρυσίον εἰς χοῦν μου, εἰ δὲ καὶ λίθῳ πολυτελεῖ
ἐπεποίθησα, εἰ δὲ καὶ ηὐφράνθην πολλοῦ πλούτου
γενομένου μοι, καὶ εἰ ἐπ᾽ ἀναριθμήτοις ἐθέμην χεῖρά**
15 **μου[r].** Καίτοι ποῖον τοῦτο ἁμάρτημα; Ὁρᾷς αὐτὸν οὐ
προσδεδεμένον χρήμασιν. Ὅρα φιλοσοφοῦντα καὶ μετὰ
ἀληθείας ἐπεσκεμμένον τῶν ἀνθρωπίνων πραγμάτων τὸ
ἐπίκαιρον, τὸ πρόσκαιρον, καὶ βραχὺ καὶ εὐπαρόδευτον.

17 ἄνθρωπον > p ‖ 19 εὔδηλον + δὲ p ‖ χήρας : χήρα p ‖ 21 θρήνοις :
θρόνοις p

10, 1 φησί > p ‖ 4 ὑπερεῖδον : παρεῖδον p ‖ 5 ἀδύνατοι : ἀδύνατα p ‖ 6 οἱ
> p ‖ 7 εἰ — πεποιθὼς > LM ‖ 8 μοι πολλή ∼ p ‖ 9 μου[1] > p ‖ 10
ἀγκῶνος + μου p ‖ συνεῖχεν : συνέσχεν p ‖ 12 εἰς χοῦν : ἴσχυν p ‖ 14
γενομένου μοι : μου γενομένου p ‖ καὶ εἰ : εἰ δὲ καὶ p ‖ 15 ὁρᾷς : ὅρα οὖν p
‖ 18 καὶ[1] : τὸ p ‖ εὐπαρόδευτον + εἶτα p

q. Job 31, 9 ‖ r. Job 31, 17-25

n'avaient aucun homme pour témoin, je veux parler des fautes de pensée concernant ses enfants[1].

«Si mon cœur s'est attaché, dit-il, à la femme d'un autre[q]...» Ce genre de fautes avait beau n'avoir pas d'homme pour témoin, mais l'œil (de Dieu) toujours vigilant, lui, pourtant, n'en avait pas moins pratiqué ces vertus-là; il est bien évident que cela aussi, c'était pour Dieu (qu'il le faisait). «Je n'ai pas fait pleurer l'œil de la veuve», en la méprisant, en la négligeant et en la laissant se lamenter.

Il ne s'est pas attaché à ses richesses

10. *Si j'ai aussi*, dit-il, *mangé ma bouchée de pain tout seul, sans la partager avec l'orphelin, si, dès ma jeunesse, je ne l'ai pas nourri comme un père, et si, dès le sein de sa mère, je n'ai pas été pour lui un guide, si j'ai dédaigné un homme nu, en train de mourir, sans le vêtir; si les faibles ne me bénissaient pas, et si la toison de mes agneaux n'a pas réchauffé leurs épaules; si j'ai levé la main contre l'orphelin, sous prétexte[2] que je dispose de grands appuis, alors, que mon épaule se détache de ma clavicule, que mon bras soit arraché de son articulation. La crainte du Seigneur, en effet, m'oppressait; et je n'échapperai pas à sa prise, si j'ai placé de l'or dans ma terre, si j'ai mis ma confiance dans des pierres précieuses, si je me suis réjoui d'avoir acquis une grande richesse, et d'avoir mis la main sur des richesses innombrables[r].* Or quelle espèce de faute est-ce là? Tu vois qu'il n'est pas attaché aux richesses. Regarde-le en train de réfléchir et de considérer en toute vérité le caractère accidentel, passager, éphémère, et négligeable des réalités humaines.

1. Si notre commentaire présente souvent un caractère analytique, nous avons là, avec les symétries et les répétitions, un bon exemple de style oratoire.
2. Nous avons rétabli entre crochets < >, le texte scripturaire : εἰ ἐπῆρα ὀρφανῷ χεῖρα, πεποιθώς, présent dans **p**, mais absent de **LM**. Nous le traduisons, car il est attesté et absolument indispensable au sens.

140 COMMENTAIRE SUR JOB

11. Πάλιν καθαιρεῖ αὐτοῦ τὸ ἐγκώμιον. Ἵνα γὰρ μὴ δόξῃ μέγα τι ποιεῖν, ὅρα τί φησιν · Ἦ οὐχ ὁρῶμεν ἥλιον τὸν ἐπιφαύσκοντα, ἐκλείποντα, σελήνην δὲ φθίνουσαν; Οὐ γὰρ ἐπ' αὐτοῖς ἐστιν[s]. Τοῦτο τὸ φῶς, φησίν, 5 ἀπόλλυται καὶ ἀφανίζεται καὶ οὐχ ὁρᾶται. Ὁρᾷς οἵαν αἰτίαν φησὶ τῆς μεταβολῆς τῶν φωστήρων. Ἄρα ἀρκεῖ πρὸς φιλοσοφίαν ἡ κτίσις ἡμῖν, οὐχὶ πρὸς θεογνωσίαν μόνον. Ὅταν ἴδῃς ὅτι μέγας ὁ ἥλιος, θαύμασον τὸν δημιουργόν. Ὅταν ἴδῃς ὅτι ἐκλείπει, τῶν ἀνθρωπίνων 10 πραγμάτων τὸ εὔφθαρτον καταμάνθανε. Εἰ γὰρ ὁ πάντων ἐστὶ λαμπρότερον τῶν ἐπὶ τῆς γῆς, τοῦτο λήγει καὶ μειοῦται καὶ τελευτᾷ, πολλῷ μᾶλλον τὰ λοιπὰ πάντα· εἰ τὸ οὕτω χρήσιμον καὶ ἀναγκαῖον, καὶ οὗ χωρὶς ζῆν οὐκ ἔνι, μεταβολὴν δέχεται, πολλῷ μᾶλλον τὰ περιττὰ καὶ οὐκ 15 ἀναγκαίως ἡμῖν προκείμενα.

12. Καὶ εἰ ἠπατήθη, φησί, λάθρᾳ, ἡ καρδία μου, εἰ δὲ καὶ χεῖρά μου θεὶς ἐπὶ στόματί μου ἐφίλησα, καὶ τοῦτό μοι ἄρα ἀνομία λογισθείη μεγάλη, ὅτι ἐψευσάμην ἔναντι Κυρίου τοῦ ὑψίστου[t]. Τινές φασι περὶ 5 εἰδωλολατρείας τοῦτο εἰρῆσθαι, ἀλλ' οὐ πείθομαι· οὐ γὰρ ἐν μεγίστοις κατορθώμασι τοῦτο τέθεικεν· ἀλλ' ἐμοὶ δοκεῖ, ὅπερ πάσχουσιν οἱ ἐρωτικῶς διακείμενοι, ἀπόντων τῶν ἐρωμένων· τὰς χεῖρας ἑαυτῶν καταφιλοῦσι τῷ στόματι, ἢ περὶ πλούτου, ἢ περὶ πραγμάτων ὧν ἂν θαυμάζωσιν. «Ὅτι

11, 2 ἢ > p ‖ 3 ἐπιφαύσκοντα : ἐπιφάσκοντα καὶ p ‖ 4 τοῦτο τὸ : τὸ λαμπρὸν τοῦτο p ‖ 5 ἀπόλλυται + γὰρ p ‖ 8 ὁ > p
12, 1 φησί > p ‖ 2 θεὶς : ἐπιθεὶς p ‖ 3 ἀνομία — μεγάλη : ἀνομία ἡ μεγίστη λογισθείη p ‖ 6 ἐν (pabcyz) : ἂν LM ‖ 7 διακείμενοι + καὶ p ‖ 9 ὅτι + οὐκ p

11, 4-15 : τοῦτο — προκείμενα (14 : μεταβολὴν δέχεται > a) abc, yz
12, 4-9 : τινές — θαυμάζωσιν abc, yz

s. Job 31, 26 ‖ t. Job 31, 27-28

1. Ἄν, leçon de LM, est impossible avec le parfait τέθεικεν. Nous avons adopté la leçon ἐν, donnée par pabcyz. L'idée exprimée ici par

11. A nouveau, il rabaisse son éloge. En effet, pour ne pas avoir l'air de faire quelque chose d'extraordinaire, vois ce qu'il dit : *Ne voyons-nous pas le soleil qui brillait s'éclipser, la lune disparaître? Car cela ne dépend pas d'eux*[s]. Cette lumière, dit-il, meurt et disparaît, et on ne la voit plus. Tu vois la cause qu'il donne du changement des astres. Par conséquent, la création nous suffit pour acquérir la sagesse, et pas simplement la connaissance de Dieu. Quand tu vois que le soleil est dans toute sa grandeur, admire le Créateur. Quand tu vois qu'il s'éclipse, comprends le caractère périssable des réalités humaines. Car si ce qui est plus brillant que tout ce qui existe sur la terre, disparaît, diminue et meurt, à plus forte raison tout le reste : si l'astre qui est si utile, si nécessaire, et sans lequel il n'est pas possible de vivre, subit le changement, à bien plus forte raison ce qui est superflu et qui ne nous est pas nécessaire.

12. *Et si mon cœur a été séduit en secret,* dit-il, *si j'ai porté ma main à ma bouche pour envoyer un baiser, alors, que cela me soit compté comme une grande iniquité, car j'ai menti devant le Seigneur très haut*[t]. Certains prétendent que ces paroles concernent l'idolâtrie, mais je ne le crois pas, car il n'a pas mis cela parmi les plus grandes de ses belles actions[1], mais, à mon avis, c'est exactement ce que font ceux qui éprouvent de la passion, quand les objets de leur passion sont absents[2]; ils envoient de leurs mains des baisers, soit qu'il s'agisse de richesses, soit qu'il s'agisse d'objets qu'ils admirent. «Car

Chrysostome est assez subtile; il oppose le superlatif : μεγίστοις au positif (ἀνομία) μεγάλη, dont s'est servi le texte scripturaire en ligne 9. L'auteur a une interprétation de *Job* 31, 27-28 intéressante, mais qui lui est particulière. Il a tort, semble-t-il, de croire qu'il ne s'agit pas là de l'idolâtrie.

2. Coutume qui nous paraît étrange. Pour nous, c'est plutôt lorsque nos amis s'éloignent et s'en vont (ἀπιόντων?) que nous leur adressons des baisers. Young, dans son édition (p. 426) propose : ἀπαντόντων : lorsqu'ils se rencontrent.

10 ἐψευσάμην, φησίν, ἔναντι Κυρίου τοῦ ὑψίστου», νῦν ταῦτα
λέγων · ἢ ὅτι οὐ ψεύδομαι ἐναντίον τοῦ Θεοῦ · τοῦτο
γὰρ ψεῦδός ἐστι, τὸ οὕτω τῶν ἀνθρωπίνων ἐκκρέμασθαι
πραγμάτων.

13. Εἰ δὲ καὶ περιχαρὴς ἐγενόμην ἐπὶ πτώματι
ἐχθροῦ μου, καὶ εἰ εἶπον τῇ καρδίᾳ μου · Εὖγε,
εὖγε · ἀκοῦσαι ἄρα τὸ οὖς μου τὴν κατάραν μου,
θρυληθείην δὲ ὑπὸ λαοῦ κακούμενος[u]. Διὰ τῶν ἔργων
5 ἐκεῖνο ἐπληροῦτο λέγον · « Ἐὰν πέσῃ ὁ ἐχθρός σου, μὴ
εὐφραίνου ἐπ᾿ αὐτῷ · ἐν δὲ τῷ ὑποσκελίσματι αὐτοῦ μὴ
ἐπαίρου[v]. »

14. Εἶτα καὶ πρὸς τοὺς οἰκέτας πῶς ἡμέρως διέκειτο ·
Εἰ δὲ καὶ πολλάκις εἶπον, φησίν, αἱ θεράπαιναί μου ·
Τίς ἂν δῴη ἡμῖν τῶν σαρκῶν αὐτοῦ πλησθῆναι, λίαν
μου χρηστοῦ ὄντος[w]; Ἐντεῦθεν γὰρ ἡ ἐπιείκεια πᾶσα,
5 ὅταν πρὸς τὸν ὑποτεταγμένον φιλάνθρωπός τις ᾖ καὶ μὴ
βίαιος.

15. Ἔξω δέ, φησίν, οὐκ ηὐλίζετο ξένος καὶ ἡ θύρα
μου παντὶ ὁδοιπόρῳ ἀνέῳκτο. Εἰ δὲ καὶ ἁμαρτὼν
ἑκουσίως, ἔκρυψα τὴν ἁμαρτίαν μου. Οὐ γὰρ

10 φησίν > p ‖ 11 ἢ > p ‖ ἐναντίον + κυρίου p ‖ 12 ἐκκρέμασθαι :
ἐκκεκρέμασθαι p
13, 1 ἐπὶ > p ‖ 2 ἐχθροῦ : ἐχθρῶν p ‖ καὶ — μου² : καὶ εἶπεν ἡ καρδία
μου p ‖ εὖγε > p ‖ 4 δὲ + ἄρα p ‖ 5 ἐκεῖνο (p) : ἐκεῖνο LM ‖ λέγον (p) :
λέγων LM
14, 1 εἶτα + λέγων p ‖ πῶς καὶ πρὸς τοὺς οἰκέτας ~ p ‖ 2 φησίν > p ‖ 4
γὰρ > p
15, 1 φησίν > p ‖ καὶ ἡ : ἡ δὲ p ‖ 2 ὁδοιπόρῳ : ἐλθόντι p ‖ ἀνέῳκτο +
τοῦτο ἀβραὰμ βιαίας καὶ φιλοξένου εὐγενείας τοὐπίσημον κοινὴν ἐκεκτήμην,
φησί, τὴν οἰκίαν, κοινὴν τὴν τράπεζαν · οὐκ ἐμὰ τὰ ἐμὰ ἡγούμενος, ἀλλὰ
δεσποτικά. (cf. 16, 10-13 ubi haec reduplicabit) p ‖ 3 ἑκουσίως : ἀκουσίως p

14, 4-6 : ἐντεῦθεν — βίαιος abc, yz

u. Job 31, 29-30 ‖ v. Prov. 24, 17 ‖ w. Job 31, 31

1. Λίαν est un hébraïsme pour marquer le superlatif absolu.

alors j'ai menti, dit-il, devant le Seigneur très haut», en
parlant ainsi maintenant; ou bien (il veut dire) : je ne mens
pas en face de Dieu; c'est un mensonge, en effet, de
s'attacher si fort aux choses humaines.

Il n'avait ni rancune ni orgueil

13. *Si je me suis réjoui également de la chute de mon adversaire,
et si j'ai dit à mon cœur : Bravo! Bravo! que mon oreille alors
entende la malédiction prononcée contre moi, et que le peuple aille
répétant sans cesse mon malheur*[u]. Par ses actions, il réalisait
cette parole qui dit : «Si ton adversaire tombe, ne t'en
réjouis pas! ne t'enorgueillis pas de sa chute[v].»

14. Et puis, comme il se montrait doux aussi à l'égard
de ses serviteurs! *Si mes servantes,* poursuit-il, *ont dit souvent :
Qui pourrait nous accorder de nous rassasier de ses mets? Car
j'étais très*[1] *bon*[w]. La source, en effet, de toute bonté, c'est
d'être vis-à-vis de son subordonné, humain et sans violence.

15. *L'étranger,* dit-il, *ne passait pas la nuit dehors, et ma
porte était ouverte à tout passant; et si, après avoir péché
volontairement*[2], *j'ai dissimulé ma faute... Car je ne me suis pas

---

2. **L** et **M** lisent ἑκουσίως et Chrysostome rapporte l'adverbe non à
ἔκρυψα mais à ἁμαρτών. **p** qui lit, avec le texte reçu, ἀκουσίως transcrit
sans sourciller le commentaire de Chrysostome, bien qu'il ne cadre pas
avec son texte. Ce même verset de *Job* 31, 33 sur l'aveu public de ses
fautes en face de la foule est encore commenté par Jean dans deux autres
passages, et la comparaison est instructive. Dans l'homélie *Ad eos qui
scandalizati sunt* (PG 52, 511, l. 10 *a.i.*), il lit ἑκουσίως et commente : «Il
est évident qu'un homme ainsi disposé pleurait abondamment son
(injustice)», tandis que, dans la 10ᵉ homélie *Ad Ephesios,* ch. 4 (PG 62,
78, l. 13 *a.i.*), il lit ἀκουσίως et écrit : «Tu as vu la vertu de cette âme? Je
n'ai pas eu honte, dit-il, d'avouer les fautes involontaires. Si lui n'avait
pas honte, nous, bien davantage, nous devrions le faire» et il ajoute le
même texte d'Isaïe.

διετράπην πολυοχλίαν λαοῦ μου, τοῦ μὴ ἐξαγορεῦσαι
5 ἐναντίον αὐτῶνˣ. Πολλὴ τοῦτο φιλοσοφία. Ὁρᾷς ὅτι
οὐδὲν πρὸς δόξαν ἑώρα, οὐδὲ διὰ τοὺς λοιποὺς ἐποίει ὁ γὰρ
οὕτως αὐτῶν ὑπερορῶν τῆς δόξης, ὡς καὶ τὰς ἁμαρτίας
τὰς ἑκουσίους ἐξαγγέλλειν — τὰς μὲν γὰρ ἀκουσίους κἂν ὁ
τυχὼν εἴποι, ἅτε μέλλων συγγνώμης ἀπολαύσεσθαι παρὰ
10 τῶν ἀκροατῶν.
«Οὐ γὰρ διετράπην, φησί, πολυοχλίαν λαοῦ μου». Τοῦτ'
ἔστιν τῶν ὑποτεταγμένων, τῶν εἰδότων, τῶν γιγνωσκόντων
καὶ αὐτὸ τὸ εἶδος τῆς ἁμαρτίας. Τοῦτό ἐστιν ἀληθῶς
φιλοσοφία. «Λέγε γὰρ σὺ τὰς ἁμαρτίας σου πρῶτος,
15 ἵνα δικαιωθῇςʸ.» Τῶν μὲν οὖν ἀγαθῶν κατορθωμάτων
οὐδένα μάρτυρα ἐποιούμην, τῶν δὲ ἁμαρτημάτων καὶ
τῶν πταισμάτων πάντας ἐβουλόμην εἶναι τοὺς συνειδότας ·
τοῦτο μεγίστη φιλοσοφία, τοῦτο κανὼν ἀρετῆς, τὰ μὲν
κατορθώματα κρύπτειν, ἐκπομπεύειν δὲ τὰ ἁμαρτήματα · οἱ
20 δὲ νῦν τοὐναντίον ποιοῦσιν.

16. Εἰ δὲ καὶ εἴασα, φησίν, ἀδύνατον ἐξελθεῖν τὴν
θύραν μου κόλπῳ κενῷᶻ... Οὐκ εἶπεν · Ἐλθόντι ἔδωκα,
ἀλλ' οὐδὲ μὴ βουλομένῳ συνεχώρησα. Βίαν ἐποίει τοῖς
καὶ ἤκουσι βουλομένοις αὐτὸν παρατρέχειν · ᾔδει γὰρ
5 τὸ πρᾶγμα ὅτι εὐπορία ἐστί. Ὅσην τοίνυν οἱ πένητες
νῦν ποιοῦνται σπουδὴν διενοχλοῦντες τοὺς ὀφειλομένους
καὶ δυναμένους χεῖρα ὀρέξαι, τοσαύτην ἐκεῖνος ἐτίθετο
τότε διενοχλῶν τοὺς ὀφείλοντας. < Ὁμορόφιον, φησίν,

4 λαοῦ : πλήθους p ‖ μου > p ‖ 9 εἴποι : εἰπῇ p ‖ 16 οὐδένα —
ἁμαρτημάτων > p ‖ 17 πάντας : πάντων p
16, 1 φησίν > p ‖ 2-8 οὐκ — ὀφείλοντας > p ‖ 3 οὐδὲ μὴ (abcyz) : οὐδὲ
LM ‖ 4 ἤκουσι : ἑκουσίως yz ‖ 8 ὀφείλοντας + εὖ παθεῖν abcyz ‖ 8-9 φησίν,
ἐποιούμην : ἐποίουν, φησίν p

15, 14-17 : λέγε — συνειδότας (> 16-17 ἁμαρτημάτων καὶ τῶν) abc, yz
16, 2-8 : οὐκ εἶπεν — ὀφείλοντας abc (yz)

*détourné de la multitude de mon peuple, pour éviter d'avouer (ma
faute) en sa présence*[x]... C'est là une profonde sagesse. Tu
vois qu'il ne se souciait pas de l'opinion, et n'agissait pas à
cause des autres, celui qui dédaignait leur opinion au point
de révéler même ses fautes volontaires – les fautes involontaires, en effet, n'importe qui pourrait les avouer, puisqu'il
s'attend à bénéficier du pardon de ses auditeurs.

«Car je ne me suis pas détourné, dit-il, de la multitude de
mon peuple.» C'est-à-dire de mes subordonnés, de ceux
qui savaient, de ceux qui connaissaient jusqu'au caractère
même de ma faute. C'est là véritablement de la sagesse.
«Confesse donc toi-même tes fautes le premier, pour être
justifié[y].» Ainsi donc, je ne prenais personne comme
témoin de mes bonnes actions, tandis que je voulais que
tout le monde fût au courant de mes fautes et de mes
erreurs : c'est là le sommet de la sagesse, c'est là la règle de
la vertu, de dissimuler ses bonnes actions, mais d'exposer
ses fautes en public; or, c'est le contraire que font les gens
d'aujourd'hui.

Il n'a pas usé injustement de ses biens

16. *Et si j'ai laissé aussi,* dit-il, *un faible franchir ma porte les
mains vides*[z]... Il n'a pas dit : J'ai donné quand on me
sollicitait, mais : J'ai accordé même quand on refusait
d'accepter. Il faisait violence même à ceux qui, une fois
entrés, voulaient s'esquiver : il savait, en effet, la responsa-
bilité qu'est la richesse. Ainsi donc, tout le zèle que mettent
maintenant les indigents à harceler les gens qui donnent et
qui peuvent leur tendre la main, lui le mettait alors à
harceler ceux à qui il donnait. < J'accordais, dit-il, l'hospi-

---

x. Job 31, 32-34 ‖ y. Is. 43, 26 ‖ z. Job 31, 34

ἐποιούμην ἕκαστον τῶν δεομένων· τῆς στέγης κοινωνεῖν
10 παρεῖχον. Οὐχ ἁπλῶς· ἐπ' ἀγορᾶς ὁρῶν, κοινὴν ἐκεκτήμην
τὴν οἰκίαν, κοινὴν τὴν τράπεζαν, ἅπαντα κοινά. Οἰκονόμος
τις εἶναι ἐνόμιζον τῶν ἐν χρείᾳ καθεστηκότων, οὐκ ἐμὰ τὰ
ἐμὰ ἡγούμενος, ἀλλὰ δεσποτικὰ τὰ ἐμά. « Ὁ Κύριος
ἔδωκεν[a] », οὐκοῦν διανεμέσθω τοῖς συνδούλοις· σιτομέτριον
15 ἦν· οὐ γὰρ ἐθεράπευεν αὐτοὺς ὑποδεχόμενος μόνον, ἀλλὰ
καὶ ἐφόδια τῆς μετὰ ταῦτα πενίας παρεῖχεν, ὥστε μὴ τῇ
παρούσῃ μόνον ἡσθῆναι παραμύθια, ἀλλὰ καὶ τῇ τῶν
μελλόντων ἐλπίδι τρυφᾶν. Ἡμεῖς δέ, αὐτοὺς καὶ προισταμένους ἀπελαύνομεν. Καὶ ὅρα· οὐ λέγει ὅπερ ἐδίδου, ἀλλὰ
20 καὶ ἐν αὐτῇ τῇ ἀνάγκῃ συγκρύπτει τὰ κατορθώματα,
περιστέλλει τὰ ἐγκώμια· « Οὐκ ἐξῆλθεν », φησί, « τὴν
θύραν μου κόλπῳ κενῷ. »>

17. Τίς δώῃ μοι, φησίν, ἀκούοντά μου; χεῖρα δὲ
Κυρίου εἰ μὴ ἐδεδοίκειν, συγγραφὴν δὲ ἣν εἶχον κατά
τινος, ἐπ' ὤμοις περιθέμενος ὡς στέφανον, ἀνεγί-
νωσκον· καὶ εἰ μὴ ῥήξας αὐτὴν ἀπέδωκα, οὐδὲν
5 λαβὼν παρὰ χρεωφειλέτου μου· εἰ ἐπ' ἐμοί ποτε ἡ γῆ
ἐστέναξεν, εἰ δὲ καὶ οἱ αὔλακες αὐτῆς ἔκλαυσαν

11 τὴν οἰκίαν, κοινὴν > p ‖ 14 ἔδωκεν + φησίν p ‖ 16-17 ὥστε —
παραμύθια : ὥστε μὴ τῆς παρούσης αἰσθηθῆναι μόνον LM ‖ 18-19
προισταμένους : παρισταμένους p ‖ 20 συγκρύπτει + αὐτοῦ p ‖ κατορθώματα + καί p
17, 3 ὡς > p ‖ 5 μου > p

10-16 : κοινὴν — παρεῖχεν (> 11-12 οἰκονόμος — καθεστηκότων +
12-13 τὰ ἐμά) abc, yχ

a. Job 1, 21

1. Ce texte de Chrysostome commente avec évidence le verset 32
(n° 15). Il n'est donc pas étonnant de le retrouver après ce verset dans les
chaînes, et d'en découvrir aussi à cet endroit un passage dans p (voir
apparat en 15, 2). Mais nous le retrouvons, en son entier, retranscrit
dans p au même endroit que dans LM, c'est-à-dire après le verset 40, où
il n'a rien à voir. Il s'agit donc d'une erreur ancienne. Nous le

talité à chacun de ceux qui en avaient besoin[1]; je leur offrais de partager mon toit. Mieux encore : quand je les apercevais sur la place publique, je mettais ma maison en commun, ma table en commun, tout en commun. Je me considérais, pour ainsi dire, comme l'économe de ceux qui étaient dans le besoin, sans regarder mes biens comme ma propriété personnelle, mais comme celle du Maître[2]. «C'est le Seigneur qui les a donnés[a]», par conséquent, qu'ils soient partagés entre tous ses serviteurs. C'était une distribution de vivres; car non seulement il prenait soin d'eux en les accueillant, mais encore il leur fournissait un viatique pour faire face au dénuement qui suivrait, si bien que non seulement ils se réjouissaient du secours actuel, mais qu'ils goûtaient l'espoir pour l'avenir. Nous, au contraire, nous les chassons, même quand ils se présentent devant nous. Et remarque-le, il ne dit pas ce qu'il donnait, mais, au milieu même de sa détresse, il cache ses bonnes actions, il rabaisse ses éloges. «Il n'a pas, dit-il, franchi ma porte les mains vides.»>

17. *Qui pourrait, dit-il, me donner quelqu'un qui m'écoute? Si je ne craignais pas la main du Seigneur, et si je donnais lecture du reçu que je possédais contre un tiers, après l'avoir mis autour de mes épaules et m'en être ceint comme d'une couronne; oui, si je ne l'ai pas déchiré et ne l'ai pas rendu sans rien retenir à mon débiteur... Si jamais la terre a gémi contre moi, si ses sillons ont pleuré de*

transposons après le verset 34, où Chrysostome développe les manifestations de la charité de Job. Il suffit donc de faire passer ce commentaire avant le texte scripturaire du n° 17 (*Job* 31, 35-40). Nous serions, ici encore, en présence d'une des maladresses dues au premier copiste qui s'est efforcé d'intégrer le texte sacré à l'intérieur du commentaire, cf. *Introd.*, p. 47 (fin de la n. de la p. 45).

2. Cf. *Lettres à Olympias, SC* 13 bis, p. 262 : «Tous ses biens étaient, pour ainsi dire, la propriété des indigents», et dans *In Matth.,* hom. 21 (*al.* 22), *PG* 57, 295, l. 1 *a.i.* : «Ainsi, il possédait tout cela comme s'il était l'économe des biens d'autrui.»

ὁμοθυμαδόν, ἢ τὴν ἰσχὺν αὐτῆς ἔφαγον ἄνευ τιμῆς
μόνος · εἰ δὲ καὶ ψυχὴν κυρίου τῆς γῆς ἐκβαλὼν
ἐλύπησα, ἀντὶ πυροῦ ἐξέλθῃ μοι κνίδη, ἀντὶ δὲ
10 κριθῆς, βάτος[b]. [...]
    «Χεῖρα δε Κυρίου εἰ μὴ ἐδεδοίκειν...» Ὅτι οὐχ ἁπλῶς
ταῦτα ἐποίουν, ἀλλὰ πρὸς τὸν Θεὸν ὁρῶν · οὐχὶ φύσει,
φησίν, ἁπλῶς ἐλεήμων ὤν, ἀλλὰ διὰ τὸν τοῦ Θεοῦ φόβον.
Οὐκ ἔχει τις εἰπεῖν ὅτι ταῦτα μὲν κατώρθουν, ἐπαιρόμενος
15 δὲ ἤμην, καὶ ἐθάρρουν · ἀλλ' ὥσπερ οἱ συνειδότες ἑαυτοῖς
ἁμαρτήματα, οὕτως ἀεὶ τὸν Θεὸν ἐφοβούμην καὶ ἔτρεμον.
    «Πᾶσαν συγγραφὴν ἄδικον διέσπασα[c]». Οὐκ ἐκαλλωπι-
ζόμην, ἀλλὰ διέρρησσον τὴν συγγραφήν. Τὸ δὲ «περιθέμενος ἐπ' ὤμων...» αἰνίττεταί τινας ταῖς ἀλλοτρίαις ἐγκαλ-
20 λωπιζομένους συμφοραῖς · καὶ οὐχ ἁπλῶς ἀπεδίδουν, ἀλλὰ
πρότερον ποιῶν ἐξησθενημένην τῷ διαρρῆξαι. «Πᾶσαν,
φησί, συγγραφὴν ἄδικον διέσπασα.»
    «Εἰ δὲ καὶ ἐπ' ἐμέ ποτε ἡ γῆ ἐστέναξεν ἢ οἱ αὔλακες
αὐτῆς ἔκλαυσαν ὁμοθυμαδόν.» Καὶ μήν, οὔτε στενάζει ἡ
25 γῆ, οὔτε κλαίει. Τί οὖν φησιν; Οὐχ ὡς ἐκείνης στενα-
ζούσης, ἀλλ' ὡς ἐν ταῖς ἀδικίαις καὶ τῶν ἀψύχων αἰσθανο-
μένων, ὥσπερ καὶ ὁ προφήτης φησίν · «Ἡ γῆ ἐξέστη καὶ
ἔφριξεν[d].» Στενάζει δὲ ἡ γῆ, ὅταν ἀδικῶμεν αὐτῆς τοὺς
καρπούς.

7 ἢ : εἰ δὲ καὶ p ‖ 7-8 μόνος ἄνευ τιμῆς ∼ p ‖ 9 πυροῦ + ἄρα p ‖ ἐξέλθῃ :
ἐξέλθοι p ‖ 12 οὐχὶ + τῇ p ‖ 13 φησίν > p ‖ 14 εἰπεῖν + φησίν p ‖ 17
πᾶσαν : πᾶσι φησίν p ‖ 21-22 πᾶσαν — διέσπασα > p

17, 11-16 : οὐχ ἁπλῶς — ἔτρεμον abc ‖ 11-12 : οὐχ — ὁρῶν yz ‖ 17-22 :
πᾶσαν — διέσπασα abc, yz

concert, ou si j'ai mangé seul (les fruits) de sa fécondité, sans payer
de redevance; si j'ai, en le chassant de sa terre, affligé l'âme du
propriétaire, qu'au lieu de froment, je récolte des orties, et, en place
d'orge, des ronces [b] [...]

« Si je ne craignais pas la main du Seigneur... » Parce que
je n'agissais pas ainsi à la légère, mais les yeux tournés vers
Dieu ; ce n'était pas, dit-il, une simple pitié naturelle qui me
guidait, mais la crainte de Dieu. Impossible de dire que, en
faisant ces bonnes actions, je m'enorgueillissais et j'étais
arrogant ; mais, pareil à ceux qui ont conscience de leurs
fautes, je ne cessais de craindre Dieu et de trembler devant
lui.

« J'ai déchiré tout reçu injuste [c]. » Sans m'en glorifier, je
déchirais le reçu. Et l'expression « après l'avoir mis autour
de mes épaules », laisse entendre que certains (ses amis) se
glorifient des malheurs d'autrui ; et je ne me contentais pas
de le rendre, mais je commençais par l'annuler en le
déchirant : « J'ai déchiré, dit-il, tout reçu injuste. »

« Si jamais la terre a gémi contre moi, ou si ses sillons se
sont mis à pleurer de concert. » Et pourtant, ni la terre ne
gémit, ni elle ne pleure. Que veut-il donc dire ? Ce n'est pas
que la terre gémisse réellement, mais que même les êtres
inanimés ressentent les injustices, comme le dit le Prophète : « La terre s'est dressée et a frissonné [d]. » Or, la terre
gémit chaque fois que nous usons de ses fruits avec
injustice.

b. Job 31, 35-40 ‖ c. Is. 58, 6 ‖ d. Cf. Jér. 2, 12

XXXII

1. **Καὶ ἐπαύσατο, φησίν, Ἰὼβ ῥήμασιν. Ἡσύχασαν δὲ καὶ οἱ τρεῖς φίλοι αὐτοῦ**[a]. Πρὸς ταῦτα οὐδὲν εἶπον ἐκεῖνοι· ἡσύχασεν δὲ Ἰώβ, διδοὺς αὐτοῖς λόγον εἰπεῖν. Ἐπειδὴ γὰρ καὶ τὸν Θεὸν ἐκάλεσεν μάρτυρα, καὶ ἑαυτῷ 5 ἐπηράσατο, ἐπεστομίσθησαν.

Ἔτι ἀντεῖπεν, φησίν, Ἰὼβ · ἦν γὰρ δίκαιος ἐναντίον αὐτῶν[b]. Μετέθεντο τὴν ψῆφον ἣν πρότερον εἶχον, ὡς ἀναγκασθῆναι λοιπὸν καταδικάσαι τοῦ Θεοῦ καὶ καταψηφίσασθαι. Ὅρα ἑκατέραν ἀμετρίαν · καὶ τοῦτον καὶ τὸν Θεὸν 10 κατεδίκασαν, καὶ ἀμφοτέρων κατεψηφίσαντο · ἀλλ᾽ ὁ Θεὸς ὑπὲρ μὲν ἑαυτοῦ οὐδέν φησιν, ὑπὲρ δὲ τοῦ Ἰώβ, τὸ μὲν ἑαυτοῦ ἀφίησιν · «Τῇ γὰρ διανοίᾳ προσέσχεν[c]», περὶ δὲ τοῦ Ἰὼβ φησιν ὅτι «οὐ καλῶς ἐφθέγξασθε κατὰ τοῦ θεράποντός μου[d]». Καίτοι, ὁ μάλιστα πάντων ἠδικημένος 15 αὐτός ἐστιν ὁ Θεός · ἀλλ᾽ οὐ τίθησι τὸ ἑαυτοῦ, ἀλλ᾽ ὑπὲρ ἐκείνου, καί φησι δεῖν αὐτοὺς ἐξιλεώσασθαι καὶ θυσίας προσενεγκεῖν.

2. **Ὠργίσθη δέ, φησί, θυμῷ Ἑλιούς, ὁ τοῦ Βαραχιήλ, ὁ τοῦ Βουζί, ἐκ τῆς συγγενείας Ἀράμ, τῆς Αυσίτιδος χώρας, καὶ ὠργίσθη θυμῷ τῷ Ἰώβ, διότι**

1, 1 ἰὼβ + τοῖς p ‖ 2 τρεῖς > p ‖ αὐτοῦ > p ‖ οὐδὲν > LM ‖ 3 δὲ : μέν ὁ pabcyz ‖ 5 ἐπεστομίσθησαν + οἱ φίλοι abcyz ‖ 6 ἀντεῖπεν : ἀντειπεῖν p ‖ φησίν > p ‖ ἦν γὰρ ἰὼβ ~ p ‖ 11-13 τὸ — ἰὼβ > p

2, 1 θυμῷ > Lp ‖ 2 τοῦ βουζί : ὁ βουζίτης p ‖ 3 καὶ ὠργίσθη : ὠργίσθη δέ p ‖ θυμῷ > p ‖ ἰὼβ + σφόδρα p ‖ διότι : ὅτι p

1, 3-5 : ἡσύχασεν — ἐπεστομίσθησαν abc, yz

a. Job 32, 1 ‖ b. Job 32, 1 ‖ c. Job 1, 8 ‖ d. Cf. Job 42, 8

1. Young, avec **abcyz**, fait commencer le chapitre XXXII au verset 2 : ὠργίσθη. Avec **p**, qui est le seul à indiquer par un signe : $\overline{\Lambda B}$ le début d'un nouveau chapitre, nous le faisons commencer sur les mots :

CHAPITRE XXXII

L'INTERVENTION D'ÉLIUS

Élius se déchaîne

1. *Job,* dit-il, *cessa de parler et ses trois amis aussi gardèrent le silence*[a][1]. Ceux-ci ne répondirent rien à ces paroles et Job se tut pour leur donner une raison de parler. Mais, puisque c'était Dieu qu'il avait pris comme témoin et qu'il avait juré aussi (son innocence) avec imprécations, ils restèrent bouche close.

Job, dit le texte, *les avait encore contredits; il était juste, en effet, à leurs yeux*[b]. Ils ont modifié l'opinion qu'ils avaient auparavant, au point d'être obligés désormais de condamner Dieu et de se prononcer contre lui. Remarque, dans les deux cas, un manque de mesure : ils ont condamné Job et aussi Dieu, et se sont prononcés contre l'un et l'autre; mais Dieu ne dit rien pour se défendre, tandis que, pour défendre Job, il néglige sa propre défense. «Il a porté, en effet, sur lui son attention[c]», et dit à propos de Job : «Vous ne vous êtes pas bien exprimés sur mon serviteur[d].» Or, celui qui, de tous, a subi la plus grande injustice, c'est Dieu lui-même; et pourtant, il ne fait pas état de ce qui le concerne, mais parle en faveur de Job, et dit qu'ils doivent se le concilier et offrir des sacrifices.

2. *C'est alors,* dit le texte, *que se déchaîna la fureur*[2] *d'Élius, fils de Barachiel, fils de Buzi, du clan d'Aram, de la contrée d'Ausitis, et sa fureur se déchaîna contre Job, parce qu'il s'était*

καὶ ἐπαύσατο. Sur les divisions du texte chez les anciens, voir l'Introduction, p. 48, n. 1.

2. ὠργίσθη θυμῷ (**2**, l. 1 et 3) est une leçon propre à **M** et que ne connaît pas Rahlfs. Mais il faut la rapprocher de **3**, 4 : ἐθυμώθη ὀργή et de l'expression courante dans *Job* (20, 23; 31, 11; 37, 2) : θυμὸς ὀργῆς.

ἀπέφηνεν ἑαυτὸν δίκαιον ἐναντίον Κυρίου, καὶ κατὰ
5 τῶν τριῶν δὲ αὐτοῦ φίλων ὠργίσθη σφόδρα, διότι οὐκ
ἠδυνήθησαν ἀποκριθῆναι ἀντίθετα τῷ Ἰώβ, καὶ ἔθεντο
αὐτὸν εἶναι ἀσεβῆ[c]. Οὐχ ὅτι ἀπέφηνεν ἑαυτὸν δίκαιον
ὠργίσθη, ἀλλ᾽ ὅτι ἔναντι Κυρίου, ἐπειδὴ αὐτὸν ἐκάλει
μάρτυρα, ἢ ὅτι ὡς πρὸς τὸν Θεὸν δικαζόμενος · τὸ μὲν γὰρ
10 δικαιῶσαι ἑαυτόν, οὐδὲν μέγα · τὸ δὲ ὡς πρὸς τὸν Θεὸν
δικαζόμενον τοῦτο ποιῆσαι, τοῦτο ἄτοπον · «Μὴ δικαίου
γάρ», φησί, «σεαυτὸν ἔναντι Κυρίου[f]» Καὶ μήν, καὶ οὗτοι
διὰ τοῦτο ὠργίζοντο καὶ ἔλεγον · «Μὴ γὰρ ἔσται βροτὸς
δίκαιος ἔναντι Κυρίου[g];» Τί οὖν οὗτος πλέον ἔσχεν; Καὶ
15 γάρ, καὶ ἐκεῖνοι τὸ αὐτὸ ἐνεκάλουν · εἰ δὲ τοῦτο ἀληθές,
ἐσχάτης ἀσεβείας τοῦ Ἰώβ, εἰ τοῦ Θεοῦ δικαιότερον ἑαυτὸν
ἐνόμισεν εἶναι.

Τί οὖν ἐγένετο; Οὐχὶ τοῦτο ἐνόμιζεν · τοῦτο μὲν γὰρ
ὑπέλαβεν Ἐλιούς, ἀλλ᾽ οὐχὶ τοιαύτη γνώμη ὁ Ἰὼβ εἶπεν
20 ὅτι αὐτὸς δικαιότερός ἐστι τοῦ Θεοῦ, ἀλλ᾽ ὅτι ταῦτα μὲν
αὐτῷ πέπρακτο · οὐ μὴν ἀδικίαν ἐνεκάλει τῷ Θεῷ · ὁ δὲ
Ἐλιοὺς τοῦτο ὑπέλαβεν. Ἐκείνοις δὲ δικαίως ἐνεκάλει
προδεδωκόσι τοῦ Θεοῦ τὸ μέρος καὶ ἠρνημένοις.

3. Ἐλιοὺς δέ, φησίν, **ὑπέμεινεν δοῦναι ἀπόκρισιν τῷ**

5 αὐτοῦ > p ‖ 6 τῷ > p ‖ 7 ὅτι : οὕτως p ‖ 11 ἄτοπον + ἡγεῖτο p ‖ 13
ὠργίζοντο καὶ > p ‖ 14 ἔναντι κυρίου δίκαιος ~ p ‖ οὗτος (pabcyz) : οὕτως
LM ‖ 18 ἐνόμιζεν : ἐνόμιζον LM ‖ 20 αὐτὸς (pabcyz) : οὗτος LM ‖ μὲν
ταῦτα ~ p ‖ 21 πέπρακτο : πέπρακται abcyz
3, 1 φησίν > p ‖ τῷ > p

2, 7-23 : οὐχ — ἠρνημένοις (15-16 εἰ δὲ — ἰώβ + 18-19 τί — ἐλιούς >
yz) abc, (yz)

e. Job 32, 2-3 ‖ f. Sir. 7, 5 ‖ g. Job 25, 4

1. A première vue, nous ne voyons pas bien la différence, car nous
agissons toujours «devant le Seigneur». Mais, plus loin (l. 16-17),
Chrysostome explique sa pensée : c'est s'estimer plus juste que Dieu.
C'est bien le sens du texte du Siracide. C'est trouver que Dieu n'est pas
juste, penser que Dieu n'aurait pas dû agir ainsi. Il est curieux, aussi, de
constater que le texte scripturaire de Chrysostome n'est pas toujours

déclaré juste aux yeux du Seigneur, et il se déchaîna violemment
aussi contre ses trois amis, parce qu'ils n'avaient pas su trouver
d'arguments pour répondre à Job et avaient affirmé qu'il était
impie[c]. Ce n'est pas parce que (Job) s'est déclaré juste
(qu'Élius) s'est enflammé, mais parce qu'il l'a fait devant[1]
le Seigneur, puisqu'il l'invoquait comme témoin; ou parce
que, pensait-il, il intentait un procès à Dieu : car se justifier
soi-même n'a pas grande importance; mais le faire avec
l'intention d'intenter un procès à Dieu, voilà qui est
déplacé. En effet : «Ne te justifie pas toi-même devant le
Seigneur[f]», dit l'Écriture. A vrai dire, (les amis) eux aussi
s'irritaient pour cette raison et disaient : «Y aura-t-il donc
un mortel juste devant le Seigneur[g]?» Qu'a donc ajouté
celui-ci? De fait, eux aussi (lui) faisaient les mêmes
reproches. Mais, si cela est vrai, quelle impiété terrible de la
part de Job, s'il a cru qu'il était plus juste que Dieu!

Que s'est-il donc passé? Ce n'était pas là la pensée de
Job : c'est Élius qui l'a compris ainsi, mais Job n'a pas
parlé avec cette idée qu'il était plus juste que Dieu, mais
avec cette idée que c'était Dieu qui était responsable de ces
malheurs[2]; cependant, il ne le reprochait pas à Dieu
comme une injustice; mais c'est ainsi que l'a compris Élius.
Mais, à eux, il a eu raison de reprocher d'avoir trahi et nié
le rôle de Dieu.

Les raisons de son silence antérieur :
le respect de l'âge

3. *Élius,* dit le texte, *se retenait jusqu'ici de donner une*

homogène; ainsi il use dans le commentaire de ἔναντι (l. 8, leçon de
SAV) alors que son texte porte ἐναντίον (l. 4), leçon du texte reçu.

2. Nous gardons ce plus-que-parfait sans augment donné par **LMp**
(en face de πέπρακται donné par **abc**). Nous en avons déjà trouvé un au
chapitre I (voir t. I, p. 141, n. 2) et un autre dans le texte scripturaire de
Job 36, 13. En tout cas, cette forme commune souligne que **LMp**
appartiennent à une même famille.

Ἰώβ, ὅτι πρεσβύτεροι αὐτοῦ εἰσιν ἡμέραις. καὶ εἶδεν Ἐλιοὺς ὅτι οὐκ ἔστιν ἀπόκρισις ἐν τῷ στόματι τῶν τριῶν ἀνδρῶν, καὶ ἐθυμώθη ὀργὴ αὐτοῦ[h]. Καλῶς εἶπεν · 5 «Ὑπέμεινεν», δεικνὺς ὅτι ὠργίζετο μέν, οὐκ ἐτόλμα δὲ οὐδὲν εἰπεῖν, ἕως ἂν πάντα κενώσῃ ὁ Ἰώβ. Καίτοι θέα αὐτοῦ τὴν σύνεσιν, πῶς ἐκ προοιμίων εὐθέως ἐπέβαλεν, πῶς τὴν προσήκουσαν φυλάττει τάξιν.

4. Ὑπολαβὼν δὲ Ἐλιοὺς ὁ τοῦ Βαραχιήλ, ὁ τοῦ Βουζί, λέγει · Νεώτερός εἰμι τῷ χρόνῳ, ὑμεῖς δέ ἐστε πρεσβύτεροι · διὸ ἡσύχασα, φοβηθεὶς τοῦ ἀναγγεῖλαι ὑμῖν τὴν ἐμὴν ἐπιστήμην[i]. Ἵνα μή τις εἴπῃ · καὶ τίνος 5 ἕνεκεν μὴ παρὰ τὴν ἀρχὴν μεθ᾽ ἡμῶν ἐμαχέσω ὑπὲρ τοῦ Θεοῦ; ἐπὶ τὴν ἡλικίαν κατέφυγα, καὶ προσδοκῶν, φησί, παρ᾽ ὑμῶν γενναῖόν τι καὶ θαυμαστὸν λέγεσθαι. Ὅρα πῶς ἀφιλότιμος ἦν, πῶς παρεχώρει τῶν πρωτείων ἐκείνοις, πῶς ἔδειξεν ὅτι οὐδ᾽ ἂν νῦν ἐφθέγξατο, εἰ μὴ εἰς ἀνάγκην αὐτὸν 10 ἐκεῖνοι κατέστησαν.

5. Εἶπον δέ, φησίν, ὅτι οὐχ ὁ χρόνος ἐστὶν ὁ λαλῶν; Ἐν πολλοῖς δὲ ἔτεσιν, οὐκ οἴδασι σοφίαν; Καὶ οὐχ οὕτως · ἀλλὰ πνεῦμά ἐστιν μὲν βροτοῖς, πνοὴ δὲ παντοκράτορός ἐστιν ἡ διδάσκουσά με[i]. Ἑκατέρωθεν αὐτοῦ τὴν σύνεσιν στοχαζόμεθα, ἀπό τε τῆς σιγῆς, ἀπό τε τῆς διαλέξεως · οὔτε γὰρ πρὸ καιροῦ προσπηδήσας εἶπέν τι τούτων, οὔτε, καλοῦντος τοῦ καιροῦ, ἡσύχασεν.

6. Εἶτα καὶ λογισμόν φησι δίκαιον · Οὐ γὰρ οἱ

6 εἰπεῖν οὐδέν ~ p ‖ 8 τάξιν + ἐπαινετόν — ἐζήλωσεν (Olymp. Young p. 486, l. 10-17) p
4, 1-2 ὁ τοῦ βουζὶ λέγει : ὁ βουζίτης εἶπεν p ‖ 2 ἐστε > p ‖ 3-4 τοῦ ὑμῖν ἀναγγεῖλαι ~ p ‖ 6 κατέφυγα : κατέφυγε pabcyz ‖ 7 γενναῖόν τι παρ᾽ ὑμῶν ~ p ‖ λέγεσθαι + ἐσιώπων p ‖ 8 παρεχώρει (pabcyz) : παραχωρεῖ LM
5, 1 εἶπον — οὐχ : εἶπα δὲ οὐχ p ‖ 3 καὶ οὐχ οὕτως > p ‖ μὲν : ἐν p ‖ 4 με > p

réponse à Job, car (les trois autres) étaient plus âgés que lui; et Élius vit qu'il n'y avait pas de réponse dans la bouche des trois hommes, et alors sa fureur se déchaîna[h]. Il a eu raison de dire : «Il se retenait», montrant qu'il était furieux, sans doute, mais n'osait rien dire, jusqu'à ce que Job ait épuisé tous ses arguments. Cependant, admire son intelligence, la façon, dont, dès le début, il a aussitôt appliqué son attention, comment il garde la place qui lui convient.

4. *Élius, fils de Barachiel, fils de Buzi, prit la parole et dit : Par l'âge, je suis plus jeune, vous êtes plus âgés; c'est pourquoi je me suis tu, craignant de vous manifester mon savoir*[i]. Pour qu'on ne dise pas : Mais alors, pourquoi n'as-tu pas lutté dès le début avec nous pour défendre Dieu? il répond : je me suis rabattu sur mon âge, m'attendant d'ailleurs, dit-il, à vous entendre prononcer un beau et merveilleux discours. Remarque comment il recherchait peu les honneurs, comment il leur cédait le premier rang, comment il a montré que, même maintenant, il ne se serait pas exprimé, s'ils ne l'avaient pas mis dans la nécessité de le faire.

5. *Je me suis dit,* continue Élius : *N'est-ce pas l'âge qui parle? Par suite de leur grand âge, ne connaissent-ils pas la sagesse? Et il n'en était pas ainsi. Eh bien! les mortels possèdent une inspiration, et c'est le souffle du Tout-Puissant qui m'enseigne*[j]. Nous devinons son intelligence aussi bien par son silence que par son discours; car ni, avant l'occasion, il n'a bondi pour exprimer l'une de ces réflexions, ni, lorsque l'occasion l'y a invité, il n'a gardé le silence.

6. Ensuite, il fait encore un raisonnement juste : *Ce ne*

3, 4-8 : χαλῶς — τάξιν abc, yz
4, 4-8 : ἵνα — ἐκείνοις abc, yz
5, 5-6 : ἑκατέρωθεν — διαλέξεως abc, yz

h. Job 32, 4-5 ‖ i. Job 32, 6 ‖ j. Job 32, 7-8

πολυχρόνιοι σοφοὶ οὐδὲ οἱ γέροντες οἴδασι κρίμα[k].
Οὐ γὰρ ἀνάγκη, φησί, τοὺς πρεσβύτας μόνον εἶναι σοφούς,
ἀλλ' ἔστι καὶ ἀπὸ νεότητος ἀκοῦσαί τι γενναῖον. Εἰ γὰρ
5 χρόνος ποιεῖ σοφούς, πολλῷ μᾶλλον ὁ Θεός.

7. Διὸ εἶπον · Ἀκούσατέ μου καὶ ἀναγγελῶ ὑμῖν ἃ
οἶδα · ἐνωτίζεσθε τὰ ῥήματά μου · ἐρῶ γάρ, ὑμῶν
ἀκουόντων. Ἰδοὺ ἤκουσα τοὺς λογοὺς ὑμῶν · ἠνωτι-
σάμην μέχρι συνέσεως ὑμῶν, ἄχρις οὗ ἐτάσητε τοὺς
5 λογοὺς ὑμῶν, καὶ ἕως ὑμῶν συνήσω · καὶ ἰδοὺ οὐκ ἦν
τῷ Ἰὼβ ὁ ἐλέγχων ἀνταποκρινόμενος ῥήμασιν αὐτοῦ
ἐξ ὑμῶν[l]. Ἢ τοῦτό φησιν ὅτι οὐδέποτε, ὅτε ἠλέγχετε, ὡς
ἔδει ἠλέγξατε, ἢ ὅτι ὕστερον ἐσιωπήσατε. Ἵνα δὲ
μὴ εἴπητε · εὔρομεν σοφίαν, προσθέμενοι Κυρίῳ ·
10 ἀνθρώπῳ δὲ ἐπετρέψατε λαλῆσαι τοιαῦτα ῥήματα.
Ἐπτοήθησαν, οὐκ ἀπεκρίθησαν ἔτι, ἐπαλαιώθησαν
ἐξ αὐτῶν λόγον, ὑπέμειναν. Οὐ γὰρ ἐλάλησαν, ὅτι
ἔστησαν, οὐκ ἀπεκρίθησαν[m].

8. Ὑπολαβὼν δὲ Ἐλιοὺς λέγει · Πάλιν λαλήσω,
πλήρης γάρ εἰμι ῥημάτων · ὀλέκει δέ με τὸ πνεῦμα
τῆς γαστρός, καὶ ἡ γαστήρ μου ὥσπερ ἀσκός, γλεύ-
κους γέμων, δεδεμένος, ἢ ὥσπερ φυσητὴρ χαλκέως
5 δεδεμένος καὶ κατερρωγώς[n]. Δείκνυσιν ὅτι πάλαι ταῦτα
ὠδίνων εἰπεῖν ὑπέμεινεν καὶ ἐκαρτέρει καὶ διαρραγῆναι

6, 2 πολυχρόνιοι + εἰσιν p ‖ 3 πρεσβύτας : πρεσβύτους L ‖ μόνον : μόνους
abcyz
7, 1 εἶπον : εἶπα p ‖ ὑμῖν : ὑμῶν Mp ‖ 2 μου τὰ ῥήματα ~ p ‖ 3
ἀκουόντων + καὶ p ‖ 4 μέχρι : ἄχρι p ‖ ὑμῶν > p ‖ 5 ἕως : μέχρις p ‖ 6 ὁ
> p ‖ ῥήμασιν : ῥήματα p ‖ 7-8 ἢ — ἐσιωπήσατε > p ‖ 7 οὐδέποτε : οὐδὲ
τότε abcyz ‖ ἠλέγχετε (abcyz) : ἐλέγχετε LM ‖ 8 δέ > p ‖ 9 εὔρομεν :
εὔρομαι p ‖ κυρίῳ προσθέμενοι ~ p ‖ 11 ἐπαλαιώθησαν : ἐπαλίωσαν p ‖ 12
λόγον : λόγους p
8, 2 δέ : γάρ p ‖ 3 ἢ + δὲ p ‖ 4 γέμων : ζέων p ‖ 5 δεδεμένος καὶ > p
‖ κατερρωγώς : ἐρρηγώς p ‖ 6 εἰπῖν (pabcyz) : εἶπεν LM

6, 3-5 : οὐ γὰρ — ὁ θεός abc, yz

sont pas, en effet, les gens chargés d'ans qui sont sages, ni les vieillards qui savent juger[k]. Ce n'est pas forcé, en effet, veut-il dire, que seuls les vieillards soient sages, et il est possible d'apprendre aussi de la jeunesse quelque belle pensée. Car si le temps rend sage, à bien plus forte raison Dieu.

Mais désormais il va parler

7. *C'est pourquoi j'ai dit : Écoutez-moi et je vous manifesterai ce que je sais ; prêtez l'oreille à mes paroles ; car je vais parler, si vous m'écoutez. Voici que j'ai écouté vos paroles ; je vous ai prêté l'oreille, jusqu'à ce que je vous comprenne, jusqu'à ce que vous ayez éprouvé vos discours, et que je vous aie compris ; et voici qu'il ne s'est pas trouvé parmi vous un contradicteur pour réfuter les paroles de Job*[l]. Il veut dire ou bien : jamais, lorsque vous le réfutiez, vous ne l'avez réfuté comme il l'aurait fallu, ou bien : ensuite, vous vous êtes tus. *Ne dites donc pas : nous avons trouvé la Sagesse, pour avoir pris parti pour le Seigneur, alors que c'est à l'homme que vous vous êtes confiés, pour exprimer de telles paroles. Ils ont été frappés d'effroi, ils n'ont plus répondu, ils ont compris que leur discours était suranné, ils ont attendu patiemment. Ils n'ont pas parlé, en effet, car ils se sont tenus debout, sans répondre*[m].

8. *Élius prit la parole et dit : Je vais parler à mon tour, car je déborde de paroles ; le souffle de mes entrailles m'oppresse, et mes entrailles sont comme une outre pleine de vin doux dont on aurait ficelé (l'ouverture) ou comme un tube de bronze qu'on a obstrué et qui éclate*[n]. Il veut montrer que depuis longtemps, souffrant ainsi, il attendait de parler, qu'il se contenait et qu'il

---

7, 7-8 : ἢ τοῦτο — ἐσιωπήσατε abc, yz
8, 5-8 : δείκνυσιν — κατασχεῖν (> 5 ταῦτα) abc, yz

k. Job 32, 9 ‖ l. Job 32, 10-12 ‖ m. Job 32, 13-16 ‖ n. Job 32, 17-19

εἶχεν· ὥστε πολλῆς τῆς ὑπομονῆς χρεία· ὅπερ ἐστὶ
μάλιστα πάντων σοφίας ἔργον δύνασθαι ῥήματα κατασχεῖν·
τοῦτο δὲ ἀπὸ τοῦ ζήλου τοῦ πρὸς τὸν Θεὸν ἔπασχεν τὸ
10 οὕτω πυρωθῆναι.

9. **Λαλήσω, φησίν, ἵνα ἀναπαύσωμαι, ἀνοίξας τὰ
χείλη μου· ἄνθρωπον οὐ μὴ αἰσχυνθῶ· ἀλλὰ μὴν
οὐδὲ βροτὸν οὐ μὴ αἰσχυνθῶ· οὐ γὰρ ἐπίσταμαι
θαυμάσαι πρόσωπον**°. Τοῦτο ἐκείνους αἰνίττεται ὅτι διὰ
5 τοῦτο ἐσίγησαν, αἰσχυνθέντες αὐτόν. **Εἰ δὲ μή, καὶ ἐμέ,
φησί, σῆτες ἔδονται**[P], ὥσπερ τοὺς προσωπολήπτας, καὶ
μάλιστα ὅταν ὁ Θεὸς ἐν τῷ μέσω ᾖ, καὶ ἀνθρώπους μᾶλλον
τιμῶμεν.

8 σοφίας ἔργον πάντων ~ LM
9, 1 φησίν > p ‖ 2 μου + ἀποκριθῶ p ‖ ἄνθρωπον + γάρ p ‖ 3
αἰσχυνθῶ : ἐντραπῶ p ‖ 5 αὐτόν : τὸν ἰὼβ p ‖ 5-6 καὶ — ἔδονται : ἔδονται
καὶ ἐμὲ σῆτες p ‖ 6-7 ὥσπερ — μάλιστα : ὡς τὸν ἰὼβ οἱ σκώληκες, οὕτως
καὶ τοὺς προσωπολήπτας ἡ κενοδοξία καὶ ἡ ἀναρεσκία καὶ μάλιστα p ‖ 7
ὅταν (abcyz) : ὅτε LMp

pouvait éclater : Aussi, avait-il besoin de beaucoup de
patience ; c'est bien la plus grande preuve de sagesse de
pouvoir maîtriser ses paroles, et c'est son ardeur pour Dieu
qui lui a fait supporter un tel feu intérieur.

9. *Je m'en vais parler,* dit-il, *pour me calmer, en ouvrant mes
lèvres. Jamais je ne rougirai devant un homme ; non vraiment,
jamais je ne rougirai devant un mortel : car je ne sais point faire
acception de personne*°. Voilà qui laisse entendre que les
vieillards se sont tus, parce qu'ils avaient rougi devant Job.
Si ce n'est pas vrai, dit-il, *les vers me mangeront, moi aussi*[P],
comme ceux qui font preuve de partialité, et surtout
lorsque c'est Dieu qui est en jeu, et que nous honorons les
hommes plus que lui.

9, 4-8 : τοῦτο — τιμῶμεν abc, *yχ*

o. Job 32, 20-22 ‖ p. Job 32, 22

XXXIII

1. Οὐ μὴν δέ, φησίν, ἀλλ' ἄκουσον, Ἰώβ, τὰ
ῥήματά μου, καὶ τὴν λαλιάν μου ἐνωτίζου · ἰδοὺ γὰρ
ἤνοιξα τὸ στόμα μου ἐν τῷ λάρυγγί μου. Καθαρά μου
ἡ καρδία ἐν ῥήμασι, σύνεσις δὲ χειλέων μου καθαρὰ
5 νοήσει[a]. Τοῦτ' ἔστιν · οὐκ ἀπὸ βασκανίας οὐδὲ ἀπὸ φθόνου
ταῦτα φθέγγομαι · ὥστε, εἰ καὶ τὰ αὐτὰ εἶπον οἱ τρεῖς
φίλοι ἅπερ οὗτος, ἀλλ' ἴσως οὐ μετὰ τῆς αὐτῆς γνώμης,
οὐδὲ ὑπὲρ τοῦ Θεοῦ. Ἐπεὶ καὶ ὁ Ἰούδας καὶ οἱ ἔνδεκα τὰ
αὐτὰ ἐφθέγξαντο περὶ τοῦ ἀλαβάστρου, ἀλλ' οὐ μετὰ τῆς
10 αὐτῆς γνώμης · ὥστε μὴ τὰ ῥήματα ἐξετάζωμεν, ἀλλὰ τὴν
διάνοιαν μεθ' ἧς ἔλεγεν ἕκαστος, πῶς οἱ μὲν αὐτὸν
καταβαλεῖν βουλόμενοι, ὁ δὲ τοὐναντίον. Καὶ ὅρα · ὕστερος
οὗτος φθέγγεται πολλὰ ὧν ὁ Θεὸς μέλλει λέγειν, ἵνα
μᾶλλον ὁ Θεὸς ἀπολογήσηται, ὅταν καὶ παρὰ τοῦ ὁμο-
15 δούλου τὰ αὐτὰ ἀκούσῃ, ἅπερ ὕστερον παρὰ τοῦ δεσπότου.
Τοῦτο καὶ ἡμεῖς ποιοῦμεν ἐπὶ τῶν οἰκετῶν · ὅταν οἱ
σύνοικοι αὐτοῖς ἐγκαλέσωσι, τότε μάλιστα καὶ ἡμεῖς ἐπιτι-

1, 1 φησίν > p ‖ 2 τὴν > p ‖ ἐνωτίζου μου ∼ p ‖ 3 μου[1] + καὶ
ἐλάλησεν ἡ γλῶσσά μου p ‖ ἐν τῷ λάρυγγί μου > p ‖ 4 ἐν > p ‖ ῥήμασι +
μηδὲν κατὰ πρόκριμα λέγουσα p ‖ 8-10 οὐδὲ — γνώμης > p ‖ 12
καταβαλεῖν : καταβάλλειν p ‖ ὁ : οἳ M ‖ 14 ἀπολογήσηται : ἀπολογήσεται p
‖ ὅταν + δὲ p ‖ 17 σύνοικοι : σύνδουλοι p

1, 5-6 : τοῦτ' ἔστιν — φθέγγομαι abc

a. Job 33, 1-3

1. Chrysostome fait allusion ici à la scène où Marie de Béthanie verse
un parfum précieux sur les pieds de Jésus. Dans l'évangile de S. Jean,
c'est Judas qui s'indigne, prétextant qu'on aurait pu le vendre et en
donner le prix aux pauvres, et S. Jean ajoute : «Il ne disait pas cela par
souci des pauvres, mais parce que c'était un voleur, et que, tenant la
bourse, il volait ce qu'on y mettait» (*Jn* 12, 5-6). Mais dans l'évangile de

CHAPITRE XXXIII

LE DISCOURS D'ÉLIUS

C'est l'esprit de Dieu qui l'inspire

1. *Cependant, Job,* dit-il, *écoute mes paroles, et prête l'oreille à mes propos; car voici que j'ai ouvert ma bouche dans mon gosier. Mon cœur est pur dans ses paroles, et l'intelligence de mes lèvres méditera des pensées pures*[a]. C'est-à-dire : ce n'est pas par envie ni jalousie que je m'exprime ainsi, si bien que, même si les trois amis ont dit la même chose que lui, ce n'est vraisemblablement pas dans le même esprit, ni pour prendre la défense de Dieu. Car Judas aussi et les onze se sont exprimés de la même façon à propos du vase de parfum, mais pas dans le même esprit[1]. Donc, n'examinons pas les paroles, mais l'intention avec laquelle chacun s'exprime, comment les uns voulaient abattre Job, tandis que l'autre (voulait) le contraire. Remarque-le aussi : Élius, qui parle le dernier, exprime bien des pensées que Dieu va exprimer, pour que Dieu puisse mieux se justifier, une fois que Job aura entendu aussi de son compagnon d'esclavage[2] les mêmes propos qu'il entendra du Maître, par la suite. C'est ce que nous faisons, nous aussi, à propos de nos serviteurs; c'est surtout lorsque les gens de notre maison

---

S. Matthieu, ce sont «les disciples» qui s'indignent et font la même remarque : «Cela pouvait être vendu bien cher et donné à des pauvres» (*Matth.* 26, 9). Les onze sont évidemment sincères. «Ils s'expriment de la même façon que Judas, mais pas dans le même esprit.»

2. Le mot ὁμόδουλος, inconnu de la LXX et du grec néo-testamentaire, correspond au latin *conservus,* dont se sert Sénèque dans les *Lettres à Lucilius* : «*Servi sunt, immo conservi*» (Livre V, lettre 43. Les Belles Lettres, Paris 1963).

θέμεθα · ἐκείνοις γὰρ ἐγκαλέσαι οὐχ ἔχει ὡς ἀδίκως τοῦτο
ποιοῦσιν.

2. Πνεῦμα θεῖον τὸ ποιῆσάν με, πνοὴ δέ, φησί,
Παντοκράτορος ἡ διδάσκουσά με. Ἐὰν δυνηθῇς, δός
μοι ἀπόκρισιν πρὸς ταῦτα. Ὑπόμεινον, καὶ στῆθι, σὺ
κατ' ἐμέ, καὶ ἐγὼ κατὰ σέ. Ἐκ πηλοῦ διήρτισαι σύ,
5 ὡς καὶ ἐγώ · ἐκ τοῦ αὐτοῦ διηρτίσμεθα πηλοῦ[b].
Ἐπειδὴ ἔλεγεν · Εἴ γε ἦν ὁ διακρίνων, καί · ὅτι ἄνθρωπός
εἰμι[c] · ἰδοὺ «ἐγὼ κατὰ σέ» εἰμι, «ἐκ τοῦ αὐτοῦ ἐσμεν»,
φησί, «πηλοῦ».

3. Οὐχὶ ὁ φόβος μου στροβήσει σε, οὐδὲ ἡ χείρ
μου βαρεῖα ἐπὶ σοὶ ἔσται[d] · ἃ περὶ τοῦ Θεοῦ ἔλεγεν.
Πλήν, εἶπας ἐν ὠσίν μου, φωνὴν δὲ ῥημάτων σου
ἀκήκοα · διότι λέγεις · ὅτι καθαρός εἰμι, οὐχ ἥμαρτον
5 τοῖς ἔργοις, ἄμεμπτος δέ εἰμι · οὐ γὰρ ἠνόμησα,
μέμψιν δὲ κατ'ἐμοῦ εὗρεν[c]. Ἐπειδὴ περὶ τοῦ Θεοῦ
ἔλεγεν · «Οὐκ εἰσακούσεταί μου[f]», τοῦτό ἐστιν ὃ ἐγκαλεῖς,
φησίν, ὅτι οὐκ εἰσήκουσέν σου τῆς δίκης. Πόθεν δῆλον,
εἰπέ μοι, ὅτι οὐκ εἰσήκουσεν; Κολάζει καὶ τιμωρεῖται;
10 Τοῦτο ἔργον αὐτῷ, ὥστε βελτίους ποιεῖν τούς ἀνθρώπους.
Πολλάκις γοῦν νόσῳ, φησί, παρέδωκεν ἐσχάτῃ πολλούς,
καὶ ὅμως ἐν ἀρρωστίᾳ τοιαύτῃ ἐξησθενημένον τὸν
ἄνθρωπον οὐδεὶς ἀνελεῖν δυνήσεται «κἂν μυρίοι ὦσιν
ἄγγελοι θανατηφόροι[g].»

2, 1 πνεῦμα + θεοῦ p ‖ φησί > p ‖ 2 δυνηθῇς : δύνῃ p ‖ 3 καὶ > p ‖ σὺ
> p ‖ 5 διηρτίσμεθα : διηρτήμεθα LM ‖ 6 ἔλεγεν + ὁ ἰὼβ p ‖ 7 ἐγὼ +
φησί p ‖ ἐσμεν : διηρτίσμεθα p ‖ 8 φησί > p
3, 1 σε στροβήσει ~ p ‖ 2 ἃ — ἔλεγεν > p ‖ 3 δὲ > p ‖ ῥημάτων :
ῥήμασι p ‖ 4 ὅτι > p ‖ ἥμαρτον : ἁμαρτών p ‖ 5 τοῖς ἔργοις > p ‖ 9 κολάζει
(LMp) : ὅτι κολάζει abcyz ‖ 11 φησί νόσῳ ~ p

3, 7-10 : τοῦτό ἐστιν — ἀνθρώπους abc, yz

les ont blâmés, que nous aussi, nous nous en prenons à eux : car ce serviteur ne peut pas[1], en effet, leur reprocher, à eux, d'avoir agi ainsi par injustice.

2. *C'est l'esprit divin qui m'a créé, c'est,* dit-il, *le souffle du Tout-Puissant qui m'enseigne. Si tu le peux, donne-moi une réponse là-dessus. Résiste et tiens bon, toi, en face de moi, et moi, en face de toi. Tu as été pétri de boue, tout comme moi : c'est de la même boue que nous avons été pétris*[b]. Comme Job disait : « Ah ! si, du moins, il y avait quelqu'un pour juger », et : « Je suis un homme[c] » : « Me voici, dit-il, je suis en face de toi, nous sommes formés de la même boue. »

Comment peux-tu dire : je suis juste ?

3. *Ma crainte ne te bouleversera pas et ma main ne s'appesantira pas sur toi*[e] : c'est ce qu'il disait à propos de Dieu[2]. *Cependant, tu as parlé à mes oreilles, et j'ai entendu le son de tes paroles ; car tu dis : Je suis pur, je n'ai pas péché dans mes actions, et je suis irréprochable, car je n'ai pas transgressé la loi ; mais (Dieu) a inventé un motif de blâme contre moi*[e]. Puisqu'il disait à propos de Dieu : « Il ne m'écoutera pas[f] », Élius répond : Ce que tu lui reproches, dit-il, c'est de n'avoir pas prêté l'oreille à ton plaidoyer. Qu'est-ce qui prouve, dis-moi, qu'il ne t'a pas écouté ? Dieu châtie et il punit ? C'est là son rôle, pour rendre les hommes meilleurs. Souvent, en tous cas, dit-il, il livre bien des gens à une très grave maladie, et pourtant, l'homme anéanti par un tel épuisement, personne ne pourra le supprimer, « y aurait-il là des myriades d'anges porteurs de mort[g] ».

b. Job 33, 4-6 ‖ c. Cf. Job 9, 33 ‖ d. Job 33, 7 ‖ e. Job 33, 7-10 ‖ f. Job 9, 15 ‖ g. Job 33, 23

1. L'absence de sujet à ἔχει dans tous les manuscrits pourrait autoriser à traduire par : on. Nous comprenons qu'il s'agit du serviteur qui a été blâmé.
2. Cf. *Job* 13, 21 ; 23, 3.

4. Καὶ ἥγηταί με, φησί, ὥσπερ ὑπεναντίον ἑαυτῷ, ἔθετο δὲ ἐν ξύλῳ τὸν πόδα μου, καὶ ἐφύλαξέν μου πάσας τὰς ὁδούς. Πῶς γὰρ λέγεις ὅτι δίκαιός εἰμι, καὶ οὐκ ἐπακήκοέν μου; Αἰώνιος γάρ ἐστιν ὁ ἐπάνω
5 βροτῶν. Λέγεις γάρ· Διὰ τί τῆς δίκης μου οὐκ ἐπακήκοεν ἐν παντὶ ῥήματι; Ἐν γὰρ τῷ ἅπαξ λαλῆσαι ὁ Κύριος, ἐν δὲ τῷ δευτέρῳ ἐνύπνιον, ὡς φάσμα, ἐν μελέτῃ νυκτερινῇ, ὡς, ὅταν ἐπιπίπτῃ φόβος δεινὸς ἐπ' ἀνθρώπους ἐπὶ νυσταγμάτων ἐπὶ κοίτης,
10 τότε ἀνακαλύπτει νοῦν ἀνθρώπων· ἐν εἴδεσι φόβου τοιούτοις ἐξεφόβησεν αὐτούς, ἀποστρέψαι ἄνθρωπον ἐξ ἀδικίας αὐτοῦ. Τὸ δὲ σῶμα αὐτοῦ ἀπὸ ἀδικίας πτώματος ἐρρύσατο, καὶ ἐφείσατο τῆς ψυχῆς αὐτοῦ ἀπὸ θανάτου, τοῦ μὴ πεσεῖν αὐτὸν ἐν πολέμῳ. Πάλιν
15 δὲ ἤλεγξεν αὐτὸν μαλακίᾳ ἐπὶ κοίτης, καὶ πλῆθος ὀστέων αὐτοῦ ἐνάρκησεν· πᾶν δὲ βρωτὸν σίτου οὐ μὴ δύνηται προσδέξασθαι, καὶ ἡ ψυχὴ αὐτοῦ βρῶσιν ἐπιθυμήσει, ἕως ἂν σαπῶσιν αὐτοῦ αἱ σάρκες, καὶ ἀποδείξῃ τὰ ὀστᾶ αὐτοῦ κενά· ἐγγίσει δὲ ἡ ψυχὴ
20 αὐτοῦ εἰς θάνατον, ἡ δὲ ζωὴ αὐτοῦ ἐν τῷ ῞Αδῃ. Ἐὰν ὦσι χίλιοι ἄγγελοι θανατηφόροι, εἷς ἐξ αὐτῶν οὐ μὴ τρώσῃ αὐτόν[h]. Οὐ δυνήσεται, φησίν, ἐπειδὴ αὐτὸς κατέχει. Πολλοὺς δέ, φησί, καὶ δι' ὀνειράτων ἐπαίδευσεν, καὶ πολέμου μὲν καὶ μάχης ἐξήρπασεν, ἕτερα δὲ παρέδωκεν

4, 1 καὶ ἥγηται : ἥγηται δὲ p ‖ φησί > p ‖ ἑαυτῷ > p ‖ 2 ἐφύλαξεν : ἐφύλαξαν δὲ p ‖ 5 γὰρ : δὲ p ‖ δίκης : δικαιοσύνης p ‖ 6 ἐν παντὶ ῥήματι : πᾶν ῥῆμα p ‖ 7 ὁ κύριος (Mp) : τὸν κύριον L ‖ 7-8 ὡς φάσμα > p ‖ 8 ὡς : ἢ ὡς p ‖ 8-9 δεινὸς φόβος ~ p ‖ 11 τοιούτοις : τοιούτου p ‖ 12 αὐτοῦ > p ‖ ἀδικίας² > p ‖ 13 καὶ ἐφείσατο : ἐφείσατο δὲ p ‖ 15 αὐτὸν + ἐν p ‖ 17 προσδέξασθαι Lᵖᶜp : προσδέξησθαι MLᵃᶜ ‖ 22-23 οὐ — κατέχει > p

4, 22-23 : οὐ δυνήσεται — κατέχει abc

h. Job 33, 10-23

1. Ici encore le texte de Chrysostome semble peu homogène. En 4, 5

Dieu ne t'écoute pas? Mais Dieu parle à travers ton épouvante et ta maladie

4. *Il m'a considéré,* dit-il, *comme son adversaire, il a placé mon pied dans les ceps, et il a surveillé tous mes chemins. Comment peux-tu dire : Je suis juste et il ne m'a pas prêté l'oreille? Car éternel est celui qui est au-dessus des mortels. Tu dis, en effet : Pourquoi n'a-t-il pas prêté l'oreille à chaque mot de mon plaidoyer*[1]! *C'est que le Seigneur parle en une seule fois, puis, dans le second temps (il envoie) un songe, une espèce de vision au cours d'une méditation nocturne : ainsi, lorsqu'une crainte terrible s'abat sur les hommes tandis qu'ils sont assoupis sur leur couche, c'est alors que (Dieu) éclaire l'esprit des hommes : c'est avec de telles visions d'épouvante qu'il les terrorise, pour détourner l'homme de son injustice. Mais il a sauvé son corps de la ruine due à l'injustice, et il a préservé sa vie de la mort, pour l'empêcher de tomber au combat; mais, d'un autre côté, il l'a convaincu de mollesse (en le clouant) sur sa couche par la maladie, et la multitude de ses os s'est engourdie. Jamais il ne pourra prendre aucune nourriture, (pourtant) son âme désirera des aliments, jusqu'au moment où ses chairs pourriront, et où il montrera son squelette décharné; son âme s'approchera de la mort et sa vie sera dans l'Hadès. Y aurait-il là mille anges porteurs de mort, jamais aucun d'eux ne pourra le blesser*[h]. Il ne le pourra pas, dit-il, puisque c'est Dieu lui-même qui l'en empêche. Il en a instruit beaucoup, dit-il, par des songes, et il les a arrachés (au péril) de la guerre et du combat, mais il les a livrés à un autre châtiment. Voici

(comme en **3**, 8), il porte : δίκη, «plaidoyer», qui est le texte de **BS**. Au contraire, en **4**, 3 1, on lit le mot δικαιοσύνη, (leçon de tous les autres mss, cf. Rahlfs, app. crit.), dont le sens est différent : «justice». Mais ces «variantes» sont rares et n'infirment pas la thèse de notre introduction qui souligne (p. 40) l'homogénéité entre le texte scripturaire présenté par **LM** et le commentaire qui en est fait par Chysostome.

25 τιμωρία. Ὁ λέγει τοιοῦτόν ἐστιν· εἰ γὰρ μὴ τῆς προνοίας
ἀπήλαυσας τῆς αὐτοῦ, οὐκ ἂν ἀπώλου; οὐκ ἂν ἐν πολέμῳ
καὶ μάχῃ κατέπεσες; Ὥστε μάλιστα τοῦτό σοι τεκμήριον
ἔστω τῆς προνοίας, ὅτι τοσαύτῃ προσπαλαίων νόσῳ καὶ
ἀρρωστίᾳ οὐ τέθνηκας – δυνάμενος καὶ πολλάκις καὶ χωρὶς
30 τῆς ἀρρωστίας ταύτης, εἴ γε ἐγκατέλιπεν αὐτός, ἀποθανεῖν.
    Καὶ λέγεις· «Διὰ τί τῆς δικαιοσύνης μου οὐκ ἐπακούεις
ἐν παντὶ ῥήματι; Ἐν γὰρ τῷ ἅπαξ λαλῆσαι ὁ Κύριος...»
Τοῦτ᾽ ἔστιν· οὐχὶ καθ᾽ ἕκαστον ἀκούει καὶ παιδεύει, ἀλλὰ
τοῦτό ἐστι τοῦ Θεοῦ εἰσάπαξ τι ποιῆσαι, καὶ μὴ κατὰ
35 μικρόν· πολλάκις δι᾽ ὀνειράτων παρήνεσεν, δι᾽ ἐνυπνίων·
Ἐπειδὴ λέγεις· «Διὰ τί με ἐκφοβεῖς ἐνυπνίοις, ἐν δὲ
ὁράμασι καταπλήσσεις[i];» < Ἰδοὺ πάντα ταῦτα ἐργᾶται
ὁ ἰσχυρὸς ὁδοὺς> τρεῖς, φησί, μετὰ ἀνδρός, τοῦ
ἐπιστρέψαι τὴν ψυχὴν αὐτοῦ[j]. Τί ἐστιν· «Τρεῖς»;
40 Πολλάκις, φησίν. Οὐ διαλιμπάνει ὁ Θεὸς κατέχων ἡμᾶς,
κηδόμενος ἡμῶν, ὥστε βελτίω ποιῆσαι τὴν ψυχήν.

25 γὰρ > p ‖ 26 ἀπήλαυσας : ἀπήλαυες p ‖ 26-27 οὐκ[2] — κατέπεσες :
καὶ μάχῃ οὐκ ἐν πολέμῳ κατέπεσες p ‖ 29 οὐ τέθνηκας : οὕτω νήκας (sic) p
‖ δυνάμενος p : δυνάμενον LM ‖ 30 ἐγκατέλιπεν p : ἐγκατέλειπεν LM
‖ αὐτός p : αὐτὸν LM ‖ 31 ἐπακούεις p (cf. l. 4 et 6) : ὑπακούεις LM ‖ 36-39
ἐν — αὐτοῦ > p ‖ 39 τί ἐστιν > p ‖ τρεῖς : τρὶς ἤτοι p ‖ 41 ἡμῶν +
προνοῶν p

33-35 : τοῦτ᾽ ἔστιν — ἐνυπνίων abc, yz

i. Job 7, 14 ‖ j. Job 33, 29 (cf. app. crit. Rahlfs)

ce qu'il veut dire : si, en effet, tu n'avais pas bénéficié de sa providence, n'aurais-tu pas péri ? Ne serais-tu pas tombé à la guerre et au combat ? Par conséquent, que cela surtout soit pour toi une preuve de sa providence, de n'être pas mort, alors que tu luttais contre une si grave maladie et un si profond épuisement ; or, tu pouvais mourir bien des fois, et même sans cet épuisement, si vraiment lui t'avait abandonné.

Et tu dis : «Pourquoi n'écoutes-tu pas tous les mots justes que je prononce ? C'est que le Seigneur parle en une seule fois...» C'est-à-dire : il n'écoute pas et n'enseigne pas jour après jour, mais c'est le propre de Dieu de faire une chose en une seule fois, et non peu à peu. C'est souvent que, dans les rêves, il donne des avertissements par des visions nocturnes. Puisque tu dis : «Pourquoi me terrorises-tu par des songes, et me frappes-tu de stupeur par des visions[1] ?» (Élius) répond : *Voici que tout cela est réalisé par le Puissant*[1] *trois fois avec l'homme, pour convertir son âme*[1][2]. Que signifie trois fois ? Il veut dire : souvent. Dieu ne cesse pas de nous garder, de se soucier de nous, pour rendre notre âme meilleure[3].

---

1. Ici, nous supposons une lacune après le mot : καταπλήσσεις ; en effet, τρεῖς, φησί, μετὰ ἀνδρός ne se comprend pas sans le début du verset 33 que nous avons rétabli. Le texte de **L** et **M** semble avoir été très abîmé dans toutes ces pages. Cf. *infra*, p. 168, n. 1.

2. Notons que les mots du texte scripturaire : τοῦ ἐπιτρέψαι τὴν ψυχὴν αὐτοῦ sont inconnus du texte reçu ; ils sont caractéristiques du texte de **A** (ainsi que de **V**). Cf. Rahlfs, app. crit.

3. «Le but des maladies est de nous rendre meilleurs.» L'idée est déjà apparue en **3**, 10. On retrouve le même thème en *PG* 59, 212, dans l'*homélie 38 in Johannem* : «Le but des maladies est de nous rendre meilleurs, d'où les paroles du Seigneur à Job : ne crois pas que j'ai agi envers toi dans un autre but que de manifester ta justice» (*Job* 40, 8). Voir aussi *PG* 48, 855 D, le *1er Discours adversus Judaeos* : «Dieu laisse quelquefois la maladie nous atteindre. Endurez-la généreusement, afin qu'il vous soit dit comme à Job : Ne crois pas que j'ai agi envers toi dans un autre but que de manifester ta justice.»

1. < Εἶτα μετὰ πολλά φησιν · **Οἴει τὸν Κύριον τὰ ἄτοπα ποιήσειν, ἢ ὁ Παντοκράτωρ ταράξει τὸ δίκαιον; Ἐποίησεν τὴν γῆν. Τί δέ; Ἔστιν ὁ ποιῶν τὴν ὑπ' οὐρανόν, καὶ τὰ ἐνόντα πάντα. Εἰ γὰρ βούλοιτο συνέχειν καὶ τὸ πνεῦμα παρ' αὐτῷ κατασχεῖν, τελευτήσει πᾶσα σὰρξ ὁμοθυμαδόν, βροτὸς δὲ εἰς γῆν ἀπελεύσεται ὅθεν καὶ ἐπλάσθη**[a]. >

2. Λέγεις, φησίν, ὅτι ἀδίκως καὶ ἁπλῶς «ὁ Παντοκράτωρ ταράξει τὸ δίκαιον.» Ὁ Παῦλός φησιν · «Ἐπεὶ πῶς κρινεῖ ὁ Θεὸς τὸν κόσμον[b];»

3. Ὅρα πῶς ἄλλοθεν αὐτοῦ τὸ δίκαιον παρίστησιν · «Ἐποίησεν τὴν γῆν» καὶ τὸν οὐρανὸν καὶ τὰ ἄλλα πάντα. Μὴ γὰρ ἀλλότρια αὐτοῦ ἐστι τὰ ἔργα, ἵνα ἡμᾶς ἀδικήσῃ; Φείδεται τῶν αὐτοῦ · «φείδῃ δὲ πάντων», φησίν, «ὅτι σά ἐστι, δέσποτα φιλόψυχε[c].» Οὐ μόνον ὅτι αὐτοῦ ἐστιν, ἀλλ' ὅτι καὶ αὐτὸς αὐτῶν κρατεῖ. Καὶ γὰρ ἐπ' ἀνθρώπων πονηρῶν τοῦτο συμβαίνει · οὐδ' ἂν θέλωσιν, ἀνέχονται τοὺς ὑποτεταγμένους ἀδικεῖν · τῶν γὰρ οἰκείων, καὶ τῶν ἰδίων

1, 1 εἶτα — φησιν > p || οἴει + δὲ p || τὰ > p || 2-3 τὸ δίκαιον (cf. 2, 2) : κρίσιν ὅς p > LM || 4 ἐνόντα : ἐν αὐτῇ p || 6 βροτὸς δὲ : πᾶς δὲ βροτὸς p

3, 3-4 : μὴ γὰρ — αὐτοῦ yz

a. Job 34, 12-15 || b. Rom. 3, 6 || c. Sag. 11, 26

1. Nous avons dû bouleverser l'ordre de **L** et de **M** au début de ce chapitre XXXIV. En effet, ces manuscrits présentent d'abord le commentaire du verset 12 (**2**, 1 : λέγεις - fin de **3** : χρόνος). Puis, nous trouvons un : εἶτα μετὰ πολλά φησιν, et ensuite la citation de 34, 12-15 (**1**, 1-7 : οἴει ... ἐπλάσθη). Nous avons donc rétabli le : εἶτα μετὰ πολλά φησιν en tête. C'est, en effet, une expression courante dans notre commentaire, pour indiquer que l'auteur a volontairement négligé de

CHAPITRE XXXIV

Suite du discours d'Élius

Dieu ne peut être injuste : il a tout créé

< Et bien plus loin le texte poursuit[1] :

1. *Crois-tu que le Seigneur fera ce qui est déplacé, ou que le Tout-Puissant troublera la justice ? Il a fait la terre. Eh quoi ! Il est celui qui crée les étendues subcélestes et tout ce qu'elles renferment. Car s'il veut contenir et retenir son souffle en lui-même, toute chair mourra sans aucune exception ; et tout mortel retournera à la terre dont il a été façonné[a].* >

2. Tu prétends, dit-il, que c'est à tort et à la légère que «le Tout-Puissant troublera la justice». Paul répond : «Mais alors, comment Dieu jugera-t-il le monde[b] ?»

3. Remarque comment, d'une autre façon, Élius établit la justice de Dieu : «Il a fait la terre» et le ciel, et toutes les autres créatures. Ses œuvres lui sont-elles étrangères, pour qu'il soit injuste envers nous ? Il épargne ce qui lui appartient : «Tu épargnes tous les êtres», dit l'Écriture, «car ils t'appartiennent, ô maître, ami de la vie[c].» Non seulement parce qu'ils sont son œuvre, mais aussi parce que c'est lui qui en est le maître : et de fait, c'est ce qui arrive même chez les hommes méchants ; même si leurs subordonnés l'acceptent, ils ne supportent pas de leur faire du tort, car tout le monde a l'habitude d'épargner ses gens

---

commenter un certain nombre de versets. Tout naturellement, nous avons enchaîné ensuite par la citation du texte scripturaire 34, 12-15, et c'est seulement après que nous avons placé le commentaire de 34, 12. Nous avons justifié ces déplacements dans l'Introduction, p. 45, n. 1. Le bouleversement est ancien, puisque nous le retrouvons dans p, mais lui ne présente pas le texte εἶτα μετὰ πολλά φησιν, puisque, étant une chaîne, il commente tous les versets. Voir, en sens contraire, *supra,* p. 102, n. 1.

ἔθος ἅπασι φείδεσθαι. Ὅταν δὲ καὶ αὐτὸς ὁ πεποιηκὼς ᾖ
10 καὶ αὐτὸς ὁ κρατῶν, πῶς «ταράξει τὸ δίκαιον» ἐν τῇ
οἰκουμένῃ πάσῃ, λαμπρὸν οὕτως αὐτὸ κατασπείρας; Ἀλλ᾽
οὐδὲ αὐτὸς ἔχεις εἰπεῖν ὅτι παρ᾽ ἀσθένειαν οὐκ ἀδικεῖ·
οὕτω γὰρ εὔκολον αὐτῷ πάντας ἀπολέσθαι, ὥστε ἀρκεῖ
θελῆσαι, καὶ τὸ κωλῦον οὐδέν· ἀλλ᾽ οὐδὲν τοιοῦτον
15 συνεῖδεν ὁ παρελθὼν χρόνος. [...]

**4. Εἰ δὲ μὴ νουθετῇ, ἄκουε ταῦτα, Ἰώβ· ἐνωτίζου
φωνὴν ῥημάτων. Ἰδὲ σὺ οὐκ οἴει τὸν μισοῦντα τὰ
ἄνομα καὶ τὸν ὀλλύντα τοὺς πονηρούς, ὄντα αἰώνιον,
εἶναι δίκαιον**[d];» Ὅτι ἔστιν, εἶδες, οὐκ ἐτόλμησεν ἐπαγα-
5 γεῖν τὸ συμπέρασμα· ἀπὸ πολλῆς εὐλαβείας ἐφείσατο τοῦ
ῥήματος. Οὐκ ἀπὸ τῆς κτίσεως, οὐκ ἀπὸ τῆς δημιουργίας,
οὐκ ἀπὸ τῆς ἀρχῆς ταῦτα στοχάζεσθαι δεῖ μόνον, ἀλλὰ καὶ
ἀπ᾽ αὐτῆς τῆς οὐσίας καὶ ἀπ᾽ αὐτῶν τῶν ἔργων. Μισοπό-
νηρός ἐστι καὶ φιλάνθρωπος. Οὐ καθάπερ ἡμεῖς, οὐκ
10 ἀπεχθείᾳ τῇ πρὸς τὰ κακὰ ἀπεχόμεθα τῆς πονηρίας,
ἀλλὰ φόβῳ τῆς μελλούσης κολάσεως. Πόθεν; «Ὅτι μισεῖ
τὰ ἄνομα, ἀπόλλυσι», φησί, «τοὺς πονηρούς». «Ὄντα»,
φησίν, «αἰώνιον.» Καλῶς καὶ τὸ αἰώνιον τέθεικεν, ὥστε μὴ
καθ᾽ ἑκάστην ἡμέραν μηδὲ καθ᾽ ἑκάστην πρᾶξιν ἀπαιτεῖν
15 αὐτὸν τῶν γενομένων τὰς εὐθύνας· πολλάκις οἰκονομεῖ τινα
οἰκονομίαν ἧς τὸ τέλος εἰς μακρὸν ἐκταθῆναι χρόνον
ἀνάγκη. Μὴ προπηδήσῃς τοῦ τέλους, μηδέ, πρὶν ἢ τὸ πᾶν
ἀπαρτισθῆναι, θελήσῃς καταμαθεῖν τοῦ θεοῦ τὴν δικαιοκρι-
σίαν, ἐπεὶ πλέον οὐδὲν ἔσται σοι τῆς προπετείας. Διὰ τοῦτό
20 φησιν· αἰώνιος καὶ δίκαιος. Ἅπας ὁ παρελθὼν χρόνος
αὐτῷ τοῦτο μαρτυρεῖ. Μὴ γὰρ νῦν μεταβέβληται;

4, 1 ἰώβ > p ‖ 2 ῥημάτων + μου p ‖ οὐκ οἴει > p ‖ 4 εἶναι > p ‖ ὅτι
ἔστιν > p ‖ 6 κτίσεως + τοῦ ῥήματος p ‖ 10 πονηρίας : Hic deficit L usque
ad XXXVI, 2, 3 ‖ 12 ἄνομα : τὴν ἀνομίαν p ‖ 13 φησίν > p ‖ αἰώνιον :
αἰῶνα p ‖ 15 αὐτὸν > p ‖ γενομένων : γινομένων p ‖ 21 μεταβέβληται :
βεβούλευται p

d. Job 34, 16-17

et ses biens; mais, lorsqu'il s'agit de celui qui est en personne à la fois le créateur et le maître, comment «troublera-t-il la justice» dans tout l'univers, puisqu'il a répandu sur lui une telle splendeur? Et même toi, tu ne peux pas dire que c'est par faiblesse qu'il ne commet pas d'injustice; il lui est si facile, en effet, de détruire tous les hommes, qu'il lui suffit de le vouloir et que rien ne l'en empêche; mais jamais rien de tel ne s'est vu dans le passé. [...]

Dieu ne peut être injuste : il hait l'injustice

4. *Mais, si tu n'es pas convaincu, écoute ceci, Job; prête l'oreille au son de mes paroles. Voyons : Ne crois-tu pas que celui qui hait les injustices et qui fait périr les méchants, lui qui est éternel, est juste*[d]? Tu as vu? Il n'a pas osé tirer la conclusion qu'il est (juste); avec une grande discrétion, il a évité de l'affirmer. Ce n'est pas seulement en partant de l'univers, ni de la création, ni de sa puissance que l'on doit conjecturer cette justice, mais aussi en partant de sa nature même et de ses actes mêmes. Il hait les méchants et il aime les hommes. Il n'est pas comme nous, qui nous éloignons du mal, non par aversion pour le vice[1], mais par crainte du châtiment à venir. D'où vient-elle? Du fait qu'il «hait les injustices (et) qu'il fait, dit-il, périr les méchants.» «Lui qui est éternel», ajoute-t-il. Élius a eu raison d'introduire aussi l'éternité, pour qu'on ne réclame pas à Dieu, chaque jour et pour chaque action, les comptes de ce qui s'est passé : il est fréquent que Dieu administre une affaire dont la réalisation doit s'étendre sur une longue durée. N'anticipe pas sur la réalisation, et ne cherche pas, non plus, avant que tout soit complètement terminé, à comprendre le jugement de Dieu, car tu ne retireras rien de ta précipitation. C'est pourquoi il dit : éternel et juste. Tout le passé lui rend témoignage là-dessus. Aurait-il donc changé aujourd'hui?

---

1. C'est ici que commence la 2e rupture de **L**; cf. *Introd.,* p. 13-14.

5. Ἀσεβής, φησίν, ὁ λέγων βασιλεῖ · Παρανομεῖς ᶜ. Τοῦτ᾽ ἔστιν · τολμηρὸς δίκην δίδωσιν. Καίτοι ἐπὶ βασιλέως οὐκ ἀκίνδυνον. Τοῦτο ἐμοὶ δοκεῖ καὶ ἄλλο τι αἰνίττεσθαι, ὅτι ὁ βασιλεὺς οὐχ ὑπόκειται, ἀλλ᾽ ἐπίκειται νόμοις —
5 δημιουργὸς αὐτῶν αὐτός ἐστι τῶν νόμων — · εἰκότως οὖν τῷ ποιοῦντι τοὺς νόμους ὁ λέγων · Παρανομεῖς, ἐγκαλεῖται. Ὥσπερ ἄν τις τῷ πλάστῃ καὶ τῷ δημιουργῷ εἴποι · « Κακῶς πλάττεις ᶠ » Ἀυτόνομός ἐστιν ὁ βασιλεύς.

6. Ὃς οὐκ ᾐσχύνθη, φησί, πρόσωπον ἐντίμου · οὐκ ἔδωκεν δὲ τιμὴν θέσθαι ἀνδρῶν, τοῦ θαυμασθῆναι πρόσωπα αὐτῶν ᵍ. Εἰ γὰρ καὶ μὴ οἶδας, ἀλλ᾽ ὀφείλεις παραχωρεῖν αὐτῷ καὶ τῇ δόξῃ αὐτοῦ, ὥστε μὴ πάντα
5 ζητεῖν μανθάνειν. Ἄρα περιεργαζόμενος τὸν Θεόν, οὐ τιμᾷ τὸν Θεόν. Ὅρα καὶ Παῦλος τί φησι · « Δοὺς δόξαν τῷ Θεῷ καὶ πληροφορηθεὶς ὅτι ὃ ἐπήγγελται δυνατός ἐστιν καὶ ποιῆσαι ʰ. » Πόθεν « πληροφορηθείς », εἰπέ μοι; Τὰ γὰρ ἐναντία φύσεως ἡ ἀκολουθία ἀντεφθέγξατο.

7. Κενὰ δὲ αὐτοῖς, φησίν, ἀποβήσεται τὸ κεκραγέναι καὶ δεῖσθαι ἀνδρός · ἐχρήσαντο γὰρ ἀνόμως ἐκκλειομένοις καὶ ἀδυνάτοις ⁱ. Ἡ ἱκετηρία σου, φησίν, αὐτή σοι ἐναντιοῦται. « Ὁ γὰρ λέγων βασιλεῖ · Παρανομεῖς », κἂν
5 δέηται, μάτην δεηθήσεται.

8. Εἶτα περὶ τῆς τοῦ Θεοῦ γνώσεώς φησιν ὅτι πάντα οἶδεν. Αὐτὸς γάρ, φησίν, ὁρατὴς πάντων ἀνθρώπων, λέληθεν δὲ αὐτὸν οὐδὲν ὧν πράσσουσιν, οὐδέ ἐστι

5, 1 φησίν > p || 7 ὥσπερ : ὡσπερεὶ p || τῷ ² > p
6, 1 φησί > p || 1-2 οὐκ ἔδωκεν δὲ : οὐδὲ οἶδε p || 2 ἀνδρῶν : ἁδροῖς p || 3 ὀφείλεις + πολλά abcyz || 4 τῇ δόξῃ : τῆς δόξης p
7, 2 ἀνόμως > p
8, 1 τοῦ θεοῦ : τοῦ τοῦ θεοῦ (sic) p || 2 φησὶν > p || φησιν + ὅτι M

6, 3-5 : εἰ γὰρ — μανθάνειν (3 ὀφείλεις + πόλλα) abcyz

e. Job 34, 18 || f. Cf. Is. 29, 16; 45, 9 || g. Job 34, 19 || h. Rom. 4, 21 || i. Job 34, 20

Dieu peut tout.
On ne reproche pas au roi de transgresser la loi

5. *Impie,* dit-il, *est celui qui dit à un roi : Tu transgresses la loi*[e]. C'est-à-dire : pour son audace, il est puni. Certes, quand il s'agit d'un roi, ce n'est pas sans danger. Il me semble qu'il veut encore laisser entendre autre chose : c'est que le roi n'est pas soumis aux lois, mais est au-dessus d'elles – c'est lui, en effet, qui en est l'auteur. Il est donc normal de blâmer celui qui dit au législateur : Tu transgresses la loi. C'est comme si l'on disait au potier et à l'artisan : Tu travailles mal[f]. Le roi est à lui-même sa loi.

6. *Lui qui n'a pas rougi,* dit-il, *devant la face d'un grand, qui n'a pas accordé d'honneurs à distribuer parmi les hommes, pour avoir à admirer leurs personnes*[g]. Car même si toi, tu ne sais pas, du moins dois-tu t'en remettre à lui et à sa gloire, sans chercher à tout comprendre. Donc, parce qu'il s'ingère dans les affaires de Dieu, il ne l'honore pas. Écoute aussi ce que dit Paul : «Il (Abraham) rendit gloire à Dieu, et fut pleinement convaincu que, ce que Dieu a une fois promis, il est aussi capable de l'accomplir[h].» Pourquoi fut-il «pleinement convaincu», dis-moi? C'est que son obéissance a refusé (d'admettre) les impossibilités de la nature.

7. *Pour eux,* dit-il, *c'est en vain qu'auront monté le cri et la prière de l'homme; car ils en ont usé de façon impie avec les exilés et avec les faibles*[i]. C'est ta supplication même, dit-il, qui t'accuse. «Car celui qui dit à un roi : Tu transgresses la loi», même s'il le supplie, c'est en vain qu'il le suppliera.

Dieu sait tout. Il connaît les justes et les injustes

8. Puis, en ce qui concerne le savoir de Dieu, il dit qu'il sait tout. *Il est, en effet,* dit-il, *celui qui voit tous les hommes, auquel rien n'échappe de ce qu'ils font, et pour qui il n'y a pas*

τόπος τοῦ κρυβῆναι τοὺς ποιοῦντας τὰ ἄνομα. Ὁ
5 γὰρ Κύριος τὰ πάντα ἐφορᾷ, ὁ καταλαμβάνων ἀνεξιχνίαστα, ἔνδοξά τε καὶ ἐξαίσια, ὧν οὐκ ἔστι
ἀριθμός · γνωρίζων αὐτῶν τὰ ἔργα, καὶ στρέψει νύκτα
καὶ ταπεινωθήσονται ʲ. Σὺ δέ μοι παρατήρει πῶς οὐδαμοῦ
καθικνεῖται καθάπερ ἐκεῖνοι τοῦ Ἰώβ, ἀλλά φησιν ὅτι ὁ
10 Θεὸς δίκαιός ἐστιν, καὶ οὐ λέγει αὐτῷ ὅτι ἥρπασας
ὀρφανοὺς καὶ χήρας ᵏ. Πῶς ἐπιτιμητικός ἐστιν, οὐχὶ κατηγορητικός.

9. Εἶτα μετὰ πολλά φησιν · Ἰώβ, οὐκ ἐν συνέσει
ἐλάλησας, τὰ δὲ ῥήματά σου οὐκ ἐν ἐπιστήμῃ ˡ. Τοῦτο
ἠρέμα καὶ συγγνώμης ἐστίν · ἐκεῖνοι δέ φασιν · «Μέχρι
πότε πνεῦμα πολυρῆμον τοῦ στόματός σου ᵐ;»

10. Οὐ μὴν δὲ ἀλλὰ μάθε, Ἰώβ · μὴ δῷς ἔτι
ἀνταπόκρισιν, ὥσπερ οἱ ἄφρονες, ἵνα μὴ προσθῶμεν
ἐφ' ἁμαρτίαις ἡμῶν · ἀνομία δὲ ἐφ' ἡμῖν ἔσται, πολλὰ
λαλοῦσι ῥήματα ἔναντι Κυρίου ⁿ. Οὐκ εἶπεν · παράνομα
5 οὐδὲ ἀσεβῆ, ἀλλὰ πολλά, δεικνὺς ὅτι οὐδὲ πολλὰ ἀντιφθέγ-
γεσθαι χρὴ τῷ Θεῷ · εἰ γὰρ ἐπὶ βασιλέως οὐκ ἄν τις
τολμήσειεν πολλὰ ῥήματα ἀντιφθέγξασθαι, πολλῷ μᾶλλον
ἐπὶ Θεοῦ.

---

7 ἀριθμός + ὁ p ‖ τὰ ἔργα αὐτῶν ~ p ‖ 10 ὅτι (pabcyz) : τί M ‖ 11-12
κατηγορητικός (Mp) : κατηγορικός abcyz
9, 1 εἶτα : διὸ p ‖ ἰώβ + δὲ p ‖ 2 ἐλάλησας : ἐλάλησεν p ‖ σου : αὐτοῦ p
‖ 3 ἐκεῖνοι δέ φασιν : οἱ δὲ φίλοι οὐχ οὕτως ἀλλά p ‖ 4 πότε + φάσι p ‖ σοῦ
+ ἐπιπληκτικῶς p
10, 3 δὲ > p ‖ ἔσται : λογισθήσεται p ‖ 4 λαλοῦσι : λαλοῦντων p
‖ ἔναντι : ἐναντίον p

8, 8-12 : σὺ δέ — κατηγορητικός (l. 9 ὅτι > abc) abc, (yz)
9, 2-4 : τοῦτο — σου ab, yz (c def.)
10, 4-8 : οὐκ εἶπεν — θεοῦ ab, yz (c def.)

j. Job 34, 21-25 ‖ k. Cf. Job 22, 9 ‖ l. Job 34, 35 ‖ m. Job 8, 2 ‖ n. Job
34, 36-37

d'endroit où puissent se cacher ceux qui commettent l'iniquité. Car d'en-haut, le Seigneur voit tout, lui qui pénètre les mystères aussi merveilleux que sublimes, et qu'on ne saurait dénombrer[1]. *Connaissant leurs œuvres, il les renversera pendant la nuit, et ils seront humiliés*[j]. Mais toi, observe-moi comment, nulle part, il ne cherche à atteindre Job, comme l'ont fait les trois autres, mais il affirme que Dieu est juste, sans lui dire : Tu as dépouillé des orphelins et des veuves[k]. (Observe) comment il sait blâmer, mais sans accuser.

Il faut se soumettre à Dieu

9. Puis, bien plus loin, le texte poursuit : *Job, tu n'as pas parlé avec intelligence, et tes paroles ne sont pas empreintes de sagesse*[l]. Voilà qui est même presque de l'indulgence. Les trois autres disent, au contraire : « Jusques à quand le souffle de ta bouche va-t-il se répandre en paroles[m] ? »

10. *Néanmoins, Job, instruis-toi; arrête de répliquer comme les insensés, afin que nous n'ajoutions pas à nos fautes; l'iniquité nous sera comptée, si nous parlons longuement en face du Seigneur*[n]. Il n'a pas dit : de manière inique et impie, mais : « longuement », montrant qu'il ne faut pas non plus répliquer à Dieu longuement; si, en effet, quand il s'agit d'un roi, on n'oserait pas lui répliquer longuement, à bien plus forte raison, quand il s'agit de Dieu.

1. On retrouve ce même verset ἀνεξιχνίαστα... ἀριθμός en *Job* 9,10. D'ailleurs, le livre de *Job* est coutumier de ces reprises.

XXXV

1. Ὑπολαβὼν δὲ Ἐλιοὺς λέγει · Τί τοῦτο ἡγήσομαι ἐν κρίσει; Σύ, τίς εἶ, ὅτι εἶπας · Δίκαιός εἰμι
ἔναντι Κυρίου; Ἢ ἐρεῖς · Τί ποιήσω, ἁμαρτών; Ἐγώ
σοι δώσω ἀνταπόκρισιν, καὶ τοῖς τρισί σου φίλοις.
5 Ἀνάβλεψον εἰς τὸν οὐρανόν, καὶ ἰδέ · κατάμαθε δὴ τὰ
νέφη, καὶ ἰδὲ ὡς ὑψηλὰ ἀπὸ σοῦ[a]. Τοῦτ' ἔστιν · εἰ καὶ
μὴ ἀπὸ λογισμῶν, ἀλλ' ἀπὸ τῶν ὁρωμένων μάθε πόσον σοῦ
ἀπέχει, καὶ πόσον σοῦ ἐστιν ὑψηλότερος.

2. Εἰ ἥμαρτες, τί πράξεις; Εἰ δὲ καὶ ἠνόμησας
πολλά, τί δύνασαι ποιῆσαι[b]; Τοῦτ' ἔστιν · οὐδὲν αὐτὸν
ἀδικήσεις, ἀλλ' οὐδὲ ὠφελήσεις, δίκαιος ὤν. Ἐπειδὴ γὰρ
ἔλεγεν · «Εἰ ἥμαρτον, τί δύναμαί σοι πρᾶξαι[c];» Τί
5 ποιήσω; φησί · τοῦτο εἶπες διὰ τί; Μὴ γὰρ ὡς ἀδικού-
μενος φροντίζει σου ἁμαρτόντος; Μὴ γὰρ ὡς βλάβην
ὑπομένων;

3. Καὶ εἰ δίκαιος εἶ, τί δώσεις αὐτῷ, φησίν, ἢ τί ἐκ
χειρός σου λήψεται; Ἀνδρὶ τῷ ὁμοίῳ σου ἡ ἀσέβειά

1, 1-2 ἡγήσομαι : ἡγήσω p ‖ 3 ἔναντι : ἐναντίον p ‖ ἐρεῖς + τί κατέθυμεί
σοι ἢ p ‖ ἐγώ + δὲ p ‖ 4 ἀνταπόκρισιν : ἀπόκρισιν p ‖ φίλοις σου ~ p ‖ 5
δὴ : δὲ p ‖ τὰ > p ‖ 7 μὴ (pabcyz) > M ‖ 8 σοῦ > M
2, 1-2 πολλὰ ἠνόμησας ~ p ‖ 2 τοῦτ' ἔστιν > p ‖ οὐδὲν + οὖν p ‖ 3
ἀδικήσεις + ἁμαρτών p ‖ 4-5 τί ποιήσω > p ‖ 5 διὰ τί τοῦτο εἶπες ~ p ‖ 6
φροντίζει (pabcyz) : φροντίζεις M
3, 1 φησίν > p

1, 6-8 : τοῦτ' ἔστιν — ὑψηλότερος abc, yz
2, 2-7 : τοῦτ' ἔστιν — ὑπομένων (5 εἶπες : ἵνα εἴπῃ abc) abc, yz

a. Job 35, 1-5 ‖ b. Job 35, 6 ‖ c. Job 7, 20

1. **M** a : ἡγήσομαι (**L** def.); **p** et le texte reçu ont ἡγήσω. Cette
dernière leçon est meilleure, car elle s'accorde mieux avec le contexte où

CHAPITRE XXXV

Suite du discours d'Élius

Qui es-tu, toi, devant Dieu?

1. *Élius prit la parole et dit : Quel jugement vais-je porter*[1] *là-dessus? Qui es-tu, toi, pour avoir dit : Je suis juste devant le Seigneur? Diras-tu : Que puis-je lui faire en péchant? Moi, je m'en vais vous répliquer à toi et à tes trois amis. Lève les yeux vers le ciel et vois; considère justement les nuages, et vois comme ils sont plus hauts que toi*[a]. C'est-à-dire : à défaut de raisonnements, apprends du moins, par ce que tu vois, comme Dieu est loin de toi, et comme il est au-dessus de toi.

2. *Si tu as péché, que (lui) feras-tu? Et même si tu as commis beaucoup d'iniquités, que peux-tu (lui) faire*[b]? C'est-à-dire : tu ne lui feras aucun tort; et tu ne lui seras pas davantage utile, en étant juste. Puisqu'il disait, en effet : «Si j'ai péché, que puis-je te faire[c]?» Que (te) ferai-je? – Pourquoi as-tu dit cela? dit Élius. Dieu se soucie-t-il[2], en effet, de ce que tu aies péché, comme s'il était victime d'une injustice, ou bien comme s'il subissait un dommage?

Devant l'injustice des hommes, pourquoi mettre Dieu en cause?

3. *Même si tu es juste, que lui donneras-tu,* dit-il, *ou que recevra-t-il de ta main? C'est un homme comme toi que blesse ton*

---

l'on va trouver, tout de suite après, un second aoriste à la deuxième personne du singulier : εἶπας. Nous maintenons cependant ἡγήσομαι, qui est peut-être une erreur de copiste, mais qui peut aussi représenter le texte que lisait Chrysostome.

2. Nous rejetons φροντίζεις, la leçon de **M**, qui n'a pas de sens ici, pour suivre celle de **pabcyz** : φροντίζει. C'est évidement Dieu qui est sujet s.e. du verbe.

178   COMMENTAIRE SUR JOB

σου · καὶ υἱῷ ἀνθρώπου ἡ δικαιοσύνη σου. Ἀπὸ
πλήθους συκοφαντούμενοι κεκράξονται · βοήσονται
5 ἀπὸ βραχίονος πολλῶν. Καὶ οὐκ εἶπεν · Ποῦ ἐστι ὁ
Θεὸς ὁ ποιήσας με[d]; Οὐχ ὁρᾷς, φησί, τὸ ὕψος, ὅσον
ἐστίν · Ὁ κατατάσσων, φησί, φυλακὰς νυκτερινάς[e].
< Ὁρᾷς, φησίν, ἐν τῷ οὐρανῷ, καθάπερ στρατιώτας, τοὺς
ἀστέρας τὴν οἰκείαν ἕκαστος περιπολοῦντας τάξιν;> τοῦτ᾽
10 ἔστι, καθάπερ ἐν στρατοπέδῳ, οὐχ ὁρᾷς πάντα διατε-
ταγμένα καὶ μετὰ πλείονος ἀκριβείας ἕκαστον ἐν τάξει
κείμενον τῇ προσηκούσῃ; Οὐδὲν τῶν πάντων τὸν οἰκεῖον
ὑπερβαῖνον ὅρον, οὐδὲ τοῖς ἀλλοτρίοις ἐπιπηδῶν χωρίοις;
Καθάπερ τὰ πάντα τῶν φυλάκων κατεχόντων, καθευδόντων
15 ἀνθρώπων, οὐδεὶς ἐπιβουλεύει. Ὅρα τὰ θηρία · ὅτε δια-
βαίνει, τότε οὗτοι καθεύδουσιν. Οὐκ ἐχρῆν ἐπινέμεσθαι τὰς
πόλεις, οὐκ ἐχρῆν αὐτοὺς ἀπολωλέναι · δεδεμένοι καθεύδουσιν.

4. Ὁ διορίζων με, φησίν, ἀπὸ τετραπόδων γῆς, καὶ
ἀπὸ πετεινῶν οὐρανοῦ · ἐκεῖ κράζονται, καὶ οὐ μὴ
εἰσακούσῃ ἀπὸ ὕβρεως πονηρῶν · ἄτοπα γὰρ ἰδεῖν
οὐ βούλεται ὁ Κύριος · αὐτὸς γὰρ ὁ Παντοκράτωρ
5 ὁρατής ἐστι πάντων τῶν συντελούντων τὰ ἄνομα, ὃς
σώσει με. Κρίθητι δὲ ἐναντίον αὐτοῦ, εἰ δύνασαι αὐτὸν
αἰνέσαι, ὡς ἔστιν καὶ νῦν, ὅτι οὐκ ἔστιν ἐπισκεπτό-

3 ἀπὸ : ὑπὸ p ‖ 6-7 οὐχ — ἐστίν > p ‖ 7 φησί > p ‖ 9 ἕκαστος : ἕκαστον
p ‖ 9-10 τοῦτ᾽ ἔστι > p ‖ 10 οὐχ ὁρᾷς + ὡς p ‖ 11 τάξει + μὲν p ‖ 12
προσηκούσῃ : προσηκούσει p ‖ 13 ἐπιπηδῶν (pabcyz) : ἐπιπηδοῦν M
4, 1 φησίν > p ‖ 1-2 καὶ ἀπὸ : ἀπὸ δὲ p ‖ 3 εἰσακούσῃ + καὶ p ‖ 5
πάντων > p ‖ ὃς : καὶ p ‖ 6-7 αἰνέσαι αὐτὸν ~ p

3, 9-18 : τοῦτ᾽ ἔστι — καθεύδουσιν (16-18 : οὐκ ἐχρῆν — καθεύδουσιν >
yz) abc (yz)

d. Job 35, 7-10 ‖ e. Job 35, 10

impiété; et c'est un fils d'homme que peut atteindre ta justice.
Lorsque la foule attaque de ses calomnies, on pousse des cris; on
appellera au secours, pour écarter le bras de la multitude. Et l'on
n'a pas dit : Où est Dieu qui m'a créé[d]? Ne vois-tu pas, dit-il, à
quelle hauteur il se trouve. *Lui, dit-il, qui dispose les gardes de*
la nuit[e]. < Aperçois-tu dans le ciel, dit-il, pareils à des
soldats, les astres montant chacun sa propre garde[1]? >
C'est-à-dire : ne vois-tu pas que tout (y) est rangé en ordre,
comme dans un camp, et que, avec une précision plus
grande encore, chaque objet se trouve à la place qui lui
convient? Qu'absolument aucun objet ne dépasse la limite
qui lui est propre, ou n'empiète sur l'emplacement réservé
aux autres? C'est comme si les gardes (de la nuit) surveil-
laient tout : durant le sommeil des hommes, personne
n'essaye d'attaquer. Regarde les bêtes sauvages : lorsqu'elles se déplacent, c'est alors que les hommes dorment.
Il ne fallait pas qu'elles envahissent les villes, il ne fallait
pas que les hommes périssent, car ils dorment, vaincus par
le sommeil.

Tu devrais louer Dieu,
qui maintient justice et ordre dans le monde

4. *C'est lui qui me sépare, dit-il, des quadrupèdes de la terre et*
des oiseaux du ciel; alors, les méchants crient, et il n'y a pas de
danger qu'il (les) écoute, à cause de leur orgueil; le Seigneur, en
effet, ne désire pas voir les infamies; car, lui, le Tout-Puissant,
observe tous ceux qui commettent des impiétés, lui qui me sauvera.
Mais plaide ta cause devant lui, si tu peux le louer, comme il
convient, même maintenant, parce que (Dieu) n'est pas en train

---

1. Nous avons replacé ici les deux lignes que, dans **Mp**, nous
trouvons après le dernier verset du chapitre 35 (**4**, 10), où il est hors de
contexte. Ces lignes commentent au contraire parfaitement le verset
35, 10b de *Job*. Sur l'explication proposée pour ces déplacements, voir
Introd., p. 45, n. 1.

μένος ὀργὴν αὐτοῦ, καὶ οὐκ ἔγνω παράπτωμά τι
σφόδρα · καὶ Ἰὼβ ματαίως ἀνοίγει τὸ στόμα αὐτοῦ, ἐν
10 ἀγνωσίᾳ ῥήματα βαρύνει^f. [...]
    Εἶπεν καὶ τὴν ἰδιάζουσαν εὐεργεσίαν. « Ὁ διορίζων
με », φησίν, « ἀπὸ τετραπόδων. » Τοῦτο τῆς φύσεως. Εἶτα
πάλιν · « Οὐ μὴ εἰσακούσῃ », φησίν, « ἀπὸ ὕβρεως
πονηρῶν. » Τοῦτο φυλακή.
15 « Ἄτοπα γὰρ ἰδεῖν οὐ βούλεται ὁ Κύριος. » Οὐ μόνον
οὐ δέχεται ὁ Κύριος, ἀλλ' οὐδὲ ἰδεῖν βούλεται, ὥσπερ
ἄλλος φησὶ προφήτης · « Καθαρὸς ὀφθαλμὸς τοῦ μὴ ὁρᾶν
πονηρά^g. » Ὁρᾷς πόση πρόνοια, πόση φυλακή, πόση
σύνεσις; Εἰ καὶ μή σε ἐκδικεῖ, ἀπεχθῶς ἔχει πρὸς τὸ
20 πρᾶγμα. Εἶτα, ἐπειδὴ εἶπεν · « Οὐ βούλεται ὁρᾶν », ἵνα μὴ
νομίσῃς ἀγνοίας εἶναι τὰ πράγματα, ἀλλὰ μάθῃς ὅτι
σχέσεώς τινός ἐστι καὶ ἀντιλογίας, ἄκουσον πῶς ἐπήγαγεν ·
« Αὐτὸς γὰρ ὁ Παντοκράτωρ ὁρατής ἐστι τῶν συντελούντων τὰ ἄνομα. Κρίθητι δὲ ἐναντίον αὐτοῦ, εἰ δύνασαι
25 αὐτὸν αἰνέσαι, ὡς ἔστιν. » Εἰ δικαστήριον ἐκάθισεν, φησί,
καὶ τὰ δικαιώματα προέθηκεν, οὐκ ἂν αὐτὸν ἐπήνεσας, οὐκ
ἂν αὐτὸν ἐδόξασας κατ' ἀξίαν, ἐπὶ τοῖς εἰς σὲ γεγενημένοις
νῦν, ὅτε νομίζεις ἀδικεῖσθαι καὶ κολάζεσθαι. Τὸ μὲν γὰρ
μὴ δύνασθαι κατ' ἀξίαν τὸν Θεὸν ὑμνεῖν, οὐδὲν μέγα · τὸ
30 δέ, μέλλοντα κρίνεσθαι πρὸς αὐτὸν ἐν τοῖς πρὸς ἡμᾶς, μὴ
δύνασθαι κατ' ἀξίαν αὐτὸν ὑμνεῖν, τοῦτο μέγα.

---

11 εἶπεν *conj.* : εἰπέ Mp ‖ 16 δέχεται + φησίν p ‖ 19 ἐκδικεῖ : ἐκδικεῖν M
‖ ἐκδικεῖ + φησίν ἀλλ' p ‖ 20 ὁρᾶν > p ‖ 21 τὰ πράγματα : τὸ πρᾶγμα p
‖ 24-25 εἰ — ἔστιν > p ‖ 29 τὸν θεὸν κατ' ἀξίαν ～ p

4, 15-16 : οὐ μόνον — βούλεται abc, *yχ* ‖ 25-31 : εἰ — μέγα abc, yz

f. Job 35, 11-16 ‖ g. Hab. 1, 13

1. Le datif παραπτώματι, leçon du texte reçu, est peu explicable; nous
suivons nos manuscrits qui ont παράπτωμά τι, leçon qui est aussi celle de
l'édit. Sixt. (cf. Rahlfs, app. crit.).
2. **Mp** : εἰπέ (**L** absent). L'impératif serait inexplicable; nous supposons qu'il y a une erreur d'accentuation dans **Mp**, et nous avons corrigé
en εἶπεν.

d'examiner sa colère et n'a pas sévèrement noté quelque faute [1]. *Et c'est en vain que Job ouvre la bouche. Dans son ignorance, il multiplie lourdement les paroles* [f]. [...]

Il a parlé [2] aussi de la bienveillance particulière à chaque être. «C'est lui qui me sépare des quadrupèdes», dit-il. Voilà le bienfait de la nature. Puis, il ajoute : «Il n'y a pas de danger qu'il écoute les méchants, à cause de leur orgueil.» Voilà sa protection.

«Le Seigneur, en effet, ne désire pas voir les infamies.» Non seulement le Seigneur ne les admet pas, mais il ne veut même pas les voir, comme le dit un autre prophète : «Ton œil est trop pur pour voir le mal [g].» Tu vois quelle providence, quelle protection, quelle compréhension! Même s'il ne te venge pas, il éprouve pourtant de la haine pour cette action. Puis, comme il a dit : «(Dieu) ne désire pas voir», pour que tu ne croies pas que Dieu ignore ces actions, mais que tu saches qu'il a pour elles une attitude de réprobation, écoute comment il a poursuivi : «Car lui, le Tout-Puissant, observe tous ceux qui commettent des impiétés. Mais plaide ta cause devant lui, si tu peux le louer, comme il convient.» S'il avait établi un tribunal, dit-il, et en avait publié les décisions, tu ne l'aurais pas loué, tu ne l'aurais pas glorifié, comme il le méritait, à propos de ce qui t'est arrivé, maintenant que tu penses être puni injustement. Ne pouvoir, en effet, «louer Dieu comme il le mérite», cela n'est pas grave [3]; mais ne pas pouvoir le louer comme il le mérite sur ce qui nous concerne, quand on va plaider sa cause devant lui, voilà qui est grave.

3. Nous ne pourrons jamais louer Dieu comme il le mérite, mais il est important de le louer sur sa conduite à notre égard, où nous discernons mieux à la fois nos faiblesses et son indulgence. Chrysostome pense, sans doute, à la parabole de l'évangile où, au moment de rendre ses comptes, un serviteur, au lieu de louer son Maître, l'accuse et lui dit : «Je savais que tu es un homme dur...», et où le Maître répond : «Je te jugerai d'après tes paroles» (*Luc* 19, 20 s.).

XXXVI

1. Προσθεὶς δὲ Ἐλιοὺς ἔτι λέγει · Μεῖνόν με μικρὸν
ἔτι, ἵνα διδάξω σε · ἔτι γάρ μοι ἔνεστι λέξις. Ἀνα-
λαβὼν τὴν ἐπίστημήν μου μακράν, ἔργοις δέ μου
δίκαια ἐρῶ ἐπ' ἀληθείας · <καὶ οὐκ ἄδικα ῥήματα
5 ἀδίκως συνίεις[a] · > Τοῦτ' ἔστιν · τὰ ἐπὶ τῶν ἔργων
αὐτῶν ἐκβαίνοντα δίκαια λέγω · οὐχὶ ῥήματα ταῦτά ἐστιν,
οὐδὲ λόγοι.

2. <Εἶτα, μετὰ πολλά φησιν · > Ἀλλὰ φύλαξαι · μὴ
πράξῃς ἄδικα[b]. [...] Οὐκ εἶπεν ὅτι · ἔπραξας. [...]
Μνήσθητι οὖν, Ἰώβ, ὅτι μεγάλα ἐστὶ αὐτοῦ τὰ ἔργα
ὧν ἦρξαν ἄνδρες · πᾶς ἄνθρωπος εἶδεν ἐν ἑαυτῷ ὅσοι
5 τιτρωσκόμενοί εἰσι βροτοί[c]. Τοῦτ' ἔστιν · ἀπολλύμενοι
καθ' ἑκάστην ἡμέραν, πόσους ἀναιρεῖ.

3. Ἠρίθμηται δὲ αὐτῷ ὑετοῦ σταγόνες[d]. Ἐνταῦθα
τὴν πρόνοιαν. Ἐσκίασεν δὲ νέφη ἐπὶ ἀμυθήτων βροτῶν.

1, 1 προσθεὶς : ὑπολαβών p ‖ δὲ > p ‖ ἔτι ἐλιοὺς ∼ p ‖ 2 μοι ἔνεστι : ἐν
ἐμοὶ ἐστὶ p ‖ 4 ἐρῶ δίκαια ∼ p ‖ 6 δίκαια ἐκβαίνοντα ∼ p ‖ ἐστιν ταῦτα ∼
p

2, 1 εἶτα — φησιν > p ‖ 3 οὖν ἰώβ > p ‖ Hic post ὅτι με-] γάλα iterum L
‖ αὐτοῦ ἐστί ∼ L ‖ 5-6 τοῦτ' ἔστιν — ἀναιρεῖ > p

3, 1 ἠρίθμηται : ἀρίθμηται p ‖ αὐτῷ : αὐτοῦ p ‖ σταγόνες ὑετοῦ ∼ p ‖ 1-2
ἐνταῦθα τὴν πρόνοιαν > p ‖ ἐνταῦθα + τὴν γνῶσιν καὶ abcyz

1, 5-7 : τοῦτ' ἔστιν — λόγοι abc, yz
2, 2 : οὐκ — ἔπραξας abc (yz) ‖ 5-6 : τοῦτ' ἔστιν   — ἀναιρεῖ abc
3, 1-6 : ἐνταῦθα — διαλέγεσθαι (1 ἐνταῦθα + τὴν γνῶσιν καὶ abcyz) abc
(yz)

---

a. Job 36, 1-4 ‖ b. Job 36, 21 ‖ c. Job 36, 24-25 ‖ d. Job 36, 27

---

1. **M** et **p** intercalent le verset de *Job* 36, 4b entre μὴ πράξῃς ἄδικα et
οὐκ εἶπεν **2, 2** (**p** ne cite ce passage que dans une note de bas de page).

CHAPITRE XXXVI

Suite du discours d'Élius

**Reconnais que mes paroles sont justes
et fondées sur des faits**

1. *Élius poursuivit et ajouta : Attends-moi encore un peu que je t'enseigne, car j'ai encore un mot à dire : je suis allé chercher ma science au loin, et, grâce aux faits, les paroles que j'exprimerai seront justes.* < *Et tu comprenais de manière injuste des paroles qui n'étaient pas injustes*[a 1]. > C'est-à-dire c'est en me basant sur les faits eux-mêmes que j'exprime la justice des événements : ce ne sont là ni des paroles, ni des discours.

2. < Puis, plus loin, le texte poursuit > : *Eh bien! prends garde : ne commets pas d'injustices*[b]. [...] Il n'a pas dit : Tu as commis (des injustices). [...]

Souviens-toi donc, Job, que les œuvres (de Dieu) sont plus grandes[2] *que celles que les hommes ont entreprises : tout homme a vu en lui-même combien de mortels sont blessés*[c]. C'est-à-dire : périssent chaque jour, combien il en supprime.

Devant la sagesse de Dieu, nous ne pouvons qu'adorer

3. *Il a compté les gouttes de pluie*[d]. (Remarque) sur ce point sa providence. *Les nuages ont répandu leur ombre sur des mortels*

Nous avons choisi le texte de **abc**, plus compréhensible et plus logique, en replaçant le verset 36, 4b après ἐπ' ἀληθείας, et en le faisant suivre de son commentaire normal : Τοῦτ' ἔστιν ... οὐδὲ λόγοι. Nous avons aussi fait passer le : Εἶτα μετὰ πολλά φησιν (**2**, 1), avant le verset de *Job* 36, 21a. Il ne se comprenait guère entre *Job* 36, 21 et *Job* 36, 24 où il se trouvait (**2**, 2 après ἔπραξας). Il s'explique parfaitement, au contraire, pour noter l'absence des versets compris entre *Job* 36, 4 et 36, 21.

2. C'est ici que cesse la deuxième lacune de **L** sur le mot μεγάλα. Voir *Introd.* p. 13-14.

Ὥραν δὲ ἔθετο κτήνεσιν, καὶ οἴδασι κοίτης τάξιν[c].
Καίτοι λόγου ἀπεστερημένα, ἀπὸ τῆς φύσεως ἔγνωσαν ·
5 προοιμιάζεται περὶ τούτων περὶ ὧν μέλλει αὐτῷ ὁ Θεὸς
διαλέγεσθαι.

4. Ἐπὶ τούτοις πᾶσι, φησίν, οὐκ ἐξίσταταί σου ἡ
διάνοια[f]; Οὐκ εἶπεν · Οὐ θαυμάζει, ἀλλ' οὐκ ἐξίσταται ·
ὄντως γὰρ ἔκστασις καὶ φρίκη. Πόθεν τὰ ἄλογα τοσαύτην
εὐταξίαν φυλάττει; Ἵνα μάθῃς ὅτι, καὶ σύ, οὐκ ἀπὸ τοῦ
5 λόγου, ἀλλ' ἀπὸ τοῦ τὸν λόγον δεδωκότος κυβερνᾷ.

3 δὲ > p ‖ καὶ οἴδασι : οἴδασι δὲ p ‖ 5 προοιμιάζεται + δὲ p
4, 1 φησίν > p

4, 2-5 : οὐκ εἶπεν — κυβερνᾷ (3 πόθεν : πῶς yz) abc, yχ

innombrables. Il a fixé une heure pour (le repos) des troupeaux, et ils savent l'emplacement de leur litière[e]. Bien qu'ils aient été privés de raison, la nature le leur fait connaître : c'est un préambule à ce dont Dieu va s'entretenir avec Job.

4. *Ta pensée, dit-il, n'est-elle pas stupéfiée de tout cela*[f]? Il n'a pas dit : surprise, mais : «stupéfiée»; car c'est vraiment de stupeur et d'effroi qu'il s'agit. D'où vient que les animaux conservent un ordre si bien organisé? C'est pour que tu saches que, toi aussi, ce n'est pas la raison, mais celui qui t'a donné la raison, qui te gouverne.

e. Job 36, 28a ‖ f. Job 36, 28b

XXXVII

1. Καὶ μετὰ πολλά φησιν ·
   Ἵνα γνῷ πᾶς ἄνθρωπος τὴν ἑαυτοῦ ἀσθένειαν[a]. Διὰ
τοῦτο, φησίν, οὕτω μεγάλα αὐτοῦ τὰ δημιουργήματα, διὰ
τοῦτο τὸ ψῦχος καὶ καῦμα, διὰ τοῦτο ἀέρων ἀνωμαλία. Μὴ
5 γὰρ οὐκ ἐνῆν γενέσθαι κρᾶσιν ἀρίστην; Ἀλλ᾽ ἵνα παντόθεν
κωλύσῃ τοῦ φρονήματος τὸ ὑπερέχον καὶ διανιστάμενον.
«Ἵνα γνῷ πᾶς ἄνθρωπος τὴν ἑαυτοῦ ἀσθένειαν.» «Κατὰ
πρόσωπον ψύχους αὐτοῦ», φησί, «τίς ἀντιστήσεται[b];» Καὶ
πᾶσα ἡ κτίσις πρὸς τοῦτο δεδημιούργηται, καὶ πάντα διὰ
10 ταῦτα γέγονεν. Ἐπειδὴ γὰρ τοῦτο, μάλιστα πάντων, ἐξέβαλεν τῆς τοῦ Θεοῦ παρρησίας, πάντα πρὸς τὸ ἐναντίον
κατεσκεύασεν ὁ Θεός, καὶ τὴν κτίσιν, καὶ τὴν κατασκευὴν
τοῦ σώματος, καὶ τὴν τοῦ βίου διαγωγήν, ὥστε πάντα
ταῦτα διὰ ταπεινοφροσύνην, ἵνα μάθωμεν μετριάζειν, καὶ
15 ἵνα τὴν ἀσθένειαν ἐπιγνῶμεν τὴν ἑαυτῶν · ἵνα λέγωμεν
κατὰ τὸν Ἀβραάμ · «Ἐγὼ δέ εἰμι γῆ καὶ σποδός[c]» · ἵνα
λέγωμεν κατὰ τὸν Δαυίδ · «Ἐγὼ δέ εἰμι σκώληξ καὶ οὐκ
ἄνθρωπος[d]» · ἵνα λέγωμεν κατὰ τὸν ἀπόστολον ὅτι «ἐμοὶ
ὡσπερεὶ τῷ ἐκτρώματι ὤφθη[e]». Ἀσθενῆ αὐτὸν ἐποίησεν
20 καὶ νομίζει ἰσχυρὸς εἶναι · διὸ καὶ ἀσθενέστερος γίνεται. Τὰ

1, 1 καὶ — φησιν > pabcyz ‖ 4 τὸ > p ‖ καῦμα : καῦσος p ‖ 5 κρᾶσιν :
κλῆσιν (? fortasse κτίσιν Young in mg.) abcyz ‖ 8 ἀντιστήσεται : ὑποστήσεται
p ‖ 10-11 ἐξέβαλεν (p) : ἐξέβαλλεν LM ‖ 13-14 ταῦτα πάντα ~ L ‖ 19 αὐτὸν
(pabc) : ἑαυτὸν LM

1, 2-7 : διὰ τοῦτο — ἀσθενείαν (3 οὕτω > yz; 5 κρᾶσιν : κλῆσιν abcyz)
abc, yz ‖ 11-15 : πάντα — ἑαυτῶν (13-14 ὥστε — ταπεινοφροσύνην > yz)
abc, yz ‖ 15-20 : ἵνα — γίνεται abc

a. Job 37, 7 ‖ b. Ps. 147, 6 ‖ c. Gen. 18, 28 ‖ d. Ps. 21, 7 ‖ e. I Cor.
15, 8

1. Une fois encore, l'expression καὶ μετὰ πολλά φησιν indique que
Chrysostome renonce à commenter les versets 1-7a de ce nouveau
chapitre.

CHAPITRE XXXVII

FIN DU DISCOURS D'ÉLIUS

Tout dans la création nous invite à l'humilité

1. Et plus loin, le texte poursuit[1] :

Afin que tout homme connaisse sa propre faiblesse[a]. C'est la raison, dit-il, de la grandeur de ses créations, la raison du froid et de la chaleur, la raison de l'irrégularité des vents. N'était-il pas possible, en effet, de produire un harmonieux mélange? (Si Dieu ne l'a pas fait), c'est pour empêcher par tous les moyens l'orgueil et la superbe de la pensée. C'est «afin que tout homme connaisse sa propre faiblesse». «Qui peut résister[2], dit l'Écriture, en face de sa froidure[b]?» Et c'est dans ce but que tout l'univers a été créé, et pour cela que tout existe. Puisque c'est cela (l'orgueil), en effet, avant tout, qui a chassé hors (de nous) la confiance en Dieu[3], c'est pour cela que tout a été organisé par Dieu en vue de son contraire, aussi bien la création que la constitution du corps et le cours de la vie, de sorte que tout cela existe pour l'humilité, pour que nous apprenions à nous conduire avec modération et que nous reconnaissions notre propre faiblesse; que nous disions comme Abraham : «Je suis poussière et cendre[c]»; que nous disions comme David : «Je suis un ver et non un homme[d]»; que nous disions comme l'Apôtre : «C'est à moi, comme à l'avorton, qu'il est apparu[e].» Il a créé l'homme faible, et il se croit fort : aussi devient-il plus faible encore. Tantôt donc, Dieu

---

2. **p**, comme toujours, vérifie la citation et corrige ἀντιστήσεται en ὑποστήσεται qui est la leçon du texte reçu. (Cf. Rahlfs, app. crit. *sub Psalmo* 147, 6b).

3. Peut-être y a-t-il, dans cette disparition chez l'homme de la παρρησία en face de Dieu, une allusion au mensonge d'Adam après la chute (Cf. *Genèse* chap. 3). C'est un thème familier aux Pères de l'Église; voir LAMPE au mot παρρησία.

μὲν οὖν ὁμοῦ καὶ τὴν δύναμιν αὐτοῦ καὶ τὴν ἡμετέραν
ἀσθένειαν δείκνυσιν, τὰ δὲ τὴν δύναμιν αὐτοῦ μόνον · οὐ
γὰρ μόνον βούλεται πανταχοῦ μετὰ τοῦ λυπεῖν ἡμᾶς,
θαυμάζεσθαι παρ' ἡμῶν, ἀλλ' ἔστιν ὅπου καὶ ἀνίησιν ἡμῶν
25 τὴν διάνοιαν.

2. Καὶ μετὰ πολλά φησιν · **Σοῦ δὲ ἡ στολὴ θερινή,
ἡσυχάζεται δὲ ἐπὶ τῆς γῆς**[f]. Ἤτοι τοῦτό φησιν ὅτι ἐν
ὀδύναις εἶ νῦν, ἀλλ' ὕστερον ἀναπαύσῃ – καὶ τοῦτο τῆς τοῦ
Θεοῦ σοφίας, τὸ λύσιν τινὰ καὶ πέρας ἐπινοῆσαι τοῖς
5 ἀνθρωπίνοις κακοῖς τὸν θάνατον –, ἢ ὅτι, εἰ καὶ ἐν κακοῖς
εἶ, μάχης καὶ πολέμου καὶ ταραχῆς ἐκτὸς ἔστηκας, καὶ
τούτῳ σε τιμωρεῖται τῷ τρόπῳ.

3. Διὰ τί; Δίδαξόν με, φησίν, **τί ἐροῦμεν αὐτῷ · καὶ
παυσόμεθα πολλὰ λέγοντες**[g]. Τοῦτ' ἔστι · διὰ τί ταῦτα
γέγονεν; Μὴ δυνάμεθα αὐτὸν ἐρωτῆσαι; Οὐδὲν λέγω,
φησίν, ἂν ταῦτα μόνον δυνηθῶμεν μαθεῖν.

4. Μὴ βίβλος, φησίν, **ἢ γραμματεύς μοι
παρέστηκεν, ἵνα ἄνθρωπον ἐστὼς κατασιωπήσω**[h]; Μὴ
γὰρ ἀπὸ βιβλίου, φησί, ταῦτα λέγομεν πρὸς αὐτόν; Μὴ
γὰρ ἄνθρωπός ἐστιν; Οὐχ ὁρᾷς ἀντὶ γραμμάτων τὴν

---

23 τοῦ : τὸ p ‖ λυπεῖν : λείπειν LM
2, 1 καὶ — φησιν > p ‖ θερινή : θερμή p ‖ 2 ἤτοι > p ‖ 3 τοῦτο + δὲ p
3, 1 φησίν > p ‖ 3 οὐδὲν + ἔτι p ‖ 4 δυνηθῶμεν : δυνήθω L
4, 1 φησίν > p ‖ 2 ἐστὼς : ἑστηκὼς p ‖ 3 βιβλίου (LMabc) : βίβλου pyz
‖ ταῦτα : πάντα p

2, 2-5 : τοῦτο — θάνατον abc, yz
3, 2-4 : τοῦτ' ἔστι — μαθεῖν abc, yz
4, 2-5 : μὴ γὰρ — βοῶσαν *abc, yz*

f. Job 37, 17 ‖ g. Job 37, 19 ‖ h. Job 37, 20

1. Il est clair que la leçon de **LM** : λείπειν ne peut être qu'un itacisme
pour λυπεῖν (cf. **p**). Les itacismes n'indiqueraient-ils pas un texte écouté
et mal transcrit ?
2. Il est intéressant de noter que la chaîne **abc** donne plusieurs
extraits de ce premier paragraphe, séparés par les mots καὶ μετὰ ὀλίγα :

montre en même temps sa puissance et notre faiblesse, tantôt seulement sa puissance : en effet, non seulement il veut que, toujours, en même temps qu'il nous afflige[1], nous l'admirions, mais il y a aussi des cas où il suscite notre réflexion[2].

2. Et, bien plus loin, le texte poursuit : *Ta robe est brûlante*[3], *et (pourtant) la tranquillité existe sur la terre*[f]. Ou bien il veut dire : Tu es maintenant dans les souffrances, mais plus tard, tu te reposeras – c'est là aussi le propre de la sagesse divine d'avoir prévu la mort comme une solution et un terme aux maux des hommes –; ou bien (il veut dire) : même au milieu des épreuves, tu restes placé hors du combat, de la guerre et des troubles, et c'est de cette façon qu'il te punit[4].

Comment répondre avec des mots à la sagesse de Dieu?

3. *Pourquoi? Enseigne-moi,* dit-il, *ce que nous lui dirons, et nous cesserons de multiplier nos discours*[g]. C'est-à-dire : Pourquoi cela est-il arrivé? Pouvons-nous l'(Dieu) interroger? Je ne dis plus rien, dit-il, pourvu que nous puissions être renseignés là-dessus.

4. *Ai-je un livre,* dit-il, *ou un scribe à mes côtés, pour que, me tenant bien droit, je puisse réduire un homme au silence*[h]? Est-ce d'un livre, en effet, dit-il, que nous tirons les paroles que nous lui adressons? Car est-il un homme? Ne comprends-

---

«et un peu plus loin». L'auteur a donc le texte complet sous les yeux, et ce texte est notre texte.

3. θερμή est la seule leçon donnée par le texte reçu. **L** et **M** présentent une leçon originale θερινή, que nous conservons.

4. On peut rapprocher ces lignes d'un passage parallèle, *Job* 33, 18, qui explique que «Dieu empêche l'homme de mourir, et de tomber au combat». Voir le commentaire de ce verset, p. 165 s.

5 δημιουργίαν πᾶσαν πανταχοῦ βοῶσαν; «Κατασιωπήσω,
φησί, ἄνθρωπον;» Ἀλλ' ἀντιφθέγγεται ἡ κτίσις πανταχοῦ,
γῆς οὔσης καὶ φαινομένης. Φέρω γράμματα καὶ κατηγορίαν; Ἀλλ' αὐτὸς φέρει τὴν οἰκουμένην ἅπασαν · ὥστε οὐκ
ἦν, φησίν, ἀπὸ ῥημάτων διαλεχθῆναι πρὸς τὸν Θεόν, οὐδ'
10 ἀντιφθέγξασθαι ταῦτα πάντα. Οὕτω λοιπὸν ὁ Θεὸς ὅρα
πῶς εὐκαίρως ἐπεισῆλθεν, προοδοποιήσαντος τοῦ δούλου,
καὶ περὶ τῆς σοφίας αὐτοῦ διαλεχθέντος καὶ καταστεί-
λαντος.

5 πᾶσαν : πᾶσι p ‖ 7-8 καὶ κατηγορίαν : κατηγορίας p ‖ 8-9 οὐκ ἦν : οὐκ
ἔνι p

tu donc pas que, à la place des caractères d'écriture, c'est la création tout entière qui crie partout ? «Faut-il que je réduise, dit-il, un homme au silence ?» Mais c'est la création qui réplique de toutes parts, puisque la terre existe, et on la voit. Faut-il que j'arrive avec un dossier et une accusation ? Mais lui, c'est l'univers tout entier qu'il apporte : aussi, n'était-il pas possible, dit-il, de s'appuyer sur des mots pour argumenter contre Dieu, et de lui répliquer tout cela. Ainsi, vois donc comment Dieu, par la suite, est intervenu à propos, car son serviteur lui a frayé le chemin, lui qui a discouru sur sa sagesse et remis les choses au point.

1. **Μετὰ δὲ τὸ παύσασθαι,** φησίν, **Ἐλιοῦν τῆς δια-λέξεως, εἶπεν ὁ Κύριος τῷ Ἰὼβ διὰ λαίλαπος καὶ νέφους**[a]. Ἐμοὶ δοκεῖ νέφος ἐπιστῆσαι τῷ δικαίῳ τότε ἐκείνῳ, ὥστε αὐτοῦ διαναστῆσαι τὴν διάνοιαν, καὶ πεῖσαι
5 ὅτι «ἄνωθεν» αὕτη φέρεται «ἡ φωνή», καθάπερ «τὸ ἱλαστήριον ἐπὶ τῆς κιβωτοῦ[b]». Ἐπειδὴ γὰρ σύμβολον οὐρανοῦ νέφος, ὡσανεὶ αὐτὸν ἐπιστῆσαι τὸν οὐρανὸν βουλό-μενος τῷ Ἰώβ, οἱονεὶ τὸν θρόνον αὐτὸν ἤγαγεν πλησίον αὐτοῦ. Τοῦτό μοι δοκεῖ καὶ «ἐπὶ τοῦ ὄρους» γενέσθαι, ὅτε
10 «νεφέλη[c]» ἐπέστη, ἵνα μάθωμεν ὅτι «ἄνωθεν ἡ φωνή[d]». Ἀκούωμεν δὴ μετὰ ἀκριβείας, ἐπειδὴ ὁ κοινὸς τῶν ὅλων δεσπότης φθέγγεται. Ἴδωμεν πῶς αὐτὸν παρακαλεῖ. Ἆρα μετὰ τοσαύτης σφοδρότητος μεθ᾽ ὅσης ἄνθρωποι; Οὐδαμῶς. Ἐκείνων, ἀγαπητέ, τῶν προτέρων ὧν ὠδίναμεν
15 λύσιν εὑρεῖν τῶν φορτικῶς λεγομένων παρὰ τοῦ Ἰώβ, νῦν εὑρίσκομεν σαφεστάτην τὴν λύσιν· ἴδωμεν τί ἐγκαλεῖ αὐτῷ.

2. **Τίς οὗτος ὁ κρύπτων με,** φησί, **βουλὴν, συνέχων δὲ ῥήματα ἐν καρδίᾳ, ἐμὲ δὲ οἴεται κρύπτειν**[e]; Ὁρᾷς τί ποιεῖ; Ἐμοὶ δοκεῖ ἀπὸ τῶν ῥημάτων τούτων στοχα-

---

1, 1 φησίν > p ‖ 1-2 διαλέξεως : λέξεως p ‖ 3 νέφους : νέφων p ‖ 7-8 βουλόμενος τὸν οὐρανὸν ∼ p ‖ 8 οἱονεὶ (pabcyz) : ὡς ἂν εἰς (ὡσανεὶ ?) LM ‖ 9 ὅτε + ἡ p ‖ 10 μάθωμεν (LMp) : μάθωσιν abcyz ‖ 11 δὴ : δὲ p ‖ 15 φορτικῶς p : φιλαρτικῶς LM ‖ 16 ἴδωμεν + οὖν p
2, 1 φησί > p ‖ 3 τούτων (pabcyz) > LM

1, 4-10 : ὥστε — φωνή (transp. 4-6 ὥστε — κιβωτοῦ post 9 inter αὐτοῦ et τοῦτο abcyz) abc, yz
2, 2-17 : ὁρᾷς — ἐλεγκτικῶς (11 προτέροις abcyz) abc, yz

a. Job 38, 1 ‖ b. Nombr. 7, 89 ‖ c. Cf. Ex. 19, 16 ‖ d. Cf. Nombr. 7, 89; Matth. 17, 1-5 ‖ e. Job 38, 2

CHAPITRE XXXVIII

INTERVENTION DE DIEU

Crois-tu que j'ignore ce que tu penses?

1. *Quand Élius,* dit le texte, *eut fini de discourir, le Seigneur parla à Job à travers l'ouragan et la nuée*[a]. A mon avis, il a disposé à ce moment une nuée au-dessus de ce juste pour élever sa pensée, et (le) persuader que «cette voix» venait «d'en-haut», comme (dans le cas) du «Propitiatoire, placé au-dessus de l'arche d'alliance[b]». Comme la nuée est, en effet, un symbole du ciel, c'est comme si (Dieu) voulait placer le ciel lui-même au-dessus de Job, comme s'il avait amené son trône auprès de lui. C'est ce qui, me semble-t-il, est arrivé aussi «sur la montagne» quand «la nuée[c]» s'y posa, pour nous apprendre que «la voix venait d'en-haut[d][1]». Écoutons donc scrupuleusement, puisque c'est le maître commun de l'univers qui s'exprime. Voyons comment il exhorte Job. Le fait-il avec autant de véhémence que les hommes? Pas du tout. De toutes les questions précédentes, bien-aimé, que Job soulevait de manière choquante[2] et dont nous avons souhaité trouver la solution, c'est maintenant que nous la trouvons, très clairement. Voyons ce qu'il lui reproche!

2. *Qui est donc celui qui me cache son dessein,* dit-il, *en retenant ses paroles dans son cœur, et qui croit se cacher de moi[e]*? Vois-tu ce qu'il a fait? Il me semble, à en juger par ces paroles, qu'il

---

1. Allusions à la théophanie du Sinaï (*Ex.* 19, 16), puis à la Gloire de Dieu planant sur le Propitiatoire. Quant à la comparaison du ciel avec le trône du Seigneur (l. 8), elle est tirée du *Ps.* 10, 4.
2. Nous avons choisi la leçon de **p** : φορτικῶς. La même idée est reprise en **2**, 10 : «car, si les objections qu'il a osé exprimer sont déjà οὕτω φορτικὰ καὶ ἐπαχθῆ ...».

ζομένω ἕτερόν τι αὐτοῦ τὴν διάνοιαν εἰσιέναι. Ἐπειδὴ γὰρ
5 πολλὰ ἦν, ἃ κατὰ τὴν διάνοιαν ἔσχεν Ἰώβ, καὶ εἰς μέσον
ἐξενεγκεῖν οὐκ ἐτόλμα, ἀπὸ τούτου πρώτου διανίστησιν αὐτόν, καὶ δείκνυσιν ὅτι προνοεῖ τῶν ἀνθρωπίνων
πραγμάτων, καὶ πάντα οἶδεν σαφῶς· ὥστε ἀπὸ τῶν
προτέρων ἐκείνων ἄρχεται, τῶν μᾶλλον ἀσυγγνώστων· εἰ
10 γὰρ ἅπερ ἐτόλμησεν εἰπεῖν οὕτω φορτικὰ καὶ ἐπαχθῆ,
πολλῷ μᾶλλον ἐκεῖνα. Διὰ τοῦτο πρότερον αὐτοῖς ἐπιτίθησι
τὸ φάρμακον. «Τίς οὗτος;» φησίν. Ὁμοῦ, ἐκ προοιμίων
δείκνυσιν τὸ μέσον τοῦ Θεοῦ οἷον. «Τίς ὁ κρύπτειν με»
ἐπιχειρῶν, εἰπέ μοι, τὸν τὰ ἀπόρρητα μετὰ ἀκριβείας
15 εἰδότα. Μὴ γάρ, ἐπειδὴ οὐκ εἶπες αὐτά, οὐχὶ ῥήματά
ἐστιν; Ἐτέχθη καὶ γέγονε λόγος, εἰ καὶ κρύπτεις. Ὁρᾷς
πῶς ἡμέρως, πῶς διορθωτικῶς καὶ ἐλεγκτικῶς.

**3. Ζῶσαι ὥσπερ ἀνὴρ τὴν ὀσφύν σου· ἐρωτήσω δέ
σε, σὺ δέ μοι ἀποκρίθητι[f].»** Ἐπειδὴ καταβεβλημένος ὑπὸ
τῆς ἀθυμίας ἦν, διανίστησιν αὐτὸν διὰ τῶν ῥημάτων, ὥστε
προσέχειν τοῖς λεγομένοις, καὶ κατὰ ἐρώτησιν προάγει τὸν
5 λόγον, ὅπερ ἐστὶν ἐλεγκτικώτατον. Μάλιστα δείκνυσιν ὅτι
πάντα σοφίᾳ καὶ συνέσει ποιεῖ, καὶ οὐκ ἦν τοῦ τὰ τοσαῦτα
μετὰ σοφίας καὶ συνέσεως ἐργαζομένου, ἄνθρωπον, δι᾽ ὃν
ἅπαντα ἐτεκτήνατο, παριδεῖν καί, ὡς ἔτυχεν, πάσχοντα
κακῶς. Τί λέγεις; φησίν.

4 τὴν διάνοιαν αὐτοῦ ∼ p ‖ 5 ἔσχεν + ὁ p ‖ 11 πρότερον (LMp) :
προτέροις abcyz ‖ 13 τοῦ θεοῦ + καὶ αὐτοῦ p ‖ 14 ἐπιχειρῶν + ἢ L ‖ 15
ῥήματα : ῥητά p ‖ 17 ἐλεγκτικῶς + φησίν p
3, 5 ἐλεγκτικώτατον : ἐλεγκτικώτερον p ‖ μάλιστα + καὶ p ‖ 6 τὰ > p
‖ 7 σοφίας καί > L ‖ καὶ συνεσέως > p ‖ ἄνθρωπον + παριδεῖν p ‖ 8
παριδεῖν > p ‖ 9 τί λέγεις; φησίν > p

3, 2-9 : ἐπειδὴ — κακῶς abc, yz

f. Job 38, 3

1. L'interprétation de l'expression : «Ceins tes reins...», comme un
signe de la bienveillance divine à l'égard de l'homme, se retrouve chez

entrait quelque chose d'autre dans la pensée de Job. Comme il avait eu, en effet, beaucoup d'idées en tête, et qu'il n'osait pas les exprimer, c'est par là que Dieu commence à le redresser et lui montre qu'il prévoit les actions des hommes, et qu'il sait tout clairement : aussi, commence-t-il par ces premiers doutes qui sont plus impardonnables; car si les objections qu'il a osé exprimer, sont si choquantes et pénibles, à plus forte raison les autres. Aussi est-ce d'abord à elles qu'il applique le remède. «Qui est donc celui-ci?» dit-il. En même temps, dès le début, il montre quelle est la distance qui (nous) sépare de Dieu. «Qui est donc celui-ci», dis-moi, qui essaye «de se cacher de moi», de moi qui sais les secrets avec exactitude? Est-ce que, en effet, du moment que tu ne les a pas exprimées, ce ne sont pas des paroles? Un discours a pris naissance et s'est formé, même si tu le caches. Tu vois quelle douceur, quel souci de redresser et de convaincre!

Tu veux discuter? Réponds-moi

3. *Ceins tes reins comme un brave, et je t'interrogerai; quant à toi, réponds-moi*[f]. Puisque Job était abattu par le découragement, Dieu le remonte par ses paroles[1], pour qu'il fasse attention à ce qui est dit, et il introduit son discours sous forme de questions, ce qui est la meilleure façon de convaincre. Il montre surtout qu'il fait tout avec sagesse et intelligence, et qu'il était impossible à celui qui fait tant de choses avec sagesse et intelligence de négliger l'homme pour lequel il a tout façonné, même quand celui-ci est malheureux, comme c'est le cas. Que dis-tu? dit Dieu.

Chrysostome en *PG* 55, 450 : *Exp. in Psalm*. 142 : «C'est presque comme s'il lui rappelait ses paroles et disait : Tu voulais te présenter à mon tribunal. Eh bien! me voici : je viens pour juger. Tu as vu l'indicible bonté de Dieu; tu as vu cette bienveillance sans limite!»

4. Ποῦ ἦσθα ὅτε ἐθεμελίωσα τὴν γῆν; Ἀπάγγειλόν
μοι, εἰ ἐπίστασαι σύνεσιν. Τίς ἔθετο μέτρα αὐτῆς, εἰ
οἶδας; Ἢ τίς ὁ ἐπαγαγὼν σπαρτίον ἐπ' αὐτῆς; Ἐπὶ
τίνος οἱ κρίκοι αὐτῆς πεπήγασιν; Τίς δέ ἐστιν ὁ
5 βαλὼν λίθον γωνιαῖον ἐπ' αὐτῆς[g]; Τί λέγεις; φησί. Γῆν
μὲν μετὰ ἀκριβείας τοσαύτης ἐστήριξα διὰ σέ, σὲ δὲ
παρόψομαι, δι' ὃν ἐκείνην ἐποίησα; Διὰ τοῦτο οὐ λέγει τῆς
πλάσεως τὴν σοφίαν, καὶ τὴν δημιουργίαν τὴν κατὰ τὴν
κατασκευήν, ἀλλ' ἐκ περιουσίας, ἀπὸ τῆς γῆς, ἀπὸ τοῦ
10 οὐρανοῦ, δεικνὺς ὅτι, εἰ κόσμος, φησί, τοσαύτης ἀπολαύει
προνοίας διὰ σέ, πολλῷ μᾶλλον σύ.

«Ποῦ ἦς», φησίν, «ὅτε ἐθεμελίωσα τὴν γῆν;» πρὸς
τοὺς βουλομένους αὐτὸν ἀπαιτεῖν εὐθύνας καὶ λόγους τῶν
γινομένων, καὶ οὐ στοχαζομένους αὐτοῦ τῆς σοφίας τὸ
15 μεγαλεῖον. Τίς παρήνεσεν; Τίς συνεβούλευσεν; Τίς ἐβοή-
θησεν; Οὐκ εἶπεν · Ὅτε ἐποίησα, ἀλλ' «Ὅτε ἐθεμελίωσα» · καὶ γάρ, αὐτὸ τὸ στῆναι αὐτὴν μεγάλης τέχνης
ἦν, οὐκ ἔχουσαν θεμέλιον, οὐδὲ κρηπῖδα, οὐδὲ ὑπόβαθρον
σώματος · ὄγκον τοσοῦτον ἐναρμόσαι καὶ πῆξαι βεβαίως
20 οὕτως ὡς ἐν τοσούτῳ χρόνῳ μὴ παρασαλευθῆναι.

«Τίς ἔθετο μέτρα αὐτῆς», φησίν, «εἰ οἶδας; Ἢ τίς ὁ
ἐπαγαγὼν σπαρτίον ἐπ' αὐτῆς;» Ἀπόρρητα μανθάνομεν
μυστήρια ὄντως, καὶ τὸ πρὸς τὸν Ἰὼβ λεγόμενον οὐ πρὸς
ἐκεῖνον εἴρηται μᾶλλον ἢ πρὸς ἡμᾶς. «Ζῶσαι ὥσπερ ἀνὴρ
25 τὴν ὀσφύν σου.» Καὶ γὰρ ἡμῖν ταύτης δεῖ τῆς προθυμίας
καὶ τῆς διαναστάσεως. «Τίς τέθεικεν αὐτῆς τὰ μέτρα;»

4, 1 ἦσθα : ἦς p ‖ ὅτε ἐθεμελίωσα : ἐν τῷ θεμελιοῦν με p ‖ ἀπάγγειλον +
δὴ p ‖ 2 ἔθετο + τὰ p ‖ 5 γωνιαῖον : ἀκρογωνιαῖον p ‖ 6 μὲν > p ‖ 7 διὰ
(pabcyz) > LM ‖ 8 δημιουργίαν + καὶ p ‖ 10 εἰ : ὁ p ‖ 13 καὶ λόγους > p
‖ 14 αὐτοῦ τῆς σοφίας : αὐτῷ τῆς φύσεως p ‖ 17 αὐτὸ (pabcyz) : αὐτῷ LM
‖ 18 ὑπόβαθρον : ὑπόβαθραν pabcyz ‖ 21 ἔθετο + τὰ p ‖ φησίν > p

4, 5-11 : τί λέγεις — μᾶλλον σύ abc, yz ‖ 16-20 : οὐκ εἶπεν —
παρασαλευθῆναι abc, yz ‖ 22-26 : ἀπόρρητα — διαναστάσεως abc, yz

g. Job 38, 4-6

Est-ce toi qui as créé la terre et les étoiles?

4. *Où étais-tu quand j'ai jeté les bases de la terre? Réponds-moi, si tu es capables d'intelligence? Qui a fixé ses mesures, si tu le sais? Ou qui a tendu sur elle le cordeau? A quoi sont fixés ses anneaux? Qui a posé sa pierre d'angle[g]?* Que dis-tu? dit Dieu. C'est pour toi que j'ai établi la terre avec un tel soin, et je te négligerais, toi pour qui je l'ai créée! C'est pourquoi Dieu ne souligne pas l'habileté de la création, et la conformité entre la réalisation et la préparation; mais, en partant de la terre, du ciel, il montre avec surabondance que, puisque l'univers, dit-il, jouit, à cause de toi, d'une si grande sollicitude, toi, bien davantage encore.

«Où étais-tu, quand j'ai jeté les bases de la terre?» dit-il en s'adressant à ceux qui veulent lui réclamer des comptes et des explications sur les événements, sans envisager la grandeur de sa sagesse. Qui m'a exhorté? Qui m'a conseillé? Qui m'est venu en aide? Il n'a pas dit : Lorsque je l'ai créée, mais : «Lorsque j'en ai jeté les bases[1]»; et, de fait, la stabilité même de la terre était la preuve d'une grande habileté technique, puisqu'elle n'a pas de base, ni de fondement, ni de support pour sa masse : dire que Dieu a assemblé harmonieusement un tel ensemble et l'a fixé avec une telle solidité que, depuis si longtemps, elle n'a pas été ébranlée!

«Qui a fixé ses mesures, dit-il, si tu le sais? Ou qui a tendu sur elle le cordeau?» Inexprimables, vraiment, sont les mystères que nous apprenons, et ce qui est dit à Job ne s'adresse pas moins à nous qu'à lui. «Ceins tes reins comme un brave.» Et, de fait, c'est nous qui avons besoin de cet encouragement et de ce réconfort. «Qui a fixé

---

1. Sur ce texte scripturaire et son intérêt pour montrer la cohérence du texte biblique de **LM** avec notre commentaire, voir : Introd. sur le texte scripturaire, p. 40.

Ἄρα οὐχ ἁπλῶς τοσαῦτα γεγένηται, οὐδὲ ὡς ἔτυχεν, οὐδὲ
εἰκῇ, ἀλλὰ προετίθει σκοπὸν ὁ Θεὸς ὅρων σύμμετρον·
οὕτως ἐποίησεν καθάπερ ἀριστοτέχνης ἄριστος, τοσαύτην
30 γὰρ ἔδει γενέσθαι, καὶ οὔτε ἐλάττονα, οὔτε πλείονα· τὸ δὲ
διὰ τί ἡμῖν μὲν οὐκ ἦν δυνατὸν συνιδεῖν, τῷ δὲ πεποιηκότι
μόνῳ· μετὰ γὰρ τοσαύτης ἀκριβείας αὐτὴν ἐποίησεν,
ὡσπερανεί τις σπαρτίον ἐκτείνας, καί, ἐμοὶ δοκεῖ, εἰ καὶ τὸ
τυχὸν προστεθῇ, ἄκαιρον εἶναι, καὶ εἰ τὸ τυχὸν ἀφαιρεθῇ,
35 ἄκαιρον εἶναι, καὶ ἄχρηστον ἂν γενέσθαι. Ὥσπερ γὰρ τῇ
συμμετρίᾳ τῶν μελῶν τῶν ἡμετέρων, εἰ προσθείη τις καὶ
τὸ τυχόν, τῷ τε κάλλει λυμαίνεται τοῦ παντὸς σώματος,
καὶ τὴν χρείαν ἐνεπόδισεν, οὕτως, ἐμοὶ δοκεῖ, εἰ πλέθρου
μέτρον προσθείη τις τῇ γῇ πάσῃ, τῷ λόγῳ πᾶσαν αὐτὴν
40 λυμήνασθαι· οὕτω μετὰ ἀκριβείας αὐτῆς τὰ μέτρα διατετύ-
πωται· καὶ οὐκ ἂν ἄλλως σταίη ἢ οὕτως ὥσπερ ὁ Θεὸς
ἐποίησεν. Οὐχ ὡς τούτων γενομένων, οὐδὲ ὡς τοῦ Θεοῦ
σπαρτίον ἐπαγαγόντος, ἀλλ' ὅτι καὶ μέτρον θεῖναι ἀδύνατον
καὶ σπαρτίον ἐπενεχθῆναι, ἀλλ' ὅτι μετὰ τοσαύτης ἀκρι-
45 βείας γέγονεν, μεθ' ὅσης ἂν εἰ ταῦτα ἐγένετο, μᾶλλον δὲ
μετὰ πολλῷ πλείονος· ὅμως δὲ δείκνυσιν ἡμῖν διὰ τούτων
τὴν σοφίαν, διὰ τῶν γνωρίμων ἡμῖν.

«Ἐπὶ τίνος», φησίν, «οἱ κρίκοι αὐτῆς πεπήγασιν;»
Πρῶτον μὲν ἐκκρεμής ἐστιν, φησίν. Ποῖοι κρίκοι αὐτὴν
50 φέρουσιν; Πάλιν, οὐχ ὡς τούτων ὄντων, ἀλλ' ὡς ἀσφαλῶς
οὕτω βεβηκυίας αὐτῆς, ὡσπερανεί κρίκοι ἦσαν ἄνωθεν
βαστάζοντες καὶ πεπηγότες. Ἐπειδὴ γὰρ ὁ κρίκος
μετέωρον φέρει τὸ σῶμα, τὸ δὲ μετέωρον οὐχ ἕστηκεν, διὰ

---

27 τοσαῦτα : τοσαύτης abc τοσαύτη ἡ γῆ yz ‖ 28 προετίθει : πρὸς τίνα p
‖ 30 οὔτε p : οὐ LM ‖ 33 καὶ² > p ‖ 34 ἀφαιρεθῇ : ἀφηρέθη p ‖ 35 ἄκαιρον
— γενέσθαι : ὁμοίως τῷ λόγῳ πᾶσαν αὐτὴν λυμήνασθαι (cf. 39-40 ubi
reduplicabitur) p ‖ 39 πάσῃ : πᾶσι L ‖ 39-40 πᾶσαν αὐτὴν λυμήνασθαι : πᾶσι
αὐτὴν λυμανεῖται p ‖ 41 σταίη (Lᵖᶜp) : στέχη LᵃᶜM ‖ ἢ > LM ‖ 42 τούτων
+ τοίνυν p ‖ 44-46 καὶ — πλείονος > p ‖ 46 ἡμῖν > p ‖ 48 φησίν > p
‖ πεπήγασιν + εἶτά φησιν ὅτι p ‖ 49 ποῖοι + γὰρ p ‖ 51 βεβηκυίας :
βεβηκυής M ‖ ὡσπερανεί : ὥσπερ ἂν οἱ L

ses mesures?» Ainsi donc, ce n'est pas sans art que ses
mesures ont été prises, ni au hasard ou à l'aventure, mais
Dieu, quand il les fixait, avait en vue un but harmonieux; il
a agi comme un excellent architecte, car il fallait à la terre
cette grandeur-là, ni plus ni moins; mais le pourquoi, il ne
nous était pas possible de le bien voir, seul le créateur le
pouvait; car il l'a créée avec autant de précision que s'il
avait tendu un cordeau, et, à mon avis, si on lui ajoutait
quoi que ce soit, ce serait déplacé aussi, et elle en
deviendrait inutilisable. En effet, si l'on ajoute même quoi
que ce soit aux proportions de nos membres, non seulement on détruit la beauté du corps tout entier, mais son
usage aussi en est compromis; et bien! de même, me
semble-t-il, si l'on ajoutait la dimension d'un plèthre à la
terre tout entière, c'est la terre tout entière que, par ce
calcul, on détruirait, si grande est la précision avec laquelle
ses mesures ont été prises! et elle ne saurait tenir debout
autrement que de la manière dont Dieu l'a faite. Ce n'est
pas que ces mesures aient été prises ou que Dieu ait tendu
un cordeau, mais il veut dire qu'il est aussi impossible d'en
prendre la mesure que d'y appliquer un cordeau, et qu'elle
a été créée avec la même précision que si l'on avait pris ces
dispositions, et même avec une précision bien plus grande
encore : cependant, c'est à travers ces images qu'il nous
montre sa sagesse – ces images qui nous sont familières.

«A quoi, dit-il, sont fixés ses anneaux?» Il commence
par dire qu'elle est suspendue. Quels anneaux la soutien-
nent? Encore une fois, il ne veut pas dire que ces anneaux
existent, mais que la terre se trouve aussi solidement établie
que s'il y avait des anneaux qui, fixés en haut, la soutien-
nent. C'est, en effet, parce que l'anneau tient en suspens
dans l'air sa masse, et que ce qui est suspendu dans l'air

---

27 : ἄρα — ἔτυχεν *abc, yz* ‖ 33-35 : ἐμοὶ δοκεῖ — εἶναι (abc, yz) ‖ 49-58 :
πρῶτον — τῆς γῆς abc, yz

τοῦτό φησιν · «πεπήγασιν». «Τίς δέ ἐστιν ὁ βαλὼν λίθον
55 γωνιαῖον ἐπ' αὐτῆς;» ὅτι οὕτως ἔστηκεν ἑδραῖα ὥσπερ ἐπ'
οἰκοδομῆς, ἐπ' ἀσφαλείᾳ βεβηκυῖα θεμελιώσεως, τῇ βου-
λήσει τοῦ Θεοῦ. «Ἐν τῇ γὰρ χειρὶ αὐτοῦ πάντα τὰ πέρατα
τῆς γῆς[h].»

5. **Ὅτε ἐγενήθησαν ἄστρα, ᾔνεσάν με φωνῇ μεγάλῃ
πάντες ἄγγελοί μου**[i]. Ἀπὸ τούτου δῆλον ὅτι πρῶτοι οἱ
ἄγγελοι τοῦ κόσμου τούτου γεγένηνται. «Καὶ φωνῇ μεγάλῃ
ᾔνεσαν.» Τοῦτ' ἔστιν · ὑπὸ τῆς ὄψεως αὐτῆς ἐξεπλάγησαν.

6. **Ἔφραξας δὲ θαλάσσης πύλας, ὅτε ἐμαιοῦτο, καὶ
ἐκ κοιλίας μητρὸς αὐτῆς ἐξεπορεύετο**[j]; Τοῦτ' ἔστιν ·
ὅτε ἐγένετο, σὺ αὐτὴν ἐτείχισας; Τίνος δὲ ἕνεκέν φησιν ·
«Ὅτε ἐμαιοῦτο;» Ἵνα δείξῃ ὅτι κατὰ μικρὸν γέγονε,
5 καὶ οὐχ ὁμοῦ οὕτω παρήχθη · παραπέμπει δὴ πρὸς
τὴν διήγησιν τὴν Μωσέως τὸν ἀκροατήν. Καθάπερ
μαιουμένη, οὕτω πρῶτον μὲν διεχύθη, εἶτα διεπλάσθη
καὶ «συνήχθη[k]». Ἵνα γὰρ μὴ νομίσῃς φυσικὸν εἶναι
τοῦτο τὸ κατέχεσθαι αὐτὴν ἐν τοῖς κόλποις ἐκείνοις,
10 τὸ ἐναντίον πρῶτον ἀφίησι γενέσθαι, ὑπὲρ νώτων τῆς
οἰκουμένης ἁπάσης διαχυθῆναι συγχωρήσας τὸ ὕδωρ. Τοῦτο
δὲ καὶ ἐπὶ τῶν ἄλλων στοιχείων ἐποίησεν. Τῇ γὰρ διακοσμήσει τῇ μετὰ ταῦτα γίνεσθαι μελλούσῃ, τὴν προτέραν
ἔδειξεν κατάστασιν, οἷον ἐπὶ τῆς γῆς · ὅτι γὰρ ὁμιλοῦσα
15 ὕδασιν ἔμελλεν εἶναι πηλός, ἐδήλωσεν ἡ πρώτη καταβολὴ

56 ἐπ' ἀσφαλείᾳ : ἐπ' ἀσφαλοῦς p ǁ βεβηκυῖα : βεβηκυίας p ǁ 57 γὰρ τῇ
~ L

5, 1 ἐγενήθησαν + ἅμα p ǁ φωνῇ μεγάλῃ (Lpabcyz) > M ǁ 2 οἱ > p ǁ 3
γεγένηνται : γεγόνασιν p

6, 1 ἔφραξα δὲ θαλάσσαν πύλαις p ǁ πύλας θαλάσσης ~ L ǁ καὶ > p ǁ 2
ἐξεπορεύετο : ἐκπορευομένη p ǁ 2-3 τοῦτ' ἔστιν — ἐτείχισας > p ǁ 3 δὲ >
p ǁ 5 οὕτω (pabcyz) : τούτῳ LM ǁ δὴ : δὲ p ǁ 6 τὴν² (pabc) : τῶν LM ǁ 7
μαιουμένη + φησιν p ǁ 8 καὶ συνήχθη > p ǁ 10 ἐναντίον + δείκνυσι p
ǁ γενέσθαι + αὐτὴν p ǁ 13 προτέραν : ἐναντίαν πρότερον p ǁ 14-15 ὅτι —
πηλός > p ǁ 15 καταβολὴ : μεταβολὴ p

5, 2-4 : ἀπὸ τούτου — ἐξεπλάγησαν abc, yz

n'est pas stable, qu'il use de l'expression : « Ils sont fixés. »
« Qui a posé sa pierre d'angle ? » Car elle se tient aussi
solidement que sur des fondations, reposant en toute
sécurité sur son fondement, par la volonté de Dieu. « Car
c'est dans sa main que se trouvent toutes les extrémités de
la terre[h]. »

5. *Lorsque les étoiles naquirent, tous mes anges me louèrent à*
haute voix[i]. Voilà qui montre clairement que les anges
furent les premières créatures de cet univers. « Et ils (me)
louèrent à haute voix. » C'est-à-dire : à cette vue, ils furent
frappés d'émerveillement.

Est-ce toi qui as créé la mer
et la maintiens dans ses limites ?

6. *As-tu fermé les portes de la mer, quand elle était enfantée et*
qu'elle sortait du sein de sa mère[j] ? C'est-à-dire : lorsqu'elle
fut créée, l'as-tu entourée d'une digue ? Pourquoi dit-il :
« Quand elle était enfantée » ? C'est pour montrer qu'elle est
apparue progressivement, et qu'ainsi la création ne fut pas
faite d'un seul coup : il renvoie précisément l'auditeur au
récit de Moïse. Comme si elle était enfantée, la mer s'est
d'abord répandue, puis a pris sa forme et « s'est rassem-
blée[k] ». Pour que tu ne croies pas, en effet, qu'il est naturel
pour la mer d'être retenue par ses rives, Dieu laisse d'abord
arriver le contraire, en permettant à l'eau de se répandre
sur la surface de toute la terre. Et il en fit autant pour les
autres éléments. C'est, en effet, la mise en ordre qui devait
intervenir par la suite, qui a montré quel était l'état
antérieur, comme, par exemple, dans le cas de la terre ; en
effet, la première constitution des éléments a montré que la

6, 2-8 : τοῦτ'ἔστιν — συνήχθη (5-6 παραπέμπει — ἀκροατήν > yz) abc,
yz

h. Ps. 94, 4 ‖ i. Job 38, 7 ‖ j. Job 38, 8 ‖ k. Gen. 1, 9

τῶν στοιχείων · ὅτι, μὴ κατεχόμενον, τὸ ὕδωρ ἔμελλεν
πανταχοῦ διαχεῖσθαι, ἡ πανταχοῦ τῆς οἰκουμένης ἐδήλωσεν
θάλασσα · ὅτι, καὶ πρὸ τῶν σπερμάτων, δυνατὸν ἦν τῷ Θεῷ
πάντα ποιῆσαι, καὶ τοῦτο ἔδειξεν, ὅτε καὶ χωρὶς γάμου
20 παρήγαγεν τοὺς πρωτοπλάστους · καὶ τοῦτο ἐδήλωσεν ὅτι,
εἰ μὴ διεκοσμεῖτο τὸ πῦρ, πάντα ἂν κατέφλεξεν · ἔδειξεν
ὅτε «τὸ πῦρ ἔβρεξεν¹». Καὶ ἐπὶ τοῦ ὑετοῦ τοῦ Νῶε –
ἐπειδὴ γὰρ οὐδεὶς παρῆν ἐκείνῃ τῇ διακοσμήσει – ἑτέραν
πάλιν ἐποίησεν. Οὐχ ὅτι μητέρα εἶχεν, οὐδὲ ὅτι ἀπὸ
25 κοιλίας ἐξῆλθεν.

7. Ἐθέμην δὲ αὐτῇ νέφος ἀμφίασιν^m. Μηδὲ τοῦτο
τῆς φύσεως εἶναι νομίσῃς, τοὺς ἀτμοὺς τοὺς ἀπὸ τῶν
ὑδάτων · καὶ τοῦτο ἀπὸ τοῦ ἐμοῦ προστάγματος, φησίν.

8. Ὁμίχλῃ δὲ αὐτὴν ἐσπαργάνωσα^n. Τίνος ἕνεκέν
φησιν · «ἐσπαργάνωσα...»; ᾿Αρα ὡς τῷ βρέφει χρήσιμα τὰ
σπάργανα, οὕτω καὶ τῇ θαλάσσῃ; ῍Η ὅτι ἐξ ἀρχῆς τοῦτο
γέγονεν, ἢ ὅτι τοῦτο αὐτὴν κατέχει, ἢ τὸ θαυμαστὸν
5 δείκνυσιν ὅτι τὸ ῥευστὸν περιέβαλεν ἀέρι, καὶ ὅτι οὐχ ὑπὸ
γῆς μόνον, ἀλλὰ καὶ ὑπὸ ἀέρος κατέχεται, οὔτε πρὸς ὕψος,
οὔτε πρὸς πλαγίαν ἐξενεχθῆναι παρὰ τὸ μέτρον δυναμένη.
Τί δὲ τὸ χρήσιμον; Μεγάλη ἐντεῦθεν ἡ φιλοσοφία. Οὐ γὰρ
ἁπλῶς τὴν ἐπιφάνειάν φησιν, ἀλλ᾿ αὐτὸ τὸ σῶμα τοῦ
10 ὕδατος – διὰ παντὸς ὁμίχλην ἔχει – καὶ μάλιστα τοῦ
θαλαττίου.

9. Ἐθέμην δὲ αὐτῇ ὅρια, περιθεὶς κλεῖθρα καὶ
πύλας^o. Πάλιν ὅτι οὕτως ἀσφαλῶς ἕστηκεν, ὡσανεὶ δεδε-

---

16 στοιχείων + καὶ p ‖ 19 ὅτε : ὅτι LM ‖ 20 τοῦτο + δὲ p ‖ 21 εἰ > L
7, 2 τοὺς² : τῶν L
8, 1-2 τίνος — ἐσπαργάνωσα > p ‖ 2-3 σπάργανα χρήσιμα p ‖ 5
περιέβαλεν : περιέβαλον p

7, 1-3 : μηδὲ τοῦτο — φησίν abc, yz
8, 1-7 : τίνος ἕνεκεν — δυναμένη abc, yz
9, 2-4 : πάλιν — δείκνυσιν abc, yz

terre, au contact des eaux, devait être de la boue ; la mer,
qui était répandue sur tous les points du globe, a montré
que, si l'eau n'était pas contenue, elle devait se répandre
partout ; Dieu a montré aussi que, même avant l'existence
des semences, il lui était possible de tout créer, lorsque,
même sans mariage, il a produit nos premiers parents ; il a
montré aussi que, si le feu n'avait pas été mis à sa place, il
aurait tout consumé ; il l'a montré «quand il a fait pleuvoir
le feu[1]». Et à l'époque du déluge de Noé – puisque, en
effet, personne n'assistait à cette première mise en ordre –,
il en a fait à nouveau une seconde. Mais cela ne veut pas
dire que la mer avait une mère, ni qu'elle est sortie d'un
sein.

7. *J'ai posé sur elle une nuée en guise de vêtement*[m]. Et ne crois
pas que les vapeurs qui montent des eaux sont naturelles :
cela encore, dit-il, est dû à mon ordre.

8. *Je l'ai enveloppée dans les langes d'une vapeur humide*[n].
Pourquoi dit-il : «Je l'ai enveloppée dans les langes...»? La
mer a-t-elle besoin de langes comme un nourrisson ? Il veut
montrer, ou bien qu'il en a été ainsi dès le début, ou que la
mer est ainsi retenue, ou ce fait étrange qu'il ait entouré
d'air l'élément liquide, et que la mer est retenue non
seulement par la terre, mais aussi par l'air, puisqu'elle ne
peut, ni en hauteur ni en largeur, déborder au-delà de ses
limites. Mais, quel est l'intérêt (de cette remarque)? Il
en découle une profonde vérité philosophique. Car elle
n'exprime pas seulement l'apparence, mais la substance
même de l'eau – elle contient toujours de la vapeur – et
surtout l'eau de mer.

9. *Je lui ai imposé des limites, en l'entourant de barrières et de
portes*[o]. Il revient à nouveau sur l'idée qu'elle se tient en

l. Gen. 19, 24 ‖ m. Job 38, 9 ‖ n. Job 38, 9 ‖ o. Job 38, 10

μένη · διὰ μὲν τούτου τὸ ἀσφαλές, διὰ δὲ τοῦ ἑξῆς τὸ
εὔκολον δείκνυσιν.

10. **Εἶπον δὲ αὐτῇ · Μέχρι τούτου ἐλεύσῃ, καὶ οὐχ
ὑπερβήσῃ, ἀλλ' ἐν σεαυτῇ συντριβήσονταί σου τὰ
κύματα**ᵖ. Οὕτω μὲν γὰρ ἀσφαλῶς κατέχει αὐτὴν ὡσανεὶ
κλείθροις, οὕτω δὲ εὐκόλως ὡσανεὶ ἐπιτάξας. Εἶπον γάρ,
5 φησί, καὶ οὐκ ἀντεῖπεν, ὅτι μηδεμιᾶς αὐτὴν ἀνάγκης
ὠθούσης, τοῦτο γίνεται, ἀλλὰ καίτοι πολλῆς τῆς βίας καὶ
τῆς ῥύμης οὕτως αὐτὴν μαστιζούσης. Διὰ γὰρ τοῦτο οὐκ
ἀφῆκεν αὐτὴν εἶναι γαληναίαν, οὐδὲ ἥμερον, ἵνα κηρύττῃ
τοῦ Θεοῦ τὴν ἰσχύν, τῆς φύσεως τῷ προστάγματι μαχο-
10 μένης, καὶ τοῦ προστάγματος πανταχοῦ νικῶντος. Εἰ γὰρ
ἥμερον ἦν τὸ ὕδωρ, τῇ φύσει τοῦ ὕδατος τὴν εὐταξίαν ἂν
ἐλογίσαντο πολλοί · νῦν δὲ ταραττομένης, ὠθουμένης ἔνδον,
καὶ τὰ ὅρια ὑπερβῆναι μὴ δυναμένης, διὰ τῆς ταραχῆς
κηρύττει τοῦ Θεοῦ τὴν ἰσχύν. «Ἀλλ' ἐν σεαυτῇ συντριβή-
15 σεταί σου τὰ κύματα.»

11. Πάλιν ἐντεῦθεν ἐπὶ τὸν οὐρανὸν αὐτὸν εἵλκυσεν,
πρότερον ἐκ τῶν κάτω διαλεχθείς.

Ἐπί σου, φησί, **τέταχα φέγγος πρωινόν**ᵍ. Ἔστι γὰρ
καὶ νυκτερινόν, τὸ σεληναῖον. **Ἑωσφόρος δὲ ἐπεῖδεν τὴν
5 ἑαυτοῦ τάξιν**ʳ, τῶν ἀστέρων ὁ πρῶτος. Ὅρα καὶ ἐκεῖ τὴν
εὐταξίαν · ἀπὸ τῶν ὑδάτων ἔμαθες ὅτι καὶ ἐν οὐρανῷ, οὐ

9, 3 μὲν + οὖν p
10, 1 εἶπον : εἶπα p ‖ 2 συντριβήσονται (LMp) : συντριβήσεται abcyz
‖ σου > L ‖ 5 οὐκ ἀντεῖπεν : οὐκ ἔστιν ἀντειπεῖν abcyz ‖ ὅτι : ὡς τὸ p ‖ 8
γαληναίαν : γαληναίαν pabcyz ‖ 12 ἐλογίσαντο + οἱ p ‖ 14-15 ἀλλ' ἐν
σεαυτῇ — κύματα > p
11, 4 ἐπεῖδεν (Lp) : ἐφεῖδεν M

10, 3-15 : οὕτω — κύματα (6-9 ἀλλὰ — ἰσχύν > a) abc, yz
11, 1-10 : πάλιν — γινομένων abc, yz

p. Job 38, 11 ‖ q. Job 38, 12 ‖ r. Job 38, 12

1. La leçon συντριβήσεται (**abcyz**) est aussi la seule leçon du texte de

place aussi tranquillement que si elle était attachée : par là, il montre comme la mer est sûre ; par ce qui suit, comme elle est docile.

10. *Je lui ai dit : Tu iras jusque-là, et pas plus loin, et tes vagues se briseront*[1] *en toi-même*[p]. Il la maintient donc aussi solidement que par des barrières, et dans des dispositions de docilité aussi parfaites que s'il lui avait donné des ordres. J'ai parlé, en effet, dit-il, et elle n'a pas répliqué, parce que cela se produit, non seulement lorsque aucune contrainte ne l'entraîne, mais même si la violence d'une force déchaînée la fouaille très fort. S'il ne lui a pas permis, en effet, de rester paisible et calme, c'est pour qu'elle proclame la puissance de Dieu, puisque sa nature lutte contre son commandement, mais que partout c'est son commandement qui l'emporte. Si l'eau, en effet, restait calme, bien des gens auraient attribué sa tranquillité à la nature de l'eau ; mais comme, en réalité, elle est agitée, soulevée de l'intérieur, sans pouvoir, pour autant, franchir ses limites, son agitation proclame la force de Dieu. « Et tes vagues se briseront en toi-même. »

Est-ce toi qui as créé la lumière ?

11. A nouveau, à partir de là, (Dieu) a entraîné Job vers le ciel, après avoir commencé son discours par les choses d'ici-bas.

Au-dessus de toi, dit-il, *j'ai placé la lumière du matin*[q]. C'est qu'il y a aussi, en effet, la lumière de la nuit, celle de la lune. *Et l'étoile du matin a aperçu son poste*[r], elle, le premier des astres. Observe, ici encore, la belle ordonnance : par l'exemple des eaux, tu as compris que, dans le ciel aussi, ce

---

Job et Rahlfs ne signale pas de variante. La leçon συνθριβήσονται que donnent **LMp** est sans doute une erreur de copiste, car nous retrouvons συντριβήσεται en 10, 14-15.

φύσει τὰ πράγματα οἰκονομεῖται, ἀλλὰ προνοίᾳ Θεοῦ. Εἰ
γὰρ ἐν ῥευστῇ φύσει καὶ ἀτάκτῳ, τοσαύτη μὲν εὐταξία,
τοσοῦτος δὲ ῥυθμός, ὅταν ἴδῃς καὶ ἐν οὐρανῷ τοῦτο,
10 ἀναμνήσθητι τοῦ αἰτίου τῶν γινομένων.

12. Ἐπιλαβέσθαι, φησί, πτερύγων γῆς[s]. Τοῦτ' ἔστι ·
περιπολεῖν. Τί ἐστιν · « Ἐπιλαβέσθαι»; Ὅτι, ὅπου ἂν ᾖ, τὸ
φῶς ἐκεῖ πανταχοῦ τῆς οἰκουμένης ἐκπέμπει καὶ τοῖς εἰς
τὰ πέρατα, ὥστε οὐδὲν θαυμαστὸν περὶ τοῦ ἡλίου τοῦτο,
5 ὅπου γε καὶ ἐν τοῖς ἄστρασι τοῦτό ἐστιν · καὶ τί τὸ κέρδος;

13. Καὶ ἐκτινάξει ἀσεβεῖς, φησίν, ἀπ' αὐτῆς[t]. Περὶ
τῶν λῃστῶν καὶ τυμβωρύχων, καὶ τῶν ἄλλων ἁπάντων
λέγει τῶν τῇ νυκτὶ πρὸς τὴν ἰδίαν κεχρημένων πονηρίαν..
Εἶτα τὸ πάντων μεῖζον ·

14. Ἢ σὺ λαβὼν πηλὸν ἔπλασας ζῷον καὶ λαλητὸν
ἔθου αὐτὸ ἐπὶ τῆς γῆς[u]; Ὅθεν δῆλον ὅτι τὰ ἄλλα οὐκ
εἶχεν τοῦτο · οὐ γὰρ ἂν ὡς ἐξαίρετον αὐτὸ τῷ ἀνθρώπῳ
προσῆψεν ἀπὸ τῆς ψυχῆς φωνὴν τοιαύτην, εὔρυθμον καὶ
5 ἐναρμόνιον. Ὁρᾷς ὅτι οὔτε τοῖς ἄστροις οὔτε τοῖς ἄλλοις
μαρτυρεῖ τοῦτο. Εἶτά φησιν ·

15. Ἀφείλω δὲ ἀσεβῶν τὸ φῶς, καὶ βραχίονα ὑπε-

10 τῶν γινομένων : τούτων γινομένου pabcyz
12, 1 φησί > p ‖ 1-3 τοῦτ' ἔστι — ἐκπέμπει : περιπολῇ ἐπιλαβέσθαι
τοῦτ' ἔστιν ὅπου ἂν ᾖ τὸ φῶς τοῖς πανταχοῦ τῆς οἰκουμένης ἐκπέμπῃ p ‖ 5
ἄστρασι (LMabcyz) : ἄστροις p (cf. 14, 5)
13, 1 καὶ > p ‖ φησίν, ἀσεβεῖς ~ p ‖ 4 εἶτα + λέγει p
14, 1 λαβὼν + γῆς p ‖ 2 αὐτὸ ἔθου ~ p ‖ 3 ἂν ὡς (pabcyz) : ὡς ἂν LM
15, 1 ἀφείλω : ἀφείλες p ‖ δὲ + ἀπὸ p ‖ καὶ βραχίονα : βραχίονα δὲ p

12, 1-5 : τοῦτ' ἔστι — κέρδος (5 καὶ[2] — κέρδος > yz) abc, yz
13, 1-3 : περὶ — πονηρίαν abc, yz
14, 2-6 : ὅθεν — μαρτυρεῖ τοῦτο (4-6 ἀπὸ — τοῦτο > yz) abc (yz)

s. Job 38, 13 ‖ t. Job 38, 13 ‖ u. Job 38, 14

1. LM ont : οὐ γὰρ ὡς ἂν; nous avons, avec pabcyz, rétabli l'ordre
normal des mots : οὐ γὰρ ἂν ὡς.

n'est pas la nature qui règle les choses, mais la providence
de Dieu. Si, en effet, (la mer), une substance fluide et
rebelle, offre une telle ordonnance, une telle régularité,
quand tu en constates autant dans le ciel, souviens-toi de
celui qui en est l'auteur.

12. *Pour que,* dit-il, *(l'étoile du matin) saisisse les ailes de la*
terre[s]. C'est-à-dire : pour en faire le tour. Que signifie :
«Pour qu'elle saisisse...»? Que, partout où elle se trouve,
l'étoile du matin envoie là sa lumière, partout sur la terre,
même à ceux qui sont aux extrémités (du monde), si bien
que cela n'a rien de surprenant pour le soleil, puisque cela a
lieu aussi pour les astres; mais, quel est l'intérêt (de cette
lumière)?

13. *Alors,* dit-il, *elle en chassera les impies*[t]. Il veut parler
des brigands, des pilleurs de tombes, et de tous les autres
qui mettent la nuit à profit pour donner libre cours à leur
perversité. Ensuite, voici le plus beau de tout :

Est-ce toi qui as créé l'homme
et lui as donné la parole?

14. *Est-ce que tu as, toi, pris de la boue pour façonner un être*
vivant, et l'as-tu placé sur la terre, après l'avoir doué de parole[u]?
Ce qui prouve clairement que les autres êtres ne possé-
daient pas ce don : car, après lui avoir donné son âme, Dieu
n'aurait pas ajouté[1] ce don à l'homme comme un privilège
exceptionnel, cette voix, si bien rythmée et si harmonieuse.
Tu vois qu'il ne rend ce témoignage ni aux astres, ni aux
autres êtres. Puis il poursuit :

Les secrets de la mer et de la mort

15. *As-tu retiré la lumière aux impies, et as-tu broyé le bras*

ρηφάνων συνέτριψας; Ἦλθες- δέ, φησίν, ἐπὶ πηγὴν
θαλάσσης[v]; Πάλιν ἐπὶ τὴν θάλασσαν τὸν λόγον μετή-
γαγεν, οὐχ ὡς πηγὴν τῆς θαλάττης ἐχούσης, ἀλλ᾽ ὡς
5 μὴ ἐλλειπούσης, καθάπερ πηγὴν ἐχούσης.

16. Εἶτα τὸ ἄπορον αὐτῆς. Ἐν δὲ ἴχνεσι, φησίν,
ἀβύσσου περιπατήσας[w]; Οὐ λέγω ὅτι οὐδὲν δύνασαι
ποιῆσαι ὧν ἐποίησα, ἀλλ᾽ οὐδὲ οἶδας, πῶς γέγονεν, οὐδὲ
εἰδέναι αὐτὰ δύνασαι, οὐδὲ θεωρῆσαι αὐτὰ μετὰ ἀκριβείας ·
5 διὰ τούτων διδάσκει αὐτὸν τὸ μέσον αὐτοῦ καὶ ἐκείνου.

17. Ἀνοίγονται δέ σοι φόβῳ πύλαι θανάτου[x]; Ταῦτα
τὰ ἀόρατα; ἀπὸ τῶν φαινομένων κἀκεῖνα · τοῦτ᾽ ἔστιν · ὅτι
ζωῆς καὶ θανάτου ἐξουσίαν ἔχω · δεσμωτήριόν μοί ἐστιν ὁ
Ἅδης.

18. Πυλωροὶ δὲ Ἅδου, ἰδόντες σε, ἔπτηξαν; Νενου-
θέτησαι δὲ τῆς ὑπ᾽ οὐρανὸν τὸ εὖρος; Ἀνάγγειλόν
μοι πόση ἢ τίς ἐστιν. Ἐν ποίᾳ δὲ γῇ αὐλίζεται τὸ
φῶς; Σκότους δὲ ποῖός ἐστιν ὁ τόπος; Εἰ ἄρα ἀγά-
5 γοις με εἰς ὅριον αὐτῶν, εἰ δὲ καὶ ἐπίστασαι τρίβους
αὐτῶν, οἶδα ἄρα τότε ὅτι γεγένησαι, ἀριθμὸς δὲ ἐτῶν
σου πολύς[y]. Ἀνάγγειλόν μοι, φησί, ποῦ τὸ φῶς καὶ ποῦ
τὸ σκότος ἀπέρχεται; Καὶ τί λέγω τὰ στοιχεῖα; Τὰ κατὰ
σαυτὸν εἰπέ. Πότε ἐγεννήθης; Καὶ μὴν ἤδει, ἀλλὰ παρ᾽
10 ἑτέρων μαθών. Ἀλλά, πόσος ὁ χρόνος; Τὰ κατὰ σαυτὸν
οὐκ οἶδας.

2 φησίν > p
16, 1 ἄπορον : ἄπειρον p ‖ αὐτῆς + φησίν p ‖ φησίν > p ‖ 4 αὐτὰ[2] :
πάντα abcyz ‖ 5 τούτων + δὲ p
17, 2 κἀκεῖνα : + δὲ p + δῆλα abcyz
18, 2 τὸ εὖρος τῆς ὑπ᾽ οὐρανὸν ~ p ‖ ἀνάγγειλον + δὴ p ‖ 3 ἢ τίς (LM) :
τις p ‖ ἐν > p ‖ 4 ἔστιν > p ‖ ἄρα > p ‖ 5 ὅριον : ὅρια p ‖ 6 οἶδα : οἶδας p
‖ ὅτι τότε ~ p ‖ 7 σου : σοι M ‖ 9 εἰπέ : εἴπερ p ‖ ἐγεννήθης : ἐγεννήθη p

des superbes? Es-tu parvenu, dit-il, *à la source de la mer*[v]*?* A
nouveau, il en revient à la mer dans son discours : ce n'est
pas que la mer ait une source, mais c'est qu'elle ne tarit pas,
tout comme si elle en avait une.

16. Ensuite, il parle de son caractère infranchissable.
As-tu circulé, dit-il, *sur les sentiers de l'abîme*[w]*?* Je dis non
seulement que tu ne peux faire aucune des œuvres que j'ai
faites, mais encore que tu ne sais même pas comment elles
se sont produites, et que tu ne peux ni les connaître, ni les
examiner avec exactitude : par ces paroles, il enseigne à Job
la distance qui le sépare de lui.

17. *Les portes de la mort s'ouvrent-elles de crainte devant toi*[x]*?*
Voilà les choses invisibles, elles aussi exprimées à partir des
réalités visibles ; cela veut dire : j'ai pouvoir sur la vie et sur
la mort ; l'Hadès est une prison qui m'appartient.

18. *Les portiers de l'Hadès, à ta vue, sont-ils allés se blottir
d'effroi? Es-tu informé de l'immensité de la terre? Dis-moi ses
dimensions et sa nature. En quelle contrée habite la lumière? Quel
est le séjour des ténèbres? Si vraiment tu peux me conduire jusqu'à
leur frontière, et si tu connais aussi leurs sentiers, alors je sais qu'à
cette époque tu étais né, et que le nombre de tes ans est immense*[y]*.*
Informe-moi, dit-il, du lieu où la lumière et les ténèbres se
retirent. Mais pourquoi parler des éléments? Parle de ce
qui te concerne. Quand es-tu né? Il le savait, bien sûr, mais
pour l'avoir appris des autres. Voyons! Quelle est la durée
de ta vie? Tu ignores ce qui te concerne.

15, 3-5 : πάλιν — ἐχούσης abc, *yχ*
16, 2-5 : οὐ λέγω — ἐκείνου (4 αὐτά[2] : πάντα abc, yz) abc, yz
17, 1-4 : ταῦτα — ᾅδης abc, yz
18, 7-11 : ἀνάγγειλον — οὐκ οἶδας abc, *yχ*

v. Job 38, 15-16 ‖ w. Job 38, 16 ‖ x. Job 38, 17 ‖ y. Job 38, 17-21

19. Ἦλθες δέ, φησίν, ἐπὶ θησαυροὺς χιόνος, θησαυ-
ροῦς θαλάσσης ἑώρακας ᶻ; Οὐχ ὅτι ἀποθῆκαί εἰσιν, ἀλλ'
ὅτι οὕτως ἑτοίμως, ὥσπερ ἐκ θησαυρῶν ἐκβαλών, δείκνυσιν
αὐτά, ὅταν βούληται.

20. Ἀπόκεινται δέ σοι εἰς ὥραν ἐχθρῶν, καὶ εἰς
ἡμέραν πολέμου καὶ μάχης ᵃ; Ὁρᾷς ὅτι τοῦτο βούλεται
τὸ εὔκαιρον δηλῶσαι, ὡς ἄρα κατὰ καιρὸν τοῦτο γίνεται
καὶ οὐχ ἁπλῶς.

21. Εἶτα, καὶ περὶ τῶν ἄλλων ἁπάντων, ὑετῶν λέγω καὶ
χαλάζης καί, τὸ ἐναντίον, νότου.

Πόθεν δέ, φησίν, ἐκπορεύεται πάχνη, ἢ διασκεδάν-
νυται νότος εἰς τὴν ὑπ' οὐρανόν; τίς δὲ ἡτοίμασεν
5 ὑετῷ λάβρῳ ῥύσιν, ὁδὸν δὲ κυδοιμῶν, τοῦ ὑετίσαι ἐπὶ
γῆν οὗ οὐκ ἦν ἀνήρ, ἔρημον οὗ οὐχ ὑπάρχει ἐν αὐτῇ
ἄνθρωπος, τοῦ χορτάσαι ἔρημον καὶ ἀοίκητον, καὶ
τοῦ βλαστῆσαι ἔξοδον χλόης ᵇ; Ὁρᾷς ὅτι οὐχ ἐν ἑνὶ
μέρει ἰσχυρὸς ὁ θεός, ἀλλ' ἐν ἅπασιν.

22. Τίς δέ ἐστιν ὑετοῦ πατήρ; Τίς δέ ἐστιν ὁ
τετοκὼς συνοχὰς καὶ βώλους δρόσου, ἐκ γαστρὸς δὲ
τίνος ἐκπορεύεται ὁ κρύσταλλος ᶜ; Οὐχ ὅτι ἐκ γαστρὸς
αὐτοῦ, μὴ γένοιτο, ἀλλὰ τί βούλεται ὁ τόκος ἐνταῦθα καὶ ἡ
5 γαστήρ; Ὥσπερ, ὅταν φησὶ περὶ τῆς θαλάσσης· «Ὁπότε

19, 1 φησίν > p ‖ θησαυροὺς + δὲ p ‖ 2 θαλάσσης MLᵃᶜ : χαλάζης
Lᵖᶜpabcyz
20, 1 ἀπόκεινται : ἀπόκειται p ‖ καὶ > p ‖ 2 ὁρᾷς + δὲ p ‖ 3 ὡς
(pabcyz) > LM
21, 1 ὑετῶν : ὑετοῦ p ‖ 3 φησίν > p ‖ 5 τοῦ : ποῦ p ‖ ὑετίσαι : ὑετίζει p
‖ 6 γῆν : γῆς p ‖ ἦν > p ‖ ἀνήρ : ἀήρ p ‖ 6-7 ἄνθρωπος ἐν αὐτῇ ~ p ‖ 7
ἔρημον : ἄβατον pabcyz ‖ 8 βλαστῆσαι : ἐκβλαστῆσαι p
22, 1 δέ¹ > p ‖ 2 συνοχὰς καὶ > p ‖ 5 φησὶ > p ‖ περὶ : ἐπὶ p

19, 2-4 : οὐχ ὅτι — βούληται abc, yʐ
20, 2-4 : ὁρᾷς — οὐχ ἁπλῶς abcyʐ
21, 1-9 : εἶτα — ἅπασιν abc, yz
22, 3-15 : οὐχ ὅτι — τοιοῦτον abc, yz

Autres merveilles de la création

19. *Es-tu allé*, dit-il, *jusqu'aux réserves de la neige, et as-tu vu les réserves de la mer*[z][1]? Ce n'est pas qu'il existe des dépôts, mais il montre que ces éléments sont à sa disposition, quand il le veut, tout comme s'il les tirait de ses réserves.

20. *Les gardes-tu à l'abri pour l'heure de tes ennemis, et pour le jour de la guerre et du combat*[a]? Tu comprends qu'il veut mettre en évidence leur opportunité, comme cela arrive au bon moment, et non pas au hasard.

21. Puis, il parle également de tout le reste, je veux dire des pluies et de la grêle, et, à l'opposé, du Notus[2].
D'où sort le givre, dit-il, *ou d'où sort le Notus qui se répand sur la terre. Qui a préparé un écoulement pour la pluie torrentielle? une route pour les ouragans? pour que leur pluie tombe sur une terre où il n'y avait pas d'homme, sur un désert où ne se trouve pas d'être humain, pour couvrir d'herbe une solitude déserte*[3] *et inhabitée, et donner à la verdure le moyen de germer*[b]? Tu vois que Dieu n'est pas puissant sur un seul point, mais sur tous.

22. *Quel est le père de la pluie? Qui a enfanté, en les condensant, les gouttes de rosée, et de quel sein la glace sort-elle*[c]? Dieu ne veut pas dire qu'elle sort de son sein, à Dieu ne plaise! Mais alors, que veulent dire, dans le contexte, les mots d'«enfantement» et de «sein»? Tout comme, lors-

---

z. Job 38, 22 ‖ a. Job 38, 23 ‖ b. Job 38, 24-27 ‖ c. Job 38, 28-29

---

1. **p** suit le texte commun et **L** corrige θαλάσσης en χαλάζης. Avec **M** nous gardons θαλάσσης, car en **21**, 2, Chrysostome écrit : «Puis, il parle ... des pluies et de la grêle (χαλάζης)». Il n'en a donc pas encore parlé.
7. Le Notus est le vent du Sud, vent chaud qui apporte la pluie ; grêle et givre sont «à l'opposé» produits par le vent du Nord.
3. Le texte de *Job* ne connaît que la leçon ἄβατον; ἔρημον (**LM**) est peut-être une erreur de copiste, qui a repris le ἔρημον qui se trouve à la ligne précédente.

ἡ μήτηρ αὐτὴν ὤδινεν^d», οὐχὶ μητέρα θαλάττης λέγει, οὕτω καὶ ἐνταῦθα · οὐχ ὅτι ἀπὸ γαστρὸς ἐξῆλθεν, ἀλλὰ τὴν διάπλασιν καὶ τὴν αἰτίαν, οὕτω καὶ ἐνταῦθα. Τίνος οὖν ἕνεκα τὸ ὄνομα τοῦ τόκου τέθεικεν ἐνταῦθα συνεχῶς; Ἐμοὶ
10 δοκεῖ καὶ τὸν αἴτιον αἰνίττεσθαι βουλόμενος τὸν πρῶτον καὶ μόνον, καὶ τὸ διαπλάττεσθαι τὰ δημιουργήματα καὶ πρὶν ἢ αὐτὰ ἀπαρτισθῆναι, ὥστε, κἂν ἐπὶ τοῦ Υἱοῦ ταῦτα λέγηται, περιττῶς αὐτὰ περιφέρουσιν. Ἐκεῖ γάρ, «ὁ Υἱὸς» καὶ τὸ «ἐγέννησα», καὶ τὸ «μονογενὴς» καὶ ὅσα τοιαῦτα,
15 ἐνταῦθα δὲ οὐδὲν τοιοῦτον.

23. **Πρόσωπον δὲ ἀσεβοῦς τίς ἔτηξεν**^e; Ὁρᾷς πῶς καὶ τὴν κτίσιν ἀναμίγνυσιν. Τί γάρ μοι, φησίν, ὄφελος τῆς κατὰ τὴν δημιουργίαν σοφίας; Δείκνυσιν αὐτοῦ τὴν πρόνοιαν πανταχοῦ καὶ πῶς πράγματα συνίστησιν, ἃ λογισμὸς
5 εὑρεῖν οὐ δύναται.

24. **Συνῆκας**, φησί, **δεσμὸν Πλειάδος**; **ἔγνως**^f; Τοῦτ' ἔστιν · ποῖα ἀνάγκη, ποῖος σύνδεσμος ἐκεῖνα συνεχῶς τὰ ἄστρα συναγελάζεσθαι ποιεῖ;

25. **Καὶ φραγμὸν Ὠρίωνος ἤνοιξας**^g. Τοῦτον δὲ περιπολεῖν. Εἶτά φησιν ·

26. **Ἀποστέλλεις κεραυνοὺς καὶ πορεύσονται; ἐροῦσι δέ σοι · Τί ἐστιν**^h; Τέως ἀπὸ τῶν κατὰ τὸν

14 καὶ τὸ ἐγέννησα > p
23, 2 καὶ > p
24, 1 φησί : δὲ p ‖ 1-2 τοῦτ' ἔστιν : ἔγνως, φησί p ‖ 2 συνεχῶς : συν-έχων p
25, 1-2 τοῦτον — φησιν > p

24, 1-3 : τοῦτ' ἔστιν — ποιεῖ abc, yz
26, 2-6 : τέως — τῷ θεῷ (2-3 τέως — εὐεργετικῶν > yz) abc, (yz)

d. Job 38, 8 ‖ e. Job 38, 30 ‖ f. Job 38, 31 ‖ g. Job 38, 31 ‖ h. Job 38, 35

qu'il dit à propos de la mer : «Quand sa mère l'enfantait[d]», il ne veut pas dire que la mer ait une mère; de même ici, il ne veut pas dire que (la glace) est sortie d'un sein, mais il veut parler de sa formation et de son origine; le cas est le même. Pourquoi donc a-t-il employé ici continuellement le mot d'enfantement? A mon avis, il veut faire allusion à celui qui est la cause première et unique, et au fait que les créatures étaient modelées avant même d'être complè- tement réalisées : aussi, même si ces expressions sont employées au sujet du Fils de Dieu, on les rapporte à lui de manière suréminente, car là où est le Fils, il y a aussi le : «J'ai engendré», le «Fils unique», et d'autres expressions analogues. Ici, au contraire, rien de tel.

23. *Qui a consumé de chagrin le visage de l'impie*[e][1]? Tu vois comment il mêle les aspects de la création. Que m'importe, en effet, dit-il, l'habileté concernant la création? Ce que (le texte) montre partout, c'est sa providence et comment il établit les réalités que le raisonnement ne saurait découvrir.

24. *As-tu attaché,* dit-il, *le lien qui unit les Pléiades*[f]? *L'as-tu connu?* C'est-à-dire : quelle nécessité, quel lien commun ne cesse de rassembler ces astres comme un troupeau?

25. *Et as-tu ouvert la barrière d'Orion*[g]? Pour que celui-ci puisse circuler. Puis il dit :

26. *Lances-tu des éclairs et feront-ils leur trajet? Te diront- ils : Que veux-tu*[h]? Jusqu'ici, Dieu part des réalités célestes,

---

1. Le texte de la LXX est ici fort corrompu. Il s'agit de «la face de l'abîme» qui est saisie par la glace, et non du visage de l'impie. On voit à quelles difficultés se heurtait le commentaire de Chrysostome : «Tu vois comment il mêle les aspects de la création.» Au milieu de ces incohérences, le commentateur se trouve à juste titre devant des «réalités que le raisonnement ne saurait découvrir».

οὐρανὸν πραγμάτων, τῶν κολαστικῶν, τῶν εὐεργετικῶν.
Ὅρα καὶ κεραυνοὺς ἀποκρινομένους · οὐχ ὅτι ἐροῦσιν οἱ
5 κεραυνοί · Τί ἐστιν; ἀλλ᾿ ὅτι πάντα, καθάπερ ἔμψυχα,
οὕτως ἐπακούει τῷ Θεῷ. Καί, ὅταν μὲν αὐτῶν τὸ ποικίλον
τῆς διαπλάσεως παραστῆσαι βούληται, «τόκον» φησὶ καὶ
«γαστέρα» · ὅταν δὲ τὸ ἕτοιμον καὶ ἀπηρτισμένον, ὑπα-
κούοντας αὐτοὺς καὶ καλουμένους εἰσάγει. Τίνος οὖν ἕνεκεν
10 οὐχὶ τεχνίτην ἑαυτόν, ἀλλὰ καὶ πατέρα εἰσήγαγεν; Ὅτι ἡ
τῆς φύσεως τέχνη πολλῷ μείζων ἐστι ταύτης τῆς ἐπιχειρη-
τικῆς, ἅτε θεία τις οὖσα.

27. **Τίς δέδωκε**, φησί, **γυναικὶ ὑφάσματος σοφίαν
καὶ ποικιλτικὴν σοφίας ἐπιστήμην**[i]; Ὅρα καὶ τὸ χρήσιμον · τοῖς μεγάλοις ἀναμίγνυσι τὰ μικρά · οὐ γὰρ ἡ
τυχοῦσα σοφία, ποικίλη τις οὖσα · οὐ γὰρ μικρὰ ἡ χρῆσις.
5 Ἦ γὰρ ἂν περιττὰ τὰ ἔργα, τῆς τέχνης μὴ δοθείσης; Καὶ
ὅρα ποῖον αὐτὴν ἔλαβεν γένος.

28. **Τίς δὲ ἀριθμῶν**, φησί, **νέφη σοφίας, οὐρανὸν δὲ
εἰς γῆν ἔκλινεν**[j]; Ὁρᾷς ὅτι τῆς γῆς αὐτῆς ἅπτεται ·
τοῦτο γάρ ἐστιν «Ἔκλινεν».

26, 3 εὐεργετικῶν + γνῶθι τὴν ἐμὴν δυναστείαν p ‖ 4 καὶ > p ‖ 11
μείζων p : μεῖζον LM
   27, 1 τίς δὲ ἔδωκε γυναιξί p ‖ 2 καὶ¹ : ἢ p ‖ σοφίας > p ‖ 5 ἔργα + ἦν p
‖ 5-6 καὶ ὅρα : ὅρα δὲ p
   28, 1 σοφίᾳ : σοφία p ‖ οὐρανὸν : ὄργανα δὲ οὐρανοῦ p ‖ 2 αὐτῆς + ὁ
οὐρανὸς p

27, 2-6 : ὅρα — γένος abc (yz)
28, 2-3 : ὁρᾷς — ἔκλινεν abc (yz)

i. Job 38, 36 ‖ j. Job 38, 37

celles par lesquelles il nous châtie, celles par lesquelles il nous fait du bien. Remarque encore que les éclairs répondent; ce n'est pas que les éclairs vont dire : «Que veux-tu?» Mais il veut dire que toutes les créatures, comme si elles étaient des êtres vivants, prêtent l'oreille à Dieu. Chaque fois qu'il veut montrer la diversité de leur formation, Dieu parle d'«enfantement» et de «sein maternel»; chaque fois, au contraire, qu'il veut montrer leur docilité et leur perfection, il les représente comme prêtant l'oreille à son appel. Pourquoi donc s'est-il présenté, non seulement comme un artisan, mais comme un père? C'est parce que l'art qui préside à la nature est bien supérieur à l'art manuel, car il est, pour ainsi dire, divin.

L'art du tissage

27. *Qui a enseigné à la femme,* dit-il, *l'art du tissage, et lui a donné l'art compliqué de la broderie*[1]? Note-le : il parle aussi de ce qui est utile; il mêle les petites choses aux grandes; il ne s'agit pas, à vrai dire, du premier venu des arts, lui qui est si plein de nuances; et son utilité n'est pas mince. Les travaux de cet art seraient-ils donc remarquables, s'il n'était pas un don? Note aussi quel est le sexe qui l'a reçu.

La beauté du ciel, posé au-dessus de la terre

28. *Quel est celui,* dit-il, *qui peut compter les nuages pleins de sagesse*[1], *et qui a incliné le ciel vers la terre*[1]? Tu vois que (le ciel) touche précisément la terre : c'est le sens du mot : «Il a incliné.»

---

1. «Les nuages (pleins) de sagesse». Expression bien digne de toucher le cœur des poètes. Ces «merveilleux nuages» pleins de sagesse sont dus à une faute de **A**. Le texte reçu porte σοφίᾳ : Quel est celui dont la sagesse peut compter les nuages? mais notre texte est celui que lisait Chrysostome.

29. **Κέχυται δὲ ὥσπερ γῆ κονία**[k]. Τὸ λεπτὸν αὐτοῦ αἰνίττεται, ὅπερ Ἡσαΐας φησίν· ὅτι «ὥσπερ καπνός[l]» ἐστιν.

30. **Κεκόλληκας δὲ αὐτὸν ὥσπερ κύβον λίθοις**[m]. Τὸ πεπηγὸς καὶ βέβαιον καὶ τὸ σχῆμα δὲ αὐτοῦ παρέστησεν, εἰπὼν «ὥσπερ κύβον» τὸ ἡμισφαίριον· ἤτοι τὸ ἄνωθεν μὴ εἶναι οὕτω, ἀλλὰ τετράγωνον.

31. **Θηρεύσεις δὲ λέουσι βοράν, ψυχὰς δὲ δρακόντων ἐμπλήσεις**[n]; Τίνος ἕνεκεν ταῦτά φησιν; Ὅτι εἰ τῶν περιττῶν τοσαύτην πρόνοιαν ποιοῦμαι – τῶν οὐδὲ εἰς δουλείαν ὑμῖν τῶν χρησίμων – οὐ πολλῷ μᾶλλον ὑμῶν; Τί 5 γὰρ τοσοῦτον ὄφελος ἀνθρώπῳ λέων; Ἃ τῇ φύσει τῶν ἀλόγων ἐνέθηκεν, ταῦτα τίθησιν.

32. **Δεδοίκασι γὰρ ἐν κοίταις αὐτῶν**[o]. Καίτοι μὴ συναγελαζόμενοι, φησίν, μηδὲ νεμόμενοι, ἀλλὰ διὰ παντὸς χηραμοὺς καὶ καταδύσεις διώκοντες, οὐ διαφθείρονται λιμῷ. **Κάθηνται δέ**, φησίν, **ἐν ὕλαις ἐνεδρεύοντες**[p].

33. **Τίς δὲ ἡτοίμασε κόραξι βορράν, νεοσσοὶ δὲ αὐτοῦ πρὸς Κύριον κεκράγασι, πλανώμενοι, τὰ σῖτα ζητοῦντες**[q]; Λέγεται γὰρ μὴ ἐκτρέφειν τὰ ἔκγονα, ἀλλὰ αὐτοὶ μέν, εἰκότως, ἅτε μεγάλοι ὄντες, πορίζουσι τροφήν·

29, 2 ὥσπερ : ὡς p
30, 1 κύβον λίθοις : λίθῳ κύβον p ‖ τὸ : εἶτα τὸ p
31, 2 φησιν ταῦτα ~ p ‖ εἰ (pabcyz) : ἢ LM ‖ 4 ὑμῖν (pbcyz) : ἡμῖν LMa ‖ 5 λέων : δέον abc ‖ ἃ : ἅπερ οὖν p
32, 3 διαφθείρονται (pabc) : διαφθείρεται LM ‖ 4 φησίν > p
33, 1 δὲ² : γὰρ p ‖ 3 γὰρ > p ‖ ἐκτρέφειν + ὁ κόραξ p ‖ τὰ ἔκγονα + ὑπὸ λεμαργ (sic = λαιμαργίας) (cf. Olymp. in Young p. 555; l. 22) p

29, 1-3 : τὸ λεπτὸν — ἐστιν abc, yz
30, 1-4 : τὸ πεπηγὸς — τετράγωνον (3-4 : τὸ ἡμισφαίριον — τετράγωνον > yz) abc (yz)
31, 2-6 : τίνος — τίθησιν (5 λέων : δέον abc) abc (yz)

29. *Il (le ciel) a été répandu comme une terre poudreuse*[k]. Il fait allusion à sa finesse qu'Isaïe compare à de la «fumée»[l].

30. *L'as-tu collé comme un cube à des pierres*[m]? En disant que la calotte céleste était «comme un cube», il a voulu montrer sa stabilité, sa solidité et aussi son assiette ; ou bien il a voulu montrer que la voûte céleste n'est pas telle (que nous la voyons), mais quadrangulaire.

Est-ce toi qui nourris les animaux?

31. *Chasseras-tu une proie pour les lions? Et rassasieras-tu l'âme des serpents*[n]? Pourquoi dit-il cela? Il veut dire : si je prends tant de soin des êtres inutiles – qui ne sont même pas bons à vous servir – est-ce que je n'en prends pas bien davantage de vous? A quoi, en effet, un lion peut-il tellement servir à l'homme? Il indique ici ce qu'il a mis dans la nature pour nourrir les animaux.

32. *Ils ont peur, en effet, dans leurs gîtes*[c]. Bien qu'ils ne soient pas réunis en troupeaux, dit-il, ni conduits au pâturage, mais qu'ils soient toujours à rechercher des tanières et des retraites, ils ne meurent cependant pas de faim. *Ils se tiennent*, dit-il, *aux aguets dans les forêts*[p].

33. *Qui a préparé une pâture pour les corbeaux, quand leurs petits crient vers le Seigneur, et qu'ils errent çà et là, à la recherche de leur nourriture*[q]? On dit, en effet, que (les corbeaux) ne nourrissent pas leurs petits. Eux, tout naturellement, trouvent d'eux-mêmes leur nourriture, puisqu'ils sont

---

32, 1-4 : χαίτοι — ἐνεδρεύοντες abc
33, 3-8 : λέγεται — αὐτά abc

k. Job 38, 38 ‖ l. Is. 51, 6 ‖ m. Job 38, 38 ‖ n. Job 38, 39 ‖ o. Job 38, 40 ‖ p. Job 38, 40 ‖ q. Job 38, 41

5 τὰ δὲ ἔκγονα, τίς ἐκτρέφει; Οὐχ ὁ τοῦ Θεοῦ λόγος[r], καθὰ
καὶ τὸ Εὐαγγέλιόν φησιν; «Τὰ πετεινὰ τοῦ οὐρανοῦ οὐ
σπείρουσιν οὐδὲ θερίζουσιν, καὶ ὁ πατὴρ ὑμῶν ὁ οὐράνιος
τρέφει αὐτά[s].» Ὅρα πῶς τὰ ἀχρηστότερα τῶν ἀλόγων καὶ
ἀκαθαρτότερα ἔπεισιν ὁ λόγος, ἐκ περιουσίας βουλόμενος
10 δεῖξαι τὴν πρόνοιαν, ἐπεὶ καὶ ἐν τοῖς Εὐαγγελίοις οὗτος
ἐκ περιουσίας ἐστὶν ὁ λόγος. «Ἴδετε τὰ πετεινὰ τοῦ
οὐρανοῦ», φησίν· καὶ πάλιν· Ἴδετε «τὸν χόρτον τοῦ
ἀγροῦ, σήμερον ὄντα καὶ αὔριον εἰς κλίβανον βαλλόμενον, ὁ
Θεὸς οὕτως ἀμφιέννυσιν· οὐ πολλῷ μᾶλλον ὑμᾶς, ὀλιγό-
15 πιστοι[t];» Ἐμοὶ δοκεῖ τὸν Ἰὼβ βουλεύσασθαι ὅτι ἁπλῶς τὰ
πράγματα φέρεται, καὶ ὡς ἔτυχεν, καὶ οὐ πολλὴ τῷ Θεῷ
φροντίς· πρὸς τοῦτον οὖν τὸν λόγον ἐποιήσατο, ὅτι πάνυ
μέλει αὐτῷ τοῦ κόσμου, καὶ προνοεῖ· διὰ τοῦτό φησι καὶ
περὶ δημιουργημάτων καὶ περὶ τῶν ἐνδυμάτων.

10-11 ἐκ περιουσίας οὗτος ἐστιν ~ p ‖ 11 ὁ > LM ‖ 18 αὐτῷ : αὐτὸ M

r. Cf. Ps. 146, 9 ‖ s. Matth. 6, 26 ‖ t. Matth. 6, 30

grands; mais leur progéniture, qui la nourrit? N'est-ce pas ce que dit la parole de Dieu[r], comme aussi l'Évangile[1]? «Les oiseaux du ciel ne sèment ni ne moissonnent, et pourtant, votre Père céleste les nourrit[s].» Regarde comment le discours de Dieu parcourt les animaux les plus inutiles et les plus impurs, car il veut montrer surabondamment sa providence; même dans les Évangiles, en effet, ce discours est un a fortiori. «Voyez les oiseaux du ciel», dit-il; et ailleurs: Voyez «l'herbe des champs: alors qu'elle existe aujourd'hui et demain est jetée au four, Dieu la revêt ainsi; ne le fera-t-il pas bien plus pour vous, gens de peu de foi[t]?» Je crois que Job avait jugé en lui-même que les choses vont au petit bonheur et au hasard et que Dieu ne s'en soucie guère; c'est donc pour lui répondre que Dieu a fait son discours, disant qu'il a grand soin de l'univers et s'en préoccupe: c'est pourquoi il parle et de ses créatures et aussi de leurs vêtements.

1. Chrysostome semble distinguer la parole de Dieu exprimée dans l'A.T. et l'explicitation qu'en donne l'Évangile. La vérité de foi énoncée par le psaume 146 est, en effet, merveilleusement développée par Jésus dans le Discours sur la montagne.

XXXIX

1. **Ἐφύλαξας δέ**, φησίν, **ὠδῖνας ἐλάφων**[a]; Καλῶς
εἶπεν · «Ἐφύλαξας». Ἐπειδὴ γὰρ ἀεὶ ἐν φυγῇ καὶ φόβῳ
καὶ ἀγωνίᾳ τὸ ζῷον, ἀεὶ πηδῶν καὶ ἐναλλόμενον, πῶς,
φησίν, οὐκ ἀμβλώσκει, ἀλλὰ πλήρης ὁ τόκος ἐξέρχεται;

2. **Ἠρίθμησας δὲ μῆνας αὐτῶν πλήρεις τοκετοῦ;
Ὠδῖνας δὲ αὐτῶν ἔλυσας; Ἐξέθρεψας δὲ αὐτῶν τὰ
παιδία ἄνευ φόβου**[b]; Δειλὸν γάρ ἐστι τὸ ζῷον · πῶς οὖν
τὰ παιδία, καίτοι οὐκ ἔχοντα τὴν ἀπὸ τῶν ποδῶν ἀσφά-
5 λειαν, ἄνευ φόβου ἐστίν; Τίς αὐτὰ διατηρεῖ; Ὁρᾷς ὅτι ἀπὸ
τῆς φύσεως οὐ προδίδονται · οὔτε ὁ λέων ἀπὸ τῆς ἰδίας
ἰσχύος κρατεῖ, οὔτε ἡ ἔλαφος προδέδοται. Καίτοι δειλὸν τὸ
ζῷόν ἐστιν.

3. Εἶτα μετὰ ταῦτά φησιν · **Τίς δέ ἐστιν ὁ ἀφεὶς ὄνον
ἄγριον ἐλεύθερον**[c]; Τίς τοῦτο διετύπωσεν, φησί; Τίς τοὺς
τῆς φύσεως νόμους ἔθηκεν; ὅτι γάρ, φησί, νόμοι διηνεκεῖς
εἰσι, καὶ οὐ παραφθείρονται. Ἰσχυρὸν τὸ ζῷον καὶ ἀδά-
5 μαστον. Κἂν μυρία φιλονεικῇς, οὐχ ἕξεις ὑπὸ τὴν χεῖρα τὴν
σήν. «Ἃ ὁ Θεὸς βεβούλευται, τίς διασκεδάσει[d];» Ὁρᾷς
ὅτι πάντα προνοίᾳ, καὶ αὐτοῦ βουλομένου, εἴκει καὶ ὑπακούει · ἄν τε μὴ θελήσῃ ἡμῖν ὑπακοῦσαι, κἂν μυρία
τεχνώμεθα, οὐδὲν ὄφελος, οὐδὲν πλέον ἔσται. Τί οὖν τοίνυν

1, 1 φησίν > p ‖ 2 εἶπεν : εἶπας L[ac] ‖ 2-3 ἀεὶ — ζῷον : ἀεὶ τὸ ζῷον τοῦτο
ἐν φυγῇ καὶ φόβῳ καὶ ἀγωνίᾳ ἐστιν p
2, 3 ἄνευ : ἔξω p ‖ δειλὸν γάρ : ἀλλὰ καὶ δῆλον p ‖ 4 καίτοι > p ‖ 6 οὐ
προδίδονται : προδέδοται p ‖ 7 ἡ > p
3, 4 τὸ ζῷον : τὸν (*sic*) ζῷόν ἐστιν p ‖ 5 ἕξεις LM : ἄξεις pyz ἄρξεις abc
‖ 6 ἃ + γὰρ p ‖ 8 ἄν τε + γὰρ p ‖ 9 οὐδὲν[2] : οὐ p ‖ τί οὖν > p

1, 1-4 : καλῶς — ἐξέρχεται (3 ἀγωνίᾳ LMp : ἀτονίᾳ abcyz) abc, yz
3, 2-6 : τίς τοῦτο — τὴν σήν (5 ἕξεις LM : ἄξεις pyz ἄρξεις abc) abc, yz
‖ 6-8 : ὁρᾷς — ὑπακούει abc

CHAPITRE XXXIX

Suite de l'intervention de Dieu

Les merveilles de l'enfantement des biches

1. *As-tu protégé*, dit-il, *des biches en gésine*[a]? Il a eu raison de dire : «As-tu protégé ...?» Puisque, en effet, la fuite, la crainte et l'anxiété sont habituelles chez cette bête qui ne cesse de bondir et de galoper, comment, dit-il, n'avorte-t-elle pas, et comment sa portée peut-elle naître à terme?

2. *As-tu compté les mois complets de leur gestation? Les as-tu délivrées de leurs douleurs? As-tu élevé leurs petits hors de la crainte*[b]? Cet animal, en effet, est craintif; comment donc ses petits, qui ne peuvent compter sur la vitesse de leurs jambes, sont-ils cependant exempts de crainte? Qui veille sur eux? Tu vois que la nature ne les abandonne pas : ni le lion n'en vient à bout par sa force, ni la biche n'est abandonnée : et pourtant l'animal est craintif.

L'âne sauvage et le cheval

3. Puis, il ajoute : *Qui a lâché l'onagre en liberté*[c]? Qui en a disposé ainsi? dit-il. Qui a établi les lois de la nature? Ce sont, en effet, dit-il, des lois permanentes, et elles ne s'altèrent pas. Cet animal est robuste et indomptable. Même si tu multiplies tes efforts, tu ne le garderas pas sous la main. «Les décisions que Dieu a prises, qui les détruira[d]?» Tu vois que c'est par suite de la providence et parce que Dieu le veut, que (tout) cède et (nous) obéit; mais, s'il ne veut pas qu'on nous obéisse, nous aurons beau user de mille moyens, ce sera peine perdue, nous n'obtiendrons rien de plus. Cependant,

---

a. Job 39, 1 ‖ b. Job 39, 2-3 ‖ c. Job 39, 5 ‖ d. Is. 14, 27

10 οὐδὲ <εἰ> ἡμεῖς βουλόμεθα, οὐδὲ<ν> ἐπιχειροῦμεν·
Ἵνα, ὅταν ἴδης τὸ ἡμερώτερον ζῷον, τὸ κατασκευασθὲν
χειρόηθες θαυμάσης. Εἴασεν πολλὰ ἔξω τῆς ἡμετέρας
ἐξουσίας, ἵνα, ἀπὸ τῶν ὑποτεταγμένων, μὴ τὴν σαυτοῦ
σοφίαν θαυμάσης, μηδὲ λογίσῃ τέχνῃ σῇ τὴν ὑπακοὴν
15 ἐκείνου. Εἶτα ἐπὶ τὰ χρησιμώτατα μετάγει τὸν λόγον,
ἵππου μνημονεύων τοῦ χειρόηθους, καὶ πολλὰ περὶ τοῦ
ζῴου τούτου διαλέγεται, πῶς γαῦρον, πῶς ἀνεστηκός, πῶς
πρὸς πόλεμον ἐπιτήδειον, πῶς ἱκανὸν ἄνθρωπον διασῶσαι.
Ὁρᾷς ἕκαστον γαῦρον καὶ τὸν ὄνον καὶ τοῦτον, ἀλλὰ τὸν
20 μὲν ὑποκείμενον, τὸν δέ, οὔ.

4. Εἶτα καὶ τὸ εὔτακτον · ἀκούει φωνὴν σαλπίγγων, καὶ
οἶδεν τοῦ πολέμου τὸ σύνθημα. **Σάλπιγγος δέ**, φησί,
**σημαινομένης, ἐρεῖ · Εὖγε. Πόρρωθεν ὀσφραίνεται πο-
λέμου**[c].

5. Εἶτα περὶ ἱέρακος, καὶ γυπός, καὶ ἀετοῦ. **Ἐκ δὲ τῆς
σῆς ἐπιστήμης**, φησίν, **ἔστηκεν ἱέραξ, ἀναπετάσας τὰς
πτέρυγας, ἀκίνητος, καθορῶν τὰ πρὸς νότον; Ἐπὶ δὲ
τῷ σῷ προστάγματι ὑψοῦται ἀετός, γὺψ δὲ ἐπὶ νοσ-
5 σιᾶς αὐτοῦ καθεσθεὶς αὐλίζεται, ἐπ' ἐξοχὴν πέτρας,
καὶ ἀποκρύφῳ; Ἐκεῖσε ὢν ζητεῖ τὰ σῖτα, πόρρωθεν δὲ
οἱ ὀφθαλμοὶ αὐτοῦ σκοπεύουσιν · νεοσσοὶ δὲ αὐτοῦ
ἐν αἵματι φύρονται · οὗ δ' ἂν ὦσιν τεθνεότες,**

10 οὐδ' εἰ... οὐδὲν *conj.* : οὐδὲ... οὐδὲ LMp ‖ 12 ἔξω πολλὰ ∼ LM ‖ 13
ἀπὸ (p) : ὑπὸ LM ‖ τῶν + μὴ p ‖ 14 ὑπακοὴν + τὴν p ‖ 15 εἶτα : νῦν p ‖ 16
μνημονεύων (pyz) : μνημονεύοντα LMabc ‖ 18 ἄνθρωπον ἱκανὸν ∼ LM
4, 1 εὔτακτον + τούτου παρίστα καὶ φησίν p ‖ 2 φησί > p ‖ 3-4 πολέμου
+ ἐκπορεύεται p
5, 1 εἶτα — ἀετοῦ > p ‖ 2 φησίν > p ‖ 5 αὐτοῦ + πέτραν p ‖ 6 δὲ > p
‖ 7 αὐτοῦ[2] : ἑαυτοῦ LM ‖ 8 φύρονται ἐν αἵματι ∼ p

15-20 : ἐπὶ — οὔ abc, yz
4, 1-2 : εἶτα — σύνθημα (1 εἶτα — εὔτακτον > yz) abc, yz

pourquoi donc, même si nous le désirons, notre entreprise est-elle vaine[1] ? C'est pour que, lorsqu'on voit l'animal domestiqué, on admire la docilité dans laquelle il est établi. Dieu a laissé bien des choses hors de notre portée, pour que, devant celles qui te sont soumises, tu n'admires pas ta propre sagesse, et que tu n'imputes pas à ton habileté l'obéissance de cet animal. Puis il oriente son discours sur les animaux les plus utiles, évoquant la docilité du cheval, et il parle longuement de cet animal, de sa fierté, de sa fougue, de son aptitude au combat, de sa capacité à tirer un homme du danger. Tu vois que tous les deux sont fiers, l'âne comme le cheval ; seulement, le second nous est soumis, l'autre pas.

4. Puis il parle du sens de la discipline (chez le cheval) : il écoute le son des trompettes, et reconnaît le signal du combat. *Au signal de la trompette,* dit-il, *il dira : En avant ! De loin, il flaire la bataille*[e].

L'instinct des rapaces

5. Puis, il parle du faucon, du vautour et de l'aigle. *Est-ce grâce à ta sagesse,* dit-il, *que le faucon se tient immobile, les ailes déployées, le regard braqué vers le sud ? Est-ce sur ton ordre que l'aigle prend de la hauteur, que le vautour reste accroupi sur son nid, à la cime du rocher et à l'écart ? C'est de là qu'il cherche sa nourriture, en fouillant les lointains du regard ; ses petits*[2] *se vautrent dans le sang ; là où il y a des cadavrres, aussitôt on les*

---

e. Job 39, 25

1. Pour éviter un non-sens, nous proposons une double correction (l. 10) : οὐδὲ <εἰ> au lieu du 1ᵉʳ οὐδὲ et : οὐδέ<ν>, au lieu du 2ᵉ οὐδέ (cf. app. crit.).

2. **L** et **M** ont : νέοσσοι δὲ ἑαυτοῦ. Faute évidente d'un copiste. Sur ces confusions entre les formes réfléchies et non réfléchies, cf. t. I, p. 107, n. 2.

παραχρῆμα εὑρίσκονται[f]. Πῶς ἔστησεν, φησίν, μετέωρον
10 αὐτὸν ἐπὶ τοῦ ἀέρος; Πῶς αὐτῷ τὴν τροφὴν ἔδωκεν;
Ὁρᾷς ἐξ ὀλίγων πόσα φησί. Τίνος δὲ ἕνεκεν οὐκ ἐμνήσθη
βοός, οὐδὲ προβάτων, οὐδὲ τῶν ἄλλων τῶν τοιούτων
οὐδενός; Ἀλλὰ τῶν ἀχρήστων, καὶ εἰκῆ δοκούντων εἶναι;
Δεικνὺς ὅτι, εἰ ἐν ἐκείνοις σοφία τοσαύτη καὶ πρόνοια,
15 πολλῷ μᾶλλον ἐν τούτοις τοῖς οὐδὲν δοκοῦσι συντελεῖν, εἰ
ἐν τοῖς σαρκοβόροις τινὰ λογικὴν σοφίαν, ἀπὸ τῆς κατὰ
φύσιν ἐπιστήμης ἐνούσης ἑκάστῳ, καὶ πρόγνωσιν τῷ μὲν
πολέμου, τοῖς δὲ τῶν ἀποθανόντων, ὁρᾷς, καὶ ἐν ἀέρι
φερόμενον τὸν γῦπα.

10 αὐτὸν (abcyz) : αὐτὸ LM τὸν ἱέρακα p ‖ 14 τοσαύτη σοφία ∼ p ‖ 17
ἐνούσης : ἔνουσαν abc

5, 9-15 : πῶς — ἐν τούτοις abc, yz ‖ 15-19 : τοῖς οὐδὲν — γῦπα (17
ἐνούσης LMp : ἔνουσαν abc) abc

trouve[f]. Comment Dieu, dit-il, le maintient-il en suspens sur
l'air? Comment lui fournit-il sa nourriture? Tu vois tout ce
qu'il dit à partir d'un petit nombre d'exemples! Pourquoi
n'a-t-il pas fait mention du bœuf, ni des moutons, ni
d'aucun autre animal semblable, mais a-t-il fait mention des
animaux dont nous ne pouvons nous servir et qui ont l'air
d'exister sans raison? C'est pour montrer que, si se
manifeste en eux tant de sagesse et de providence, il s'en
manifeste bien davantage en ceux qui ont l'air de ne servir
à rien, puisque tu vois que les rapaces carnivores possèdent
une certaine sagesse raisonnable, qui vient de l'instinct
naturel résidant en chacun d'eux, que tel animal pressent le
combat, que les autres flairent les cadavres, et que le
vautour se maintient en l'air.

f. Job 39, 26-30

XL

1. Ὑπολαβὼν δὲ Ἰὼβ λέγει τῷ Κυρίῳ · Τί ἔτι ἐγὼ κρίνομαι, νουθετούμενος καὶ ἐλεγχόμενος ὑπὸ τοῦ Θεοῦ, ἀκούων τοιαῦτα, οὐδὲν ὤν; Ἐγὼ ἀπόκρισιν δέ τινα δῶ πρὸς ταῦτα; Χεῖρα θήσω ἐπὶ στόματί μου. ⁵ Ἅπαξ ἐλάλησα, ἐπὶ δὲ τῷ δευτέρῳ οὐ προσθήσω[a]. «Τί ἔτι», φησίν, «ἐγὼ κρίνομαι;» Ἐκ προοιμίων, καὶ ἐξ ἀρχῆς, παρεχώρησεν τῶν πρωτείων. Ἥττημαι, φησί. Παρὰ σοὶ τὸ δικαίωμα. Τί περαιτέρω τὴν δίκην ἐπεξάγεις; Τί γὰρ δυνατὸν ἀποκρίνασθαι;

2. Ἔτι δὲ ὑπολαβών, ὁ Κύριος εἶπεν τῷ Ἰὼβ ἐκ τοῦ νέφους · Μή, ἀλλὰ ζῶσαι ὥσπερ ἀνὴρ τὴν ὀσφύν σου · ἐρωτήσω δέ σε, σὺ δέ μοι ἀποκρίθητι[b]. Ὅρα · οἱ γὰρ περιουσίᾳ δικαιωμάτων θαρροῦντες οὐδὲ φεύγοντας ⁵ τοὺς ἀντιδίκους ἀφιᾶσιν, ὥστε ἐκ περιουσίας γενέσθαι τὴν νίκην. Εἶτα αὐτῷ ἀπολογεῖται · ὅτι μὲν μέλει μοι τῶν ἀνθρώπων δῆλον ἐκεῖθεν · <τίνος δὲ ἕνεκεν> τοῦτον ἐπήγαγόν σοι τὸν πειρασμόν.

3. Μὴ ἀποποιοῦ μου τὸ κρίμα, μηδὲ οἴου με ἄλλως σοι κεχρηματικέναι, ἀλλ' ἵνα φανῇς δίκαιος[c]. Ἢ τὸν

1, 2-3 ἐλεγχόμενος — θεοῦ : ἐλέγχων κύριον p ‖ 3 οὐδὲν : οὐδέν p ‖ ἐγὼ + δὲ p ‖ 4 τινα > p ‖ χεῖρα : χεῖρας p ‖ 5 ἐλάλησα : λελάληκα p ‖ 6-7 ἐξ ἀρχῆς καὶ προοιμίων ∼ p

2, 1 ὑπολαβὼν δέ, ἔτι ∼ p ‖ 3-4 ὅρα — φεύγοντας (abcyz) : ὁρᾷς οἵα περιουσίᾳ δικαιωμάτων θαρροῦντι οὐδὲ φεύγοντας LM ὁρᾷς δὲ ὡς οἱ περιουσίᾳ ῥημάτων θαρροῦντες οὐδὲ φθέγοντας (sic) p ‖ 6 μέλει : μέλλει p ‖ μοι + περὶ abcyz ‖ 7 ἀνθρώπων + φησί p ‖ τίνος δὲ ἕνεκεν (pabcyz) > LM ‖ 8 ἐπήγαγον (payz) : ἐπήγαγεν LMbc

3, 1 μηδὲ οἴου : οἴει δὲ p ‖ 2 ἀλλ' : ἢ p ‖ φανῇς : ἀναφανῇς p

1, 6-9 : τί ἔτι — ἀποκρίνασθαι abc, (yz)
2, 3-6 : οἱ γὰρ — νίκην abc, yz ‖ 6-8 : εἶτα — πειρασμόν abc (yz)
3, 2-8 : τὸν παρόντα — παιδεύσῃς abc, yz

CHAPITRE XL

Nouveau discours divin

Job se soumet, mais Dieu continue à parler

1. *Job prit la parole et dit au Seigneur : Pourquoi mon jugement se prolonge-t-il, alors que c'est Dieu qui me réprimande et m'accuse, alors que j'entends de pareils reproches, moi qui ne suis rien ? Quelle réponse faire à ces paroles ? Je placerai ma main sur ma bouche. J'ai parlé une fois ; mais la seconde, je n'ajouterai rien*[a]. «Pourquoi, dit-il, mon jugement se prolonge-t-il ?» D'entrée de jeu, dès le début, il a renoncé à l'emporter. Je suis vaincu, dit-il. C'est de ton côté que se trouve la justice. Pourquoi prolonges-tu plus avant le procès ? Qu'est-il donc possible de répondre ?

2. *Prenant encore la parole, le Seigneur dit à Job, du sein de la nuée : Non pas, mais ceins tes reins comme un brave ; je t'interrogerai, et toi, réponds-moi*[b]. Vois : ceux qui ont confiance dans la surabondance de leurs justifications, ne laissent pas échapper leurs adversaires, même quand ils cherchent à fuir, pour que leur victoire se manifeste avec surabondance. Ensuite, il (Dieu) se défend contre Job : il est évident par ces exemples que je me soucie des hommes, et aussi pourquoi[1] je t'ai envoyé cette épreuve.

L'épreuve envoyée à Job a pour but de manifester sa justice

3. *Ne repousse pas mon jugement, et ne crois pas que mon intervention à ton sujet ait eu un autre but que de te faire*

---

a. Job 40, 3-5 ‖ b. Job 40, 6-7 ‖ c. Job 40, 8

1. Avec **pabcyz**, nous avons rétabli τίνος δὲ ἕνεκεν, qu'exige le parallélisme avec ὅτι μὲν, ainsi que le sens.

228 COMMENTAIRE SUR JOB

παρόντα λέγει χρηματισμόν · Οὐχ ἵνα σε κατακρίνω λέγω
ταῦτα, φησίν, ἀλλ' ἵνα δείξω δίκαιον. Ἡ περὶ τοῦ πει-
5 ρασμοῦ φησι, χρηματισμὸν τὴν συγχώρησιν λέγων, τοῦτ'
ἔστιν · < Μὴ οἴου > προστεταχέναι με δι' ἄλλο τι τοῦτο
γενέσθαι. Οὐκ εἶπεν · Ἵνα γένῃ, ἀλλ' ἵνα φανῇς ὅπερ ἦς,
ἵνα τοὺς ἄλλους παιδεύσῃς. Ἡ τὸν παρόντα λέγει χρηματισμόν · διὰ τοῦτο ταῦτα εἶπον, ἵνα ταῦτα φθεγξάμενος τὰ
10 ῥήματα φανῇς δίκαιος, οὐχ ἵνα σε κατακρίνω. Εἶτα πάλιν
ἀντεξετάζει αὐτοῦ τὴν ἰσχὺν καὶ τὸ μισοπόνηρον, ὅτι καὶ
δύναμαι, φησί, καὶ ποιῶ, καὶ τῇ δυνάμει κατὰ τῶν
πονηρῶν κέχρημαι.

4. Ἡ βραχίων σοί ἐστιν, φησί, κατὰ Κύριον, ἢ
φωνῇ βροντᾷς κατ' αὐτόν[d]; Μὴ βροντᾷς, σύ, φησίν, ὡς
ἐγώ; Πάντα δὲ ὑβριστὴν ταπείνωσον, ὑπερήφανον δὲ
σβέσον[e]. Οὐκ ἄρα πρὸς ἐπίδειξιν ἡ βροντὴ καὶ τὰ ἄλλα,
5 ἀλλὰ πρὸς θεογνωσίαν. Ὅρα δι' ὅσων τὸ ταπεινὸν τῆς
αὐτοῦ φύσεως ἔλεγχει αὐτόν, καὶ οὐ λέγει ὅτι ταπεινὸς σύ,
ἀλλ' ὅτι μέγας ἐγώ, καὶ οὐ δύνασαι ἅπερ ἐγώ.

5. Εἶτά φησιν · Ἡ παρὰ σοὶ θηρία ἴσα βουσὶ χόρτον
ἐσθίουσιν[f]; Τὸ γὰρ θαυμαστόν, ὅτι θηρίον οὐχ αἱμοβόρον
ἐστίν.

Εἶτα λέγει περὶ δύο τινῶν, τοῦ μὲν χερσαίου, τοῦ δὲ

6 μὴ οἴου (cf. Job 40, 8) (yz) > LMpabc ‖ 8-9 χρηματισμόν + ὅτι p ‖ 11
αὐτοῦ (p) : αὐτόν LM
4, 1 φησί > p ‖ κύριον : τοῦ κυρίου p ‖ 2 κατ' αὐτὸν βροντᾷς ∼ p ‖ 4 τὰ
ἄλλα + πάντα abcyz
5, 1 εἶτα — θηρία : ἀλλὰ δὴ ἰδοὺ θηρία ἃ ἐποίησα παρὰ σοί p ‖ χόρτον ἴσα
βουσὶ ∼ p ‖ 2 ἐσθίουσιν : ἐσθίει p ‖ γάρ > p

4, 4-7 : οὐκ ἄρα — ἅπερ ἐγώ (4 ἄλλα + πάντα abcyz; 5 ἀλλά > abc)
abc, yz
5, 2-9 : τὸ γὰρ — παριδεῖν (8 εἴ τι ... ὠφελεῖ LMp : ἔτι ... ὠφελεῖν abc
ἔστι ... ὠφελεῖν yz) abc, yz

apparaître juste[c]. Ou bien il parle de son intervention actuelle : ce n'est pas pour te condamner que je parle ainsi, mais pour montrer que tu es juste; ou bien il veut parler de son épreuve, appelant intervention son assentiment, c'est-à-dire[1] : (Ne crois pas que) j'aie prescrit qu'il en soit ainsi pour une autre raison. Il n'a pas dit : Pour que tu sois, mais : «pour que tu apparaisses» (juste), comme tu l'étais en fait, afin que tu enseignes les autres. Ou bien, il veut parler de son intervention actuelle, c'est-à-dire : Si j'ai dit cela, c'est pour que, après les paroles que j'ai exprimées, tu apparaisses juste, non pour te condamner. Puis, à nouveau, il lui oppose sa propre force et sa haine des méchants, car non seulement je suis puissant, dit-il, mais j'agis et j'use de ma puissance contre les méchants.

4. *Ton bras est-il comparable,* dit-il, *à celui du Seigneur ou ta voix tonne-t-elle comme la sienne*[d]? Est-ce que tu tonnes, toi, dit Dieu, comme je le fais, moi? *Humilie tous les orgueilleux, éteins tous les superbes*[e]. Ce n'est donc pas pour faire impression que le tonnerre et le reste existent, mais pour faire connaître Dieu. Vois par combien d'arguments il le convainc de la petitesse de sa nature, et il ne lui dit pas : Toi, tu es petit, mais : Moi, je suis grand, et tu ne peux pas (faire) ce que je fais.

Les deux monstres
qui manifestent la puissance de Dieu

5. *Les bêtes sauvages mangent-elles de l'herbe à tes côtés, comme le font les bœufs*[f]? L'étonnant, en effet, c'est qu'une bête sauvage ne soit pas carnivore.

Ensuite, il parle de deux espèces de bêtes sauvages, l'une

d. Job 40, 9 ‖ e. Job 40, 11-12 ‖ f. Job 40, 15

1. **yz** sont seuls à avoir après τοῦτ' ἔστιν : μὴ οἴου. Nous le rétablissons dans le texte, car il est nécessaire.

5 ἐνύδρου καὶ θαλαττίου. Καὶ οὐκ ἀγνοοῦμεν ὅτι πολλοὶ περὶ
τοῦ διαβόλου ταῦτα εἰρῆσθαι νομίζουσι, κατὰ ἀναγωγὴν
ἐκλαμβάνοντες · δεῖ δὲ πρότερον τῆς ἱστορίας ἐπιμεληθῆναι,
καὶ τότε, εἴ τι τὸν ἀκροατὴν ὠφελεῖ, καί ἐκ τῆς ἀναγωγῆς
μὴ παριδεῖν. «Πάντα γὰρ πρὸς οἰκοδομὴν γινέσθωg»,
10 φησίν.

6. Εἶτά φησιν · **Ἐπελθὼν δὲ εἰς ὄρος ἀκρότομον,
ἐποίησεν χαρμοσύνην τετράποσιν ἐν τῷ Ταρτάρῳ**h.
Τοῦτ' ἔστιν · ἀνένευσεν τὰ θηρία, πρὸς τὰ ὑψηλὰ ἀναχω-
ρήσαντος ἐκείνου. Διὰ τοῦτο μεγάλα ἐποίησεν ταῦτα τὰ
5 δύο, ἵνα μάθῃς ὅτι δύναται πάντα τοιαῦτα ποιεῖν · ἀλλ' οὐ
ποιεῖ · πρὸς γὰρ τὸ χρήσιμόν σοι πεποίηκεν. Ὅρα πῶς
φυλάττει τοὺς οἰκείους νόμους · τὸ μέρος τῆς θαλάττης
ὅπερ ἐστὶν ἄπλωτον, ταῦτα ἐπινέμεται. Τίς ἡ χρεία, ἴσως
εἴποι τις ἄν; Μάλιστα μὲν ἀγνοοῦμεν τὴν ἀπόρρητον αὐτῶν
10 χρείαν, εἰ δὲ χρή τι εἰπεῖν, ὅτι πρὸς θεογνωσίαν ἡμᾶς ἄγει.
Καθάπερ ἐν τοῖς ἄστροις, οἱ μὲν πλείους, οἱ δὲ ἐλάττους,
καὶ οἱ μὲν μείζους, οἱ δὲ μικροί, οὕτω καὶ ἐπὶ τῶν
θηρίων · εἰ μεγάλα μόνα ἐποίησεν, εἶπες ἂν ὅτι μικρὰ οὐκ
ἠδύνατο · εἰ μικρά, τὸ ἐναντίον. Πάλιν, εἰ ἥμερα, εἶπες ἂν

---

7 πρότερον : πρῶτον p ‖ 8 εἴ τι... ὠφελεῖ : ἔτι... ὠφελεῖν abc ἔστι...
ὠφελεῖν yz ‖ ἀναγωγῆς + ὠφελεῖ p ‖ 10 φησίν + ὁ παῦλος p
6, 1 εἶτα ‖ φησιν > p ‖ εἰς ὄρος : ἐπ' ὄρος p ‖ 2 χαρμοσύνην : χαρμονήν p
‖ 3 *Hic, post* τοῦτ' ἔστιν *desinit* L ‖ 4 διὰ + δὲ p ‖ 5 μάθῃς : μάθωμεν p
‖ πάντα δύναται ~ p ‖ 7 θαλάττης + φησίν p ‖ 8 ἐπινέμεται + καὶ p ‖ 9 ἂν
> p ‖ 11 καθάπερ + γὰρ p ‖ 14 ἠδύνατο + διὰ τοῦτο p

g. I Cor. 14, 26 ‖ h. Job 40, 20

1. Chrysostome va traiter ces monstres comme des êtres réels, «l'un
habitant la mer, l'autre le désert». Mais il n'en précise pas le nom. Il ne
sait pas, d'ailleurs, de quels animaux il s'agit : «Ils nous sont inconnus»,
dit-il (cf. **6**, 18). Ils correspondent à ceux que l'hébreu appelle Béhémot
et Léviathan, et dans lesquels on s'est plu, généralement, à reconnaître
l'hippopotame et le crocodile.

2. Passage capital sur la façon dont Chrysostome, qui relève de
l'école d'Antioche, interprète les Écritures : il faut d'abord se préoccuper du sens littéral, historique : δεῖ δὲ πρότερον τῆς ἱστορίας ἐπιμελη-

qui vit sur la terre, l'autre qui vit dans l'eau ou dans la mer[1]. Et nous n'ignorons pas que bien des commentateurs, interprétant le passage au sens spirituel, pensent que tout cela a été dit du diable ; mais il faut, d'abord, se préoccuper du sens littéral, et, ensuite, si l'auditeur peut en tirer quelque profit, ne pas négliger non plus le sens spirituel[2]. « Que tout, en effet, serve à l'édification[g] », dit l'Écriture.

6. Puis il ajoute : *Étant parvenu sur une montagne escarpée, il a fait la joie des quadrupèdes dans le Tartare*[h3]. C'est-à-dire : les bêtes sauvages ont relevé la tête, quand cet animal s'est retiré vers les hauteurs. S'il a créé ces deux bêtes énormes, c'est pour que tu saches qu'il peut toutes les faire sur ce modèle-là ; cependant, il ne le fait pas, car sa création est orientée vers ce qui t'est utile. Remarque comment (ces bêtes) observent les lois qui leur sont propres : c'est la partie de la mer qui n'est pas navigable qu'elles hantent. Quelle en est l'utilité, dira-t-on peut-être ? Nous ignorons quelle est au juste l'utilité mystérieuse de ces monstres, mais, s'il faut risquer une explication, c'est qu'ils nous conduisent à la connaissance de Dieu. De même que, parmi les astres, les uns sont plus nombreux[4], les autres moins, les uns plus grands, les autres plus petits, de même, à propos des bêtes sauvages : si Dieu n'en avait fait que de grandes, tu aurais dit qu'il ne pouvait en faire de petites ; s'il n'en avait fait que de petites, tu aurais dit le contraire. Pareillement, s'il n'avait créé que des animaux domes-

---

θῆναι, et seulement ensuite, du sens spirituel (κατὰ ἀναγωγήν), dans la mesure où cette seconde interprétation peut être profitable aux auditeurs. C'est ce qu'a fait Chrysostome tout au long de notre commentaire. Voir *Introd.* p. 50-51.

3. A partir de XL, **6**, 2, après le mot : Ταρτάρῳ, **L** est lacunaire, jusqu'à la fin. Cf. *Introd.* p. 13-14.

4. Les anciens regroupaient les astres en constellations, qui divisaient le ciel suivant les douze mois de l'année ; ce sont les signes du zodiaque. Ces constellations contenaient des astres plus ou moins nombreux.

15 ὅτι ἄγρια οὐκ ἠδύνατο. Πολλὴ ποικιλία ἐν τοῖς οὖσιν, ἐν
τοῖς ἀψύχοις, ἐν τοῖς κατ᾽ αἴσθησιν, ἐν τοῖς λογικοῖς, ἐν
τοῖς ἀλόγοις. Καὶ τί τὸ ὄφελος, φησί, τῆς δημιουργίας ἀγνοου-
μένων ἡμῖν ἔργων, οἷον ταυτὶ τὰ θηρία ἀγνοούμενα; Ἀλλ᾽
οἱ πλέοντες τὴν θάλασσαν ἴσασι καὶ ἀναγγελοῦσι τοῖς
20 ἀγνοοῦσιν · οἱ πρὸς τὰς ἐρημίας ἐλθόντες οὐκ ἀγνοοῦσιν.

7. Εἶτά φησιν · **Ἐνσιτοῦνται δὲ αὐτὸν ἔθνη, καὶ
μεριοῦνται αὐτὸν φοινίκων γένη**[i]; Τοῦτ᾽ ἔστιν · τοσοῦτος
ὁ τοῦ σώματος ὄγκος ἐστίν, ὡς δυνηθῆναι ὁλοκλήρῳ ἔθνει
ἀρκέσαι · οὐ γὰρ δὴ ὡς τούτου μέλλοντος γίνεσθαι ταῦτά
5 φησιν, καὶ Φοινίκων ἐμνήσθη διὰ τὴν ἐμπορίαν.

8. **Ἐπιθήσεις δὲ ἐπ᾽ αὐτῷ χεῖρας, οὐ μνησθεὶς
πολέμου τοῦ γενομένου ἐν τῷ σώματι αὐτοῦ, καὶ
μηκέτι γινέσθω**[j]; Πόλεμον ἐνταῦθα λέγει, τὴν ταραχήν,
τὴν ἀγριότητα, μετὰ τὸ χρίμψασθαι αὐτό. Πῶς γίνεται;
5 φησί · τοιοῦτόν ἐστι τὸ θηρίον ἄγριον καὶ δυνατὸν καὶ
ἀκατάπληκτον.

---

18 ἡμῖν + τῶν p ‖ ταυτὶ : ταῦτα p ‖ ἀγνοούμενα : οἱ πολλοὶ ἀγνοοῦμεν p
‖ 18-19 ἀλλ᾽ οἱ : ἀλλ᾽ ὅτι Μ ‖ 19 ἴσασι : ἴσως Μ ‖ ἀναγγελοῦσι p :
ἀπαγγέλλουσι Μ ‖ 20 οἱ : οἷς Μ

7, 1 εἶτά φησιν > p ‖ αὐτὸν : ἐν αὐτῷ p ‖ 1-2 καὶ μεριοῦνται : μεριοῦνται
δέ p ‖ 3 ἔθνει : ἔθνη Μ[ac]

8, 1 ἐπιθήσεις : ἐπιθείς Μ ‖ ἐπ᾽ αὐτῷ χεῖρας : αὐτῷ χεῖρα p ‖ οὐ > p ‖ 2
πολέμου τοῦ γενομένου : πόλεμον τὸν γενόμενον p ‖ τῷ > p ‖ 4 χρίμψασθαι
(pabcy) : μέμψασθαι Μ

7, 2-5 : τοῦτ᾽ ἔστιν — ἐμπορίαν abc, yχ

8, 3-6 : πόλεμον — ἀκατάπληκτον (4-6 : μετὰ — ἀκατάπληκτον > yz)
abc (yz)

i. Job 40, 30 ‖ j. Job 40, 32

tiques, tu aurais dit qu'il ne pouvait en faire de sauvages. Grande est la diversité qui existe parmi les êtres, parmi les êtres sans vie, parmi ceux qui ont la connaissance, parmi ceux qui sont doués de raison, parmi ceux qui en sont privés. Mais, à quoi bon, dira-t-on, créer des œuvres ignorées de nous, comme c'est le cas de ces monstres que nous ignorons? Mais, ceux qui naviguent sur la mer les connaissent, et ils en parleront à ceux qui les ignoraient; ceux qui sont allés vers les lieux déserts ne les ignorent pas[1].

7. Ensuite, il poursuit : *Les nations s'en nourrissent-elles, et les tribus phéniciennes se le partageront-elles*[i]? C'est-à-dire : la masse de son corps est si énorme qu'à elle seule, elle peut suffire à une nation tout entière; si, en effet, il parle ainsi, ce n'est évidemment pas dans l'idée que cela doit arriver, et s'il évoque les Phéniciens, c'est à cause du commerce.

8. *Porteras-tu les mains sur lui, sans te souvenir de la lutte que tu as engagée contre sa masse, et sans penser : que ce soit bien la dernière fois*[i]? Par lutte, il veut parler ici des mouvements désordonnés, de la sauvagerie de la bête quand on l'a effleurée de la main. Comment, dira-t-on, cela peut-il se faire? C'est que tel est le monstre : sauvage, puissant, impossible à effrayer.

---

1. Nous adoptons entièrement ici le texte de **p**. Celui de **M** (**L** *def.*) ne donne, en effet, aucun sens satisfaisant.

XLII

1. Εἶτα μετὰ ταῦτά φησιν· Ὑπολαβὼν δὲ Ἰὼβ λέγει τῷ Κυρίῳ· Οἶδα ὅτι πάντα δύνασαι, ἀδυνατεῖ δέ σοι οὐδέν. Τίς γάρ ἐστιν ὁ κρύπτων σε βουλήν; Φειδόμενος δὲ ῥημάτων, καί σε οἴεται κρύπτειν[a];

2. Εἶτά φησιν· Ἕως μὲν ὠτὸς ἀκοὴν ἤκουόν σου τὸ πρότερον, νυνὶ δὲ ὀφθαλμοῖς ἑώρακα[b]. Οὐκ ἐπειδὴ ὀφθαλμοῖς εἶδεν, ἀλλ' ἐπειδὴ σαφέστερον ἤκουσεν.

3. Διὸ ἐφαύλισα ἐμαυτὸν καὶ ἐτάκην· ἥγημαι δὲ ἐμαυτὸν γῆν καὶ σποδόν[c]. Τοιοῦτόν ἐστιν ὃ ἔλεγεν πρὸς αὐτόν· «Ἄλλως με οἴει σοι κεχρηματικέναι ἢ ἵνα δίκαιος ἀναφανῇς[d]», ἵνα ταῦτα, φησίν, εἴπῃς τὰ ῥήματα, οὐχ ἵνα
5 σε κατακρίνω. Ἀπολογία ὑπὲρ τῶν προτέρων ἁπάντων· οὐδὲ γὰρ ἀπαλλαγεὶς τοῦ πειρασμοῦ ταῦτά φησιν, ἀλλ' ἔτι ἐν τοῖς δεινοῖς ὢν παλινῳδίαν ᾖσεν. Οὐδὲν ἐμαυτὸν τίθεμαι, φησίν· ἀπολογίαν ὑπὲρ τῶν προτέρων ἐρῶ· καὶ τούτων ἀνάξιος ἤμην ἐγώ. Τί οὖν ὁ Θεός; Ἐπειδὴ ἑαυτὸν κατεδί-
10 κασεν, τότε ἐδικαίωσεν αὐτόν. Καὶ τί φησιν; Εἶπεν τοῖς φίλοις αὐτοῦ ὅτι δεῖ τὴν ἁμαρτίαν αὐτῶν λῦσαι, καὶ θεράποντα αὐτοῦ συνεχῶς καλεῖ τὸν Ἰώβ.

1, 1 εἶτα — φησιν > p ‖ 1-2 τῷ κυρίῳ λέγει ∼ p
2, 1 εἶτά φησιν > p ‖ ἕως μὲν ὠτὸς ἀκοὴν M : ἀκοῇ μὲν ὠτός p ‖ 2 νυνὶ — ἑώρακα : νῦν δὲ ὁ ὀφθαλμός μου ἑώρακε σε p ‖ 2-3 οὐκ — ἤκουσεν > p
3, 5 ἀπολογία : ἀλλ' ἀπολογίας ζητῶν p ‖ 8 ἐρῶ + ὅτι p

2, 2-3 : οὐκ — ἤκουσεν abc, yz
3, 5-10 : ἀπολογία — αὐτόν (8 ἐρῶ : ποιοῦμαι yz) abc, yz̅

a. Job 42, 1-3 ‖ b. Job 42, 5 ‖ c. Job 42, 6 ‖ d. Job 40, 8

1. Dans M, les mots : Εἶτα μετὰ ταῦτά φησιν indiquent l'absence du chapitre XLI. Ils ne se trouvent pas dans p, qui commente le chapitre

CHAPITRE XLII

DIEU RÉCOMPENSE LA FIDÉLITÉ DE JOB

Job reconnaît son néant devant la grandeur de Dieu

1. Puis, après cela, le texte poursuit[1] : *Job prit la parole et dit au Seigneur : Je sais que tu peux tout, et que rien ne t'est impossible. Qui est donc celui qui te cache son dessein, et qui, en retenant ses paroles, croit aussi se cacher de toi*[a2] ?

2. Puis, il ajoute : *Autrefois, c'était à mon oreille que parvenait ce qu'on disait de toi, mais maintenant, je (t') ai vu de mes yeux*[b]. Ce n'est pas qu'il l'ait vu de ses yeux, mais il l'a entendu plus clairement.

3. *C'est pourquoi, je me suis tenu pour vil et me suis consumé de chagrin; je me suis estimé terre et poussière*[c]. C'est bien là ce que Dieu lui disait : «Crois-tu que mon intervention à ton sujet avait un autre but que de te faire apparaître juste[d]?» C'était, dit-il, pour te faire parler comme tu viens de le faire, et non pour te condamner. C'est une justification pour tout ce qui a précédé. C'est que, en effet, il n'a pas encore été délivré de son épreuve quand il parle ainsi, mais il est encore dans ses tourments, quand il a fait sa rétractation. Je ne fais de moi-même aucun cas, dit-il; je vais présenter la justification de Dieu à propos de ce qui a précédé. Même de cela je n'étais pas digne. Et Dieu, que fait-il donc? C'est lorsque (Job) s'est condamné lui-même qu'alors il l'a justifié. Et que dit-il? Il a dit à ses amis qu'il fallait expier leur faute, et il appelle continuellement Job son serviteur.

XLI, mais avec des extraits qui ne sont jamais placés sous le nom de Chrysostome.

2. Job reprend ici les termes mêmes du reproche que lui adressait Dieu au chapitre 38, 2 et les reconnaît pleinement justifiés.

4. Ἐγένετο δέ, φησί, μετὰ τὸ λαλῆσαι τὸν Κύριον τὰ ῥήματα ταῦτα τῷ Ἰώβ, εἶπεν ὁ Κύριος Ἐλιφὰζ τῷ Θαιμανίτῃ · Ἥμαρτες, σὺ καὶ οἱ δύο φίλοι σου · οὐ γὰρ ἐλαλήσατε ἐναντίον μου οὐδὲν ἀληθές, ὥσπερ ὁ 5 θεράπων μου Ἰώβᵉ. Συνεχῶς αὐτὸν καλεῖ θεράποντα αὐτοῦ, δεικνὺς ὅτι τὰ πρότερα πάντα ἀνήρηται · ὥστε ἀληθῆ ἐλάλησεν Ἰώβ, λέγων τὰ ἑαυτοῦ κατορθώματα, ὑμεῖς δὲ αὐτὸν καταδικάσαντες οὐκ ἀληθῆ εἰρήκατε.

5. Καὶ νῦν, φησί, λάβετε ἑπτὰ μόσχους καὶ ἑπτὰ κριούς, καὶ πορεύθητε πρὸς τὸν παῖδά μου Ἰώβ, καὶ ποιήσει καρπώσεις ὑπὲρ ὑμῶνᶠ. Οὐκ ἂν τοῦτο προσέταξεν, εἰ Νόμος ἦν, ἀλλ' αὐτὸς ἱερεὺς γίνεται, ἐκείνων 5 προσαγόντων τὰς θυσίας · προσήνεγκεν ὑπὲρ τῶν παίδων, προσφέρει ὑπὲρ τῶν φίλων · ὅρα πῶς τὸ ἀμνησίκακον αὐτοῦ δείκνυσι. Μάρτυρας αὐτοὺς ποιεῖ γενέσθαι τῆς ἀρετῆς τοῦ ἀνδρὸς καὶ δείκνυσι τῆς ἁμαρτίας τὸ μέγεθος καὶ διὰ τῆς ὑπερβολῆς τῆς κατὰ τὴν προσφοράν · οὐ γὰρ 10 ἂν τοσούτων ἐδέησεν ἱερείων, εἰ μὴ μεγάλων ὄντων τῶν ὀφειλόντων λυθῆναι ἁμαρτημάτων.

6. Καὶ δείκνυσιν ὅτι οὐδὲ ἡ θυσία ἱκανὴ ἦν. Εἰ μὴ γάρ, φησί, δι' αὐτόνᵍ, οὐκ ἂν ἴσα τὴν ἁμαρτίαν ὑμῖν. Διὰ τούτου δείκνυσιν ὅτι καὶ αὐτοὺς ἔλυσεν. Ἀπώλεσα, φησίν,

4, 1 φησί > p ‖ 2 τὰ ῥήματα ταῦτα : πάντα τὰ ῥήματα p ‖ 4 ἐναντίον : ἐνώπιον p ‖ ἀληθὲς οὐδὲν ~ p ‖ 6 δεικνὺς + αὐτῷ p ‖ 7 ἰώβ : ὁ ἰώβ p
5, 1 καὶ νῦν : νῦν δὲ p ‖ φησί > p ‖ 2 παῖδα : θεράποντα p ‖ 3 ὑπὲρ : περὶ p ‖ 10 ὄντων + τῶν ὀφλημάτων p ‖ 11 ἁμαρτημάτων > p
6, 2 φησί > p ‖ ἴασα : εἴασα p

4, 5-8 : συνεχῶς — εἰρήκατε (5-6 συνεχῶς — ὥστε > yz) abc, yχ
5, 3-11 : οὐκ ἂν — ἁμαρτημάτων (6 ὁρᾷς abc, yz; 10 εἰ > abcyz) abc, yz
6, 1-3 : καὶ δείκνυσιν — ἔλυσεν abc, yz

e. Job 42, 7 ‖ f. Job 42, 8 ‖ g. Job 42, 8

1. Sur les mots : ἐγένετο δέ, (L def.), le copiste de M revient à la ligne avec une écriture en petite onciale, indiquant le début d'un nouveau chapitre. Sur la différence entre la façon dont les anciens découpaient le

Dieu condamne la conduite des trois amis de Job

4. *Or, il arriva*[1], dit le texte, *lorsque le Seigneur eut adressé ces paroles à Job, que le Seigneur dit à Éliphaz de Théman : Tu as péché, toi, et tes deux amis ; car vous n'avez rien dit de vrai en ma présence, comme (l'a fait) mon serviteur Job*[c]. Il l'appelle continuellement son serviteur, voulant montrer que tout ce qui précède est effacé : ainsi, Job a dit vrai, en parlant de ses bonnes actions, tandis que vous, en le condamnant, vous n'avez pas dit la vérité.

5. *Et maintenant*, dit-il, *prenez sept veaux et sept béliers, et allez trouver Job, mon serviteur, et il offrira pour vous des sacrifices*[f]. Il n'aurait pas prescrit cela, s'il y avait eu la Loi ; mais c'est lui qui devient prêtre, tandis qu'eux apportent des offrandes ; il en avait offert pour ses enfants, il en offre pour ses amis[2]. Vois comment le texte montre que Job est dénué de ressentiment. Dieu prend (les amis de Job) à témoin de la vertu du personnage, et montre également la grandeur de leur faute par l'importance exceptionnelle de l'offrande. Il n'y aurait pas eu besoin, en effet, de victimes si considérables, si les fautes qui devaient être expiées n'avaient pas été graves.

6. Il montre aussi que le sacrifice n'était pas suffisant, *car*, dit-il, *si ce n'était à cause de lui*[g], je ne vous aurais pas guéri de votre faute. Par là, il montre qu'il leur a pardonné,

texte de *Job* et celle dont il est divisé dans nos éditions modernes, voir *Introd.,* p. 48, n. 1.

2. Job, sur l'ordre de Dieu, offre des sacrifices pour les péchés de ses amis, comme il en avait offert pour les fautes cachées de ses enfants. Cette prescription divine suppose qu'il n'y avait encore ni loi de Moïse, ni prêtres. Nous retrouvons là des idées chères à Chrysostome, qu'il avait développées dans le Prologue et au chapitre I, § 7 : Job est lui-même un prêtre, un intercesseur ; antérieur à Moïse, il a atteint la perfection des Béatitudes sans le secours de la Loi : «Le Christ n'est venu enseigner rien de nouveau ni rien d'insolite» (cf. Prologue, **4**, 13-14).

ἂν ὑμᾶς, εἰ μὴ δι' αὐτόν. Οὐ γὰρ ἐλαλήσατε κατὰ
5 τοῦ θεράποντός μου Ἰὼβ οὐδὲν ἀληθές[h]. Ὅρα ὅτι,
καίτοι ζήλῳ λέγοντες, ἠλέγχοντο μηδὲν ἀληθὲς εἰπόντες,
μᾶλλον δέ, οὐκ ἔλεγον ζήλῳ τῷ κατὰ Θεόν· ἢ γὰρ
ἂν συνεγνώσθησαν· ὥστε δικαίως αὐτοῖς ὁ Ἰὼβ ἐγκαλεῖ.
Ἐκ τούτου μανθάνομεν ὅτι ὁ κατηγορῶν τῶν δικαίων οὐ
10 μικρὰν ἁμαρτίαν τίνει.

7. Ἤκουσαν δέ, φησί, πάντες οἱ ἀδελφοὶ αὐτοῦ καὶ
αἱ ἀδελφαὶ αὐτοῦ πάντα τὰ συμβεβηκότα αὐτῷ, καὶ
ἦλθον πρὸς αὐτόν, καὶ πάντες ὅσοι ᾔδεισαν αὐτὸν
πρὸ τούτου· φαγόντες δὲ καὶ πιόντες παρ' αὐτῷ,
5 παρεκάλεσαν αὐτὸν καὶ ἐθαύμασαν ἐπὶ πᾶσι τοῖς
κακοῖς, οἷς ἐπήγαγεν αὐτῷ ὁ Κύριος, καὶ ἔδωκαν
αὐτῷ ἕκαστος ἀμνάδα μίαν καὶ τετράδραχμον χρυ-
σοῦν ἄσημον[i]. Τεκμήριον καὶ σημεῖον τῆς μεταβολῆς· τὸν
γὰρ ὑπὸ τοῦ Θεοῦ τιμηθέντα, καθάπερ ὑπὸ βασιλέως,
10 τιμᾶν εἰώθασιν ἄνθρωποι. Καὶ πάντα αὐτῷ μεταβέβλητο
καὶ διπλᾶ ἦν.

8. Γεννῶνται δὲ αὐτῷ, φησίν, υἱοὶ ἕπτα καὶ θυγα-
τέρες τρεῖς[j]. Εἶτα καὶ τὰ ὀνόματα αὐτῶν, τάχα
ἀπὸ τῶν συμβάντων, ἐπέθηκεν. Ἡμέραν, Κασσίαν,
καὶ Ἀμαλθείας κέρας[k] ὀνομάσας.

9. Εἶτα καὶ περὶ τῶν βασιλέων φησί, καὶ ὅτι οὗτος

4 εἰ μὴ δι' αὐτόν > p ‖ 4-5 κατὰ — ἀληθές : πρός με ἀληθὲς κατὰ τοῦ
θεράποντός μου ἰὼβ p ‖ 5 ὅτι > p ‖ 10 τίνει : ποιεῖ p
7, 1 φησί πάντες > p ‖ 4 πρὸ τούτου : ἐκ πρώτου p ‖ παρ' αὐτῷ +
ἄριστον ἐν τῷ οἴκῳ αὐτοῦ p ‖ 6 καὶ ἔδωκαν : ἔδωκε δὲ p ‖ 8 ἄσημον + ἕν p
‖ 9 τοῦ > p
8, 1 φησίν > p ‖ 2-3 εἶτα — ἐπέθηκεν > p ‖ 3-4 ἡμέραν — ὀνομάσας :
καὶ ἐκάλεσε τὴν μὲν πρώτην ἡμέραν, τὴν δὲ δευτέραν κασσίαν, τὴν δὲ τρίτην
ἀμαλθίας κέρας p
9, 1-2 εἶτα — ἰουδαῖοι : πέμπτος οὗτος ἀπὸ ἀβραὰμ ὡς ἡ γραφὴ ἐνταῦθα
παρίστησιν. εἶτα καὶ περὶ τῶν βασιλέων φησίν · ἐν αἰγύπτῳ οὖν ἦσαν ἔτι οἱ
ἰουδαῖοι p

à eux aussi. *Je vous aurais fait périr,* dit-il, si ce n'était à cause de lui. *Car vous n'avez rien dit de vrai contre mon serviteur Job*[h]. Remarque qu'ils avaient beau parler avec zèle, ils étaient pourtant accusés de n'avoir rien dit de vrai, ou plutôt, ils ne parlaient pas avec le zèle qui est selon Dieu; car, alors, ils auraient été pardonnés; aussi est-ce avec raison que Job s'en prend à eux. Par là nous apprenons que celui qui accuse les justes, n'a pas à expier une faute légère.

Job retrouve richesse et considération

7. *Tous ses frères et ses sœurs,* dit le texte, *apprirent tout ce qui lui était arrivé et vinrent le trouver, ainsi que tous ceux qui le connaissaient auparavant; après avoir mangé et bu avec lui, ils le consolèrent et s'étonnèrent de tous les maux que le Seigneur lui avait infligés; et ils lui offrirent chacun une jeune agnelle et un tétradrachme en or non monnayé*[i] : preuve et signe du changement; les hommes, en effet, ont coutume d'honorer celui qui a été honoré par Dieu, comme (celui qui l'a été) par un roi; toute sa situation était transformée et tous ses biens doublèrent.

8. *Voici que lui naissent,* dit le texte, *sept fils et trois filles*[j]. Ensuite, il leur imposa aussi des noms, inspirés peut-être par les circonstances : il les appela : *Jour, Cannelle, et Corne d'Amalthée*[k].

Modèle pour les Juifs d'avant Moïse, Job l'est encore pour nous aujourd'hui

9. Ensuite, le texte parle aussi des rois, et (dit) que Job

5-10 : ὅρα ὅτι — τίνει (9-10 οὐ μικρὰν ἁμαρτίαν τίνει : οὐ μετρίως ἁμαρτάνει yz) abc, *yz*
7, 8-11 : τεκμήριον — διπλᾶ ἦν abc

h. Job 42, 8 ‖ i. Job 42, 11 ‖ j. Job 42, 13 ‖ k. Job 42, 14

πέμπτος ἀπό 'Αβραάμ¹. Ἔτι ἐν Αἰγύπτῳ ἦσαν 'Ιουδαῖοι.
Ἔμελλον ἀνιέναι λοιπόν, ὡς, εἴ γε ἐβούλοντο, οὐ μικρὸν
ηὕρισκον ἐμπύρευμα εὐσεβείας. Οὐδὲ γὰρ εἰκὸς ἦν λαθεῖν.
5 Εἰ γὰρ ἔτι καὶ νῦν δείκνυται τὰ λείψανα, πολλῷ μᾶλλον
τότε ἐδείχθη ἄν, νεαρῶν ὄντων τῶν πραγμάτων · καὶ τὸ
μέγεθος τῶν συμβεβηκότων καὶ οἱ ἐν τῇ 'Αραβίᾳ πάντες ἂν
ἔγνωσαν.

Ταῦτα μὲν ἡμεῖς ὡς ἐν συντόμῳ εἰρήκαμεν · ἔξεστι
10 δὲ τῷ βουλομένῳ, μετὰ ἀκριβείας ἐπίοντι τὰ ἐγκείμενα,
καὶ πλεῖόν τι εὑρεῖν τῶν παρ' ἡμῶν εἰρημένων · «Δίδου
γὰρ σοφῷ», φησίν, «ἀφορμήν, καὶ σοφώτερος ἔσται^m.»
Ἕκαστος τοίνυν τῶν ἀναγινωσκόντων, ὥσπερ εἰς ἀρχέ-
τυπόν τινα εἰκόνα ὁρῶν τὸν ἀθλητὴν τοῦτον τὸν γενναῖον,
15 μιμείσθω τὴν ἀνδρείαν, ζηλούτω τὴν ὑπομονήν, ἵνα, τὴν
αὐτὴν αὐτῷ βαδίσας ὁδόν, καὶ πρὸς ἀπάσας τοῦ διαβόλου
τὰς μηχανὰς γενναίως παραταξάμενος, τῶν ἐπηγγελμένων
ἀγαθῶν τοῖς ἀγαπῶσι τὸν Θεὸν ἐπιτυχεῖν δυνηθείη. Χάριτι
καὶ φιλανθρωπίᾳ τοῦ Κυρίου ἡμῶν 'Ιησοῦ Χριστοῦ, μεθ' οὗ
20 τῷ Πατρὶ ἅμα τῷ Ἁγίῳ Πνεύματι, δόξα, κράτος, τιμή,
νῦν καὶ ἀεὶ καὶ εἰς τοὺς αἰῶνας τῶν αἰώνων. 'Αμήν.

3 ἔμελλον + δὲ p ‖ ὡς : εἰς p ‖ 6 ἐδείχθη ἄν : ἐδείχθησαν p ‖ 10 ἐπίοντι :
ἐπίοντα p ‖ 12 φησίν > p ‖ 16 ἀπάσας : πάσας p ‖ 17-18 τῶν ἐπηγγελμένων
— δυνηθείη : τοῖς ἀγαπῶσι τὸν θεὸν τῶν ἐπηγγελμένων ἀγαθῶν δυνηθείη
ἐπιτυχεῖν ∼ p ‖ 20 τιμή + προσκύνησις p

9, 2-8 : ἔτι — ἔγνωσαν ac, yz (b def.) ‖ 13-18 : ἕκαστος — δυνηθείη ac,
yz (b def.) ‖ 18-21 : χάριτι — ἀμήν ac (b def.)

l. Cf. Job 42, 17 ‖ m. Prov. 9, 9

1. Dès le début de son commentaire (cf. Prologue 1, 3 et 4, 2-3),
Chrysostome avait déjà souligné que Job était le «cinquième roi après
Abraham» et que, «lorsque les Juifs étaient en Égypte, et, dans ce pays,
étaient privés de guides, ils avaient l'exemple de Job».

2. Sur la localisation du tombeau de Job, et sur les pèlerinages
auxquels il donnait lieu, on pourra consulter : ÉGÉRIE, Journal de voyage,
SC 296, p. 182, note 1 et p. 195.

était *le cinquième à partir d'Abraham*[11]. Les Juifs se trou-
vaient encore en Égypte. Ils allaient bientôt en revenir, en
sorte que, s'ils le désiraient, ils pouvaient trouver dans
l'histoire de Job un brasier non négligeable où réchauffer
leur piété. Il serait invraisemblable, en effet, qu'ils l'aient
ignorée. Si aujourd'hui encore, on montre les souvenirs
qui restent de lui[2]; à bien plus forte raison, les montrait-
on, alors que les événements étaient récents, et tous ceux
qui vivaient en Arabie connaissaient aussi l'importance de
ces événements.

Pour nous, nous en avons parlé comme en raccourci[3];
mais il est loisible au premier venu, s'il s'applique attentivement au texte en question, d'y découvrir encore plus que
nous n'avons dit. En effet : «Fournis au sage», dit l'Écriture, «une impulsion, il deviendra encore plus sage[m4].»
Que chaque lecteur, par conséquent, jetant les yeux sur ce
généreux athlète comme sur un modèle et une image, imite
sa vaillance, rivalise de patience avec lui, pour que, en
suivant la même route que lui et en faisant front généreusement à toutes les embûches du diable, il puisse obtenir les
biens promis à ceux qui aiment Dieu[5]. Par la grâce et la
miséricorde de notre Seigneur Jésus-Christ, à qui soient,
ainsi qu'au Père et au Saint-Esprit, gloire, puissance,
honneur, maintenant et toujours et pour les siècles des
siècles. Amen.

3. Sur cette méthode du commentaire qui ne se veut pas exhaustive,
mais inspirée par un choix : ὡς ἐν συντόμῳ, voir *Introd.*, p. 46.
4. Ce verset des *Proverbes* se trouve parmi les textes de l'Écriture le
plus souvent cités par Chrysostome. Voir A.-M. MALINGREY, «Les
sentences des Sages dans la prédication de Chrysostome», dans *Colloque
Chrysostome-Augustin,* Paris 1975, p. 206, n. 43.
5. Le commentaire s'achève sur une dernière évocation des deux
grands protagonistes du drame : Job, le généreux athlète, et le diable
rusé et pervers. L'invitation à imiter la patience et la vaillance de l'un et
à éviter les embûches de l'autre, pour «obtenir les biens promis à ceux
qui aiment Dieu», est une conclusion apostolique et religieuse bien
digne de celui qui fut, dans sa vie et dans sa mort, un admirable émule
du héros qu'il avait si bien compris et célébré dans notre commentaire.

INDEX SCRIPTURAIRE

Les chiffres de la colonne de droite renvoient au chapitre, au paragraphe et à la ligne de la présente édition du *Commentaire sur Job*. Les astérisques indiquent les allusions.

Les références aux Psaumes sont données d'après la Septante.

Nous ne citons du livre de Job que les versets n'appartenant pas au chapitre que Chrysostome est en train de commenter.

Dans les cas où une citation scripturaire chevauche sur plusieurs lignes, la référence est indiquée à la ligne où se trouve la lettre en exposant.

INDEX DES NOMS PROPRES

Cet index comprend les noms de personnes et les noms géographiques du *Commentaire,* à l'exclusion de ceux qui se trouvent dans le texte scripturaire de Job.

Pour les ethniques, voir l'index des mots grecs.

INDEX DES MOTS GRECS

Cet index n'est pas exhaustif. On n'y trouvera ni les mots du texte de *Job*, ni ceux des autres citations scripturaires. Pas davantage les pronoms, les mots outils (conjonctions, prépositions, etc.), les noms propres renvoyés à l'index des noms de personnes et de lieux. Nous avons omis aussi les formes du verbes εἰμί et celles du verbe ὁράω, dont la notation couvrirait des pages entières et dont l'emploi tourne, chez notre orateur, au « tic littéraire ».

La place de chaque mot est déterminée par trois éléments : le chapitre (indiqué en chiffres romains), le paragraphe (en chiffres arabes gras) et la ligne. Si un même mot se trouve deux fois dans la même ligne, on l'indique par la mention (*bis*).

ἀγνωμοσύνη : I, **1**, 58.

ἄγνωστος : XV, **6**, 21.

ἄγονος : I, **2**, 9; II, **10**, 32.

ἀγορά : XXXI, **16**, 10.

ἄγριος : I, **23**, 27; IV, **11**, 19; XXIX, **2**, 14; XL, **6**, 15; **8**, 5.

ἀγριότης : XL, **8**, 4.

ἀγροικικός : I, **3**, 5.

ἀγρός : I, **26**, 23.

ἀγύμναστος : II, **3**, 26.

ἄγω : I, **11**, 35; II, **10**, 5; IV, **12**, 4; V, **9**, 9; IX, **3**, 12; XXXVIII, **1**, 8; XL, **6**, 10.

ἀγών : I, **8**, 22; **23**, 5.15; II, **3**, 22; VI, **8**, 8; XXI, **2**, 10.

ἀγωνία : VII, **2**, 6; **3**, 1; XXXIX, **1**, 3.

ἀγωνίζομαι : IV, **5**, 39; VI, **15**, 2.

ἀγωνοθετέω : I, **23**, 16.

ἀδάμας : I, **21**, 8; II, **8**, 4.

ἀδάμαστος : XXXIX, **3**, 4.

ἄδεια : VI, **1**, 13; VII, **2**, 3.

ἀδέκαστος : I, **11**, 7.48.

ἀδελφικός : I, **5**, 8.

ἄδηλος : I, **7**, 7.8.19.23.26.28; **25**, 38; III, **5**, 52; V, **11**, 3; VI, **11**, 5; XVI, **1**, 5; XIX, **13**, 13; XXVIII, **1**, 9.

ἀδιάκριτος : XV, **1**, 17.

ἀδικέω : I, **26**, 47; IX, **20**, 5; XII, **2**, 5.10; XIX, **9**, 22; XXIV, **1**, 20; XXVII, **3**, 4; XXIX, **7**, 29; **8**, 10; XXXI, **6**, 15; **7**, 4; **17**, 28; XXXII, **1**, 14; XXXIV, **3**, 3; XXXV, **2**, 3.5; **4**, 28.

ἀδικία : I, **14**, 4.5; **26**, 44; IV, **8**, 3; VII, **1**, 4; IX, **1**, 4; XXIII, **1**, 13; XXVII, **7**, 7; XXIX, **7**, 18; XXXI, **6**, 5; **17**, 26; XXXII, **2**, 21.

ἄδικος : I, **4**, 15; III, **4**, 22; IV, **13**, 10; VIII, **1**, 44; IX, **14**, 4; XV, **4**, 23; XXVII, **3**, 7; XXIX, **3**, 3.

ἀδίκως : II, **15**, 13; VIII, **1**, 5; X, **1**, 9; XI, **2**, 6; **4**, 16; XII, **1**, 11; XXIV, **1**, 15; XXXIII, **1**, 18; XXXIV, **2**, 1.

ἀδυναμία : VIII, **1**, 42.

ἀδύνατος : IV, **10**, 7; V, **7**, 2; **14**, 4.6.12; VI, **3**, 9; VIII, **6**, 11; IX, **20**, 5; XI, **8**, 8; XXIX, **1**, 12; XXXI, **9**, 9; XXXVIII, **4**, 43.

ᾄδω : XLII, **3**, 7.

ἀετός : XXXIX, **5**, 1.

ἀηδής : VI, **3**, 11.12; XXX, **8**, 4.

ἀηδία : II, **7**, 14.

ἀήρ : II, **8**, 21.25; XXXVII, **1**, 4; XXXVIII, **8**, 5.6; XXXIX, **5**, 10.18.

ἀθάνατος : II, **10**, 29; IV, **16**, 12; XIV, **4**, 12; XIX, **11**, 3.5; **12**, 6.

ἀθλητής : I, **1**, 59; **8**, 5; **11**, 6.14; **21**, 23; **23**, 14.33; II, **6**, 25; **7**, 20; **9**, 57; **16**, 1; XLII, **9**, 14.

ἄθλιος : II, **9**, 22; VI, **2**, 11; XIV, **3**, 13; **7**, 18.

ἀθρόος : I, **26**, 29; III, **3**, 13; IV, **14**, 10; XII, **7**, 3.

ἀθρόως : XX, 4, 13.

ἀθυμέω : III, 1, 12; IX, 16, 9.

ἀθυμία : I, 26, 16.59; III, 1, 35;
2, 15; IV, 1, 17; V, 7, 11;
VI, 1, 8; XIV, 1, 2; 3, 8;
XX, 3, 5; XXIII, 6, 8;
XXXVIII, 3, 3.

ἀθῳόω : XIX, 2, 6.

αἰδέομαι : II, 3, 20; XIX, 2, 6;
3, 10; 4, 3; XXX, 7, 10.

αἴθριος : II, 8, 6.19.23; 11,
19.32; XXII, 4, 13; XXX,
8, 7.

αἱμοβόρος : V, 8, 5; XL, 5, 2.

αἰνίττομαι : I, 9, 41; 10, 15; II,
5, 16; IV, 12, 3; 13, 18; V,
13, 4; VI, 9, 10; XVIII, 2,
16; XIX, 4, 4; XX, 7, 1;
XXIX, 5, 4; XXX, 1, 7;
XXXI, 17, 19; XXXII, 9, 4;
XXXIV, 5, 3; XXXVIII,
22, 10; 29, 2.

αἱρέομαι : II, 4, 18; III, 5, 58;
VI, 3, 6.7.10.13.

αἴρω : II, 10, 21.

αἰσθάνομαι : III, 7, 13; IV, 13,
12; V, 7, 11; XIV, 7, 16;
XXXI, 17, 26.

αἴσθησις : IV, 13, 14; VI, 4,
4.6; XXIX, 7, 50; XL,
6, 16.

αἰσχρός : I, 11, 19; II, 4, 12.

αἰσχρῶς : II, 7, 24.

αἰσχύνη : XVIII, 1, 10.

αἰσχύνομαι : I, 12, 37; II, 4, 31;
12, 40; XXX, 7, 10;
XXXII, 9, 5.

αἰτέω : I, 9, 29; 15, 8; II, 4, 9;

6, 7.8; VII, 10, 7; VIII, 4,
5; XIX, 10, 4.

αἰτία : I, 1, 39.58; 4, 13; 11,
13; 12, 22; 18, 16; III, 4,
16; IV, 12, 9; 17, 7;
XIII, 12, 9; XIX, 12,
15; XXI, 2, 13; XXXI,
11, 6; XXXVIII, 22, 8.

αἰτιάω : III, 3, 14; XIV, 7, 14;
XVIII, 1, 14.

αἴτιος : I, 1, 56; 9, 68; III, 7, 7;
XXXVIII, 11, 10; 22, 10.

αἰχμαλωσία : I, 17, 34.

αἰχμαλωτεύω : I, 18, 9; 20, 32.

αἰών : IX, 15, 5; XLII, 9,
21 (bis).

αἰώνιος : XXXIV, 4, 13.20

ἀκάθαρτος : I, 1, 45; 6, 17; IV,
5, 33; IX, 19, 12; XI, 7, 14;
XXXVIII, 33, 9.

ἀκαιρία : XIX, 3, 9.

ἄκαιρος : II, 10, 47; XXXVIII,
4, 34.35.

ἀκαίρως : III, 6, 13.

ἄκαρπος : I, 3, 10; 26, 24.

ἀκατάληπτος : XI, 5, 6.

ἀκατάπληκτος : XL, 8, 6.

ἀκίνδυνος : XXXIV, 5, 3.

ἀκοή : III, 5, 13.

ἀκοίμητος : XXXI, 9, 18.

ἀκολουθία : XX, 4, 14; XXIII,
6, 4; XXXIV, 6, 9.

ἀκόρεστος : I, 16, 20; II, 3, 31.

ἀκούσιος : XXXI, 15, 8.

ἀκούω : I, 1, 51; 4, 8; 6, 18; 8,
14; 9, 12.61.64; 11, 23.50;
12, 5; 17, 13.24.25; 18, 9;
21, 21; 22, 3; 23, 23; 25, 17;

II, **4**, 30; **7**, 2 (*bis*); **9**, 16.19;
11, 10; **17**, 19.28.33; III, **1**,
20.26.27; **5**, 39; IV, **13**, 4;
14, 7; V, **14**, 9; **21**, 13; VI,
15, 5; VIII, **8**, 5; IX, **3**, 24;
6, 6; **9**, 5.7.9; **10**, 11; **16**, 7;
XIII, **4**, 5; XV, **2**, 14; XVI,
7, 5; XIX, **5**, 5.7; XXIX, **7**,
31; XXXIII, **1**, 15; **4**, 33;
XXXV, **4**, 22; XXXVIII,
1, 11; XXXIX, **4**, 1; XLII,
2, 3.

ἀκρίβεια : I, **1**, 10; V, **2**, 3; VI,
1, 5; XXXI, **1**, 8; **2**, 1.7.;
XXXV, **3**, 11; XXXVIII,
1, 11; **2**, 14; **4**, 6.32.40.44;
16, 4; XLII, **9**, 10.

ἀκριβέω : I, **13**, 3.

ἀκριβής : II, **17**, 12.

ἀκριβῶς : II, **12**, 8; XIII, **5**, 8;
XXXI, **6**, 5.

ἀκροατής : III, **3**, 15; XXXI,
15, 10; XXXVIII, **6**, 6;
XL, **5**, 8.

ἄκυρος : V, **13**, 3.

ἀλάβαστρον : XXXIII, **1**, 9.

ἀλαζονεία : XXIX, **7**, 18.

ἀλαζονικός : I, **4**, 17.

ἀλαζών : XXX, **1**, 6.

ἀλγέω : I, **9**, 58; **21**, 18; **23**,
12.27; **24**, 7; **25**, 7.23; II, **9**,
63; **10**, 11; **15**, 6; III, **4**, 30;
5, 30; V, **15**, 12; XVI, **3**, 4.

ἀλγηδών : V, **15**, 6; VII, **12**, 5.

ἄλειμμα : I, **23**, 34.

ἄλειπτος : III, **7**, 16.

ἀλήθεια : Pr., **3**, 19; XXIII, **2**,
7; XXXI, **10**, 17.

ἀληθής : V, **12**, 4; XXXII, **2**,
15; XLII, **4**, 7.8.

ἀληθινός : I, **1**, 37; IV, **5**, 32;
VIII, **4**, 4.

ἀληθῶς : XXXI, **15**, 13.

ἀλήτης : XXII, **4**, 13.

ἁλίσκομαι : II, **4**, 22; **9**, 28; IX,
14, 5; XV, **2**, 16; XXIX,
7, 20.

ἀλλότριος : I, **23**, 49; II, **10**, 51;
IV, **5**, 10; VI, **1**, 11; XVI,
2, 10; XXIX, **7**, 68; XXX,
6, 3; XXXI, **17**, 19;
XXXIV, **3**, 3; XXXV,
3, 13.

ἀλογία : XVIII, **1**, 11.

ἄλογος : IV, **11**, 8.9; V, **7**, 11;
VI, **2**, 14; VIII, **1**, 35; XII,
3, 6; **5**, 2; XXXVI, **4**, 3;
XXXVIII, **31**, 6; **33**, 8;
XL, **6**, 17.

ἅλς : I, **6**, 6.

ἁμαρτάνω : I, **7**, 67; **18**, 15; **26**,
12.47; III, **1**, 27; IV, **16**, 6;
VI, **1**, 37; VII, **17**, 2; VIII,
3, 3; IX, **11**, 4; X, **9**, 8; XI,
4, 6.18; XIII, **11**, 9; XXV,
2, 13; XXXI, **6**, 7; XXXV,
2, 6.

ἁμάρτημα : I, **7**, 31.32.66; **18**,
15; II, **15**, 8; IV, **17**, 7; VI,
6, 9; VII, **14**, 3; VIII, **1**, 10;
2, 15.16; IX, **13**, 6; X, **2**, 6;
3, 3; XI, **2**, 7; **8**, 12;
XIX, **4**, 5.6; XXII, **4**,
2; XXIII, **5**, 8.9; XXIX,
7, 60; XXXI, **10**, 15; **15**,
16.19; **17**, 16; XLII, **5**, 11.

ἀναλόω : II, 7, 24.
ἀναλύω : I, 7, 34.
ἀναμάρτητος : I, 1, 21; V, 7, 6.
ἀναμάσσω : V, 15, 4.
ἀναμένω : II, 17, 37; III, 4, 18;
  IV, 12, 12.
ἀναμίγνυμι : I, 9, 10; 17, 32;
  XVIII, 5, 4; XXXVIII,
  23, 2; 27, 3.
ἀναμιμνήσκω : I, 1, 25; II, 15,
  10; IV, 7, 7; VI, 11, 5;
  VIII, 2, 7; XXXVIII,
  11, 10.
ἄνανδρος : IV, 10, 20.
ἀνανεόω : II, 10, 14.
ἀνανεύω : XL, 6, 3.
ἀνάξιος : III, 5, 33; XLII, 3, 9.
ἀναξίως : VI, 6, 17.
ἀναπαύομαι : III, 5, 6; IV, 13,
  28; VI, 4, 8 (ἀναπαύω); VII,
  2, 2.8; 12, 7; XXXVII,
  2, 3.
ἀνάπαυσις : III, 5, 6.45; IV, 13,
  26; VI, 5, 5; VII, 3, 16;
  XXIX, 2, 18.
ἀναπηδάω : I, 23, 37.
ἀναπίπτω : I, 7, 82.
ἀναπνέω : I, 18, 6; 23, 31; VII,
  2, 3.
ἀναρπάζω : I, 26, 26.
ἀνασπάω : II, 10, 33.
ἀνάστασις : Pr., 3, 12; VII, 5,
  6; XIX, 12, 3 (bis).4.
ἀνάστατος : XV, 4, 18.
ἀναστρέφω : XIV, 7, 15.
ἀνατίθημι : I, 25, 25; 26, 5;
  XXIX, 1, 15; 6, 8.
ἀνατολικός : I, 4, 2.

ἀνατρέπω : IV, 7, 5; XV, 1, 20.
ἀνατρέφω : I, 25, 26; II, 12, 3.
ἀνατροφή : II, 10, 45; 14, 3.
ἀνατυπόω : II, 17, 16.
ἀναφέρω : I, 8, 59.
ἀναχωρέω : XL, 6, 3.
ἀνδρεία : XLII, 9, 15.
ἀνδρείως : XV, 4, 19.
ἀνδριάς : I, 1, 34.
ἀνελπιστία : I, 18, 28.
ἀνεπαισθήτως : IX, 5, 2.
ἀνέρχομαι : VIII, 6, 12; XLII,
  9, 3.
ἀνέστιος : II, 11, 21; XXII, 4,
  13; XXX, 2, 16.
ἀνέχομαι : II, 7, 21; 8, 3; VI, 6,
  8; XXXIV, 3, 7.
ἀνήνυτος : XXIX, 7, 81.
ἀνήρ : Pr., 1, 1.7.10; I, 9, 10;
  II, 9, 35; 11, 4.7; 13, 3; III,
  6, 7; XXIX, 1, 14; XLII,
  5, 8.
ἀνήροτος : I, 17, 25.
ἀνθίστημι : IV, 19, 2; IX, 2, 6;
  7, 8; 8, 11; 14, 11.
ἄνθος : I, 20, 11.
ἀνθρώπινος : I, 8, 32; 10, 11;
  18, 9; II, 8, 26; III, 4, 46; 6,
  10; V, 7, 4; IX, 3, 17;
  XVIII, 5, 4; XIX, 13, 3;
  XXIII, 6, 4; XXVIII, 1,
  6; XXXI, 10, 17; 11, 9;
  12, 12; XXXVII, 2, 5;
  XXXVIII, 2, 7.
ἀνθρωπίνως : XVI, 4, 17.
ἀνθρωποβόρος : XIII, 7, 7.
ἀνίημι : XXXVII, 1, 24.
ἀνίστημι : IV, 3, 9; XIV, 5, 9;
  XXXIX, 3, 17.

256   INDEX DES MOTS GRECS

ἀνόητος : II, **9**, 22; **13**, 9; IV,
  5, 34; V, **2**, 3; **12**, 6; XII,
  5, 4; XVI, **4**, 16; XVII, **1**,
  13.
ἄνοια : I, **11**, 8; II, **3**, 24; IV, **5**,
  26; XV, **1**, 8; XIX, **3**, 8.
ἀνοίγω : I, **8**, 4; IX, **17**, 2.
ἀνομία : XX, **4**, 16.
ἀνορθόω : XXIX, **7**, 81.
ἀνταγωνιστής : II, **6**, 28.
ἀντεξετάζω : XL, **3**, 11.
ἀντέχομαι : II, **7**, 9.
ἀντίδικος : I, **11**, 13; XL, **2**, 5.
ἀντίδοσις : VI, **7**, 4.
ἀντίκειμαι : IV, **14**, 16.
ἀντιλαμβάνω : VII, **12**, 2.3.
ἀντιλέγω : I, **16**, 39; VI, **1**, 39;
  16, 11; IX, **3**, 4; XIX, **5**, 5;
  13, 12; XXII, **5**, 18;
  XXVII, **3**, 7; XXXVIII,
  10, 5.
ἀντιλογία : VI, **6**, 3; XXIX, **1**,
  5; XXXV, **4**, 22.
ἀντίπαλος : II, **6**, 30.
ἀντιπίπτω : IX, **10**, 6.
ἀντιφθέγγομαι : IV, **15**, 11; VI,
  1, 36.37; **15**, 3; XXXIV,
  6, 9; **10**, 5.7; XXXVII, **4**,
  6.10.
ἀντιψηφίζομαι : I, **12**, 7.
ἀνύποπτος : II, **9**, 34.
ἀνυπόστατος : III, **1**, 38.
ἄνωθεν : Pr., **2**, 6; I, **18**, 10; **20**,
  30; III, **1**, 38; VI, **10**, 11;
  XII, **2**, 8; XV, **4**, 25; XVI,
  1, 4; XX, **4**, 1; XXIX,
  1, 15; XXXVIII, **4**, 51;
  30, 3.

ἀνωμαλία : III, **5**, 19; **7**, 14;
  XXXVII, **1**, 4.
ἀνώτερος : III, **5**, 12.
ἀξία : II, **15**, 6 (παρ᾽ ἀξίαν); III,
  3, 19 (κατ᾽ ἀξίαν); XXIX,
  4, 3 (ἀξίαν); XXXV, **4**,
  27.29.31 (κατ᾽ ἀξίαν).
ἀξιόπιστος : IV, **14**, 9.
ἄξιος : Pr., **1**, 1; I, **25**, 7.12; II,
  7, 21; **14**, 2; **15**, 5; **18**, 8;
  IV, **1**, 14; VII, **11**, 3; IX, **9**,
  7.8; XVIII, **2**, 8; XXII,
  3, 4.
ἀξιόω : II, **5**, 1; VI, **6**, 19; VII,
  5, 2; **6**, 10.
ἀξίωμα : II, **9**, 53; III, **5**, 18;
  IX, **16**, 14; XIII, **11**, 8;
  XIX, **2**, 2.7.
ἀξίως : XI, **4**, 14.
ἄοικος : II, **11**, 21.
ἀόρατος : IX, **7**, 10; **8**, 14;
  XXXVIII, **17**, 2.
ἀοράτως : IV, **13**, 12.
ἀπαγγέλλω : I, **17**, 18; **20**, 29;
  VIII, **6**, 11.
ἀπαγορεύω : II, **3**, 12; XIX,
  13, 10; XXXI, **1**, 26.
ἀπαγχονίζομαι : III, **5**, 53.
ἀπάγω : II, **14**, 5; V, **8**, 3; VII,
  15, 3; XXVII, **1**, 8.
ἄπαις : I, **25**, 28; II, **10**, 32.
ἀπαιτέω : I, **23**, 19; **25**, 16;
  VII, **6**, 9; **11**, 6; VIII, **1**, 23;
  IX, **9**, 6; X, **3**, 4; XIII, **5**,
  13; **7**, 6; XIV, **2**, 6; **6**,
  6; XXVIII, **2**, 5; **3**, 8;
  XXXIV, **4**, 14; XXXVIII,
  4, 13.

ἀπαλλαγή : II, **12**, 23; VII, **3**, 17; XIX, **12**, 5.6.

ἀπαλλάττω : I, **9**, 47; III, **5**, 3; IV, **2**, 13; V, **19**, 7; IX, **16**, 13; **17**, 2; XIV, **2**, 5; XXIX, **7**, 19; XLII, **3**, 6.

ἀπανθίζω : XXX, **8**, 5.

ἀπανθρωπία : I, **17**, 33.

ἀπάνθρωπος : II, **9**, 45.

ἀπαντάω : XX, **7**, 4.

ἀπαραμύθητος : II, **9**, 26; **12**, 40.

ἀπαρτίζω : Pr., **3**, 2; XXXIV, **4**, 18; XXXVIII, **22**, 12; **26**, 8.

ἀπάτη : II, **9**, 20.

ἀπειλέω : IX, **3**, 22.

ἀπειλή : XXIII, **2**, 6.

ἄπειμι : XXXI, **12**, 7.

ἀπελαύνω : II, **7**, 25; XXVIII, **2**, 2; XXXI, **16**, 19.

ἀπελπίζω : V, **9**, 6.

ἀπεργάζομαι : I, **7**, 14.

ἀπερίτρεπτος : I, **26**, 38.

ἀπέρχομαι : I, **20**, 28; **23**, 55; **25**, 4; II, **10**, 27; **12**, 37; III, **5**, 8; IV, **2**, 16; XII, **1**, 6; XIV, **7**, 13; XVII, **3**, 15; XIX, **6**, 4; **8**, 7; XXXVIII, **18**, 8.

ἀπέχθεια : XXIX, **7**, 87; XXXIV, **4**, 10.

ἀπεχθῶς : XXXV, **4**, 19.

ἀπέχω : II, **17**, 18; IV, **1**, 16; XVI, **6**, 6; XXXIV, **4**, 10; XXXV, **1**, 8.

ἀπηχής : I, **23**, 36.

ἀπίθανος : II, **10**, 51.

ἀπιστέω : Pr., **3**, 10.12.17; II, **11**, 32.35; IX, **3**, 3.

ἄπιστος : Pr., **3**, 6.

ἁπλῶς : I, **1**, 15; **8**, 35; **9**, 4.36; **16**, 44; **23**, 28; **25**, 44; **26**, 44; II, **2**, 6; **5**, 4; III, **1**, 11.25; **4**, 46; VI, **1**, 31; **2**, 10; **3**, 13; **14**, 5; IX, **12**, 4; XI, **7**, 10; XV, **3**, 1; XVI, **1**, 5; XVIII, **2**, 10; XXVIII, **1**, 7; XXXI, **16**, 10; **17**, 11.13.20; XXXIV, **2**, 1; XXXVIII, **4**, 27; **8**, 9; **20**, 4; **33**, 15.

ἄπλωτος : XL, **6**, 8.

ἀποβαίνω : XV, **6**, 1.

ἀποβάλλω : XX, **5**, 10.

ἀπογι(γ)νώσκω : II, **9**, 42.

ἀπόδειξις : XXIII, **1**, 3.

ἀποδέω : II, **18**, 10.

ἀποδημία : III, **5**, 19.

ἀποδίδωμι : II, **3**, 19; IV, **8**, 9; VII, **4**, 3; VIII, **1**, 15; XXIX, **7**, 56; XXXI, **17**, 20.

ἀποδύομαι : II, **7**, 20.

ἀποδύρομαι : XXX, **7**, 7.

ἀποδυσπέτησις : II, **16**, 6.

ἀποθήκη : XXXVIII, **19**, 2.

ἀποθνήσκω : I, **26**, 54; II, **10**, 53; IV, **2**, 13; VI, **10**, 9 (*bis*); VII, **12**, 6; **13**, 7; XIV, **4**, 16; **7**, 11; XVIII, **2**, 3; XXIII, **3**, 4; XXXIII, **4**, 30; XXXIX, **5**, 18.

ἀποικίζω : I, **10**, 19.

ἀπόκειμαι : V, **1**, 6.

ἀπόκρημνος : I, **7**, 53.

ἀποκρίνομαι : II, **3**, 28; XI, **4**,

4.7; XV, **1**, 14; XXXVIII,
26, 4; XL, **1**, 9.
ἀπόκρισις : I, **10**, 8; II, **4**, 22.
ἀποκτείνω : II, **5**, 27.
ἀπολαμβάνω : III, **3**, 16; XIII,
11, 9.
ἀπολαίω : Pr., **1**, 7; I, **14**,
9.10.15; **17**, 13; **26**, 56; III,
6, 11; **7**, 15; V, **3**, 6; **8**, 3;
16, 4; **19**, 6; VI, **10**, 11;
VII, **4**, 6 (*bis*); **6**, 10; IX, **3**,
26; XIV, **7**, 12; XV, **4**,
15.20; XXI, **6**, 4; XXIX, **1**,
10; **7**, 65; XXXI, **1**, 21;
15, 9; XXXIII, **4**, 26;
XXXVIII, **4**, 10.
ἄπολις : II, **11**, 21; XXX,
2, 16.
ἀπόλλυμι : I, **18**, 24; **20**, 12; **23**,
28; **25**, 58; II, **4**, 18; **10**, 36;
III, **1**, 37; IV, **4**, 3; **8**, 3.8;
10, 5; VII, **18**, 4; IX, **1**, 3.9;
10, 6; **14**, 6; XI, **2**, 5; XII,
1, 13; **4**, 9; XV, **5**, 8;
XIX, **2**, 5; **13**, 14; XX,
7,ꞌ 5; XXVII, **4**, 3; **7**,
5; XXXI, **11**, 5; XXXIII,
4, 26; XXXIV, **3**, 13;
XXXV, **3**, 17; XXXVI,
2, 5.
ἀπολογέομαι : II, **9**, 59; VI, **1**,
21; **2**, 8; IX, **1**, 8; XXI, **2**,
12; XL, **2**, 6.
ἀπολογία : VII, **6**, 9; XLII,
3, 5.
ἀπονέμω : XIX, **3**, 12.
ἄπονος : I, **4**, 23.
ἀποξέω : II, **7**, 13.

ἀποξηραίνω : VII, **13**, 7.
ἀποπνίγω : II, **8**, 22.
ἀπορία : XXIV, **1**, 15.
ἄπορος : XXXVIII, **16**, 1.
ἀπόρρητος : II, **16**, 5; VII, **15**,
6; XIII, **2**, 7; XXI, **7**, 11;
XXXI, **2**, 7; XXXVIII, **2**,
14; **4**, 22; XL, **6**, 9.
ἀπορρίπτω : XIV, **5**, 12;
XVIII, **7**, 7; XX, **4**, 21.
ἀποσμήχω : I, **7**, 44.
ἀποστέλλω : I, **6**, 16; **16**, 7; II,
1, 7.
ἀποστερέω : I, **25**, 30; II, **4**, 33;
XIV, **7**, 12; XXIX, **1**, 15;
XXXVI, **3**, 4.
ἀποστολικός : I, **7**, 10; **23**, 42;
XXIX, **7**, 56.
ἀπόστολος : I, **9**, 17; XXXVII,
1, 18.
ἀποστρέφω : IX, **19**, 11.
ἀποτείνω : IV, **1**, 17; XXXI,
9, 12.
ἀποτειχίζω : II, **9**, 66.
ἀποτίθημι : I, **25**, 59.
ἀποτίνω : XV, **2**, 22.
ἀποτρόπαιος : XXX, **8**, 4.
ἀποφαίνομαι : Pr., **1**, 4; I, **8**,
35; II, **4**, 25; XXXII, **2**, 7
(ἀποφαίνω).
ἀπόφασις : III, **1**, 31; **5**, 44.
ἀποφέρω : IX, **20**, 6.
ἀποχή : XXIX, **7**, 12.
ἀποχράομαι : IV, **3**, 11; XXXI,
1, 10.
ἀποχωρίζω : I, **23**, 40.
ἀπρονόητος : II, **1**, 5; V, **14**, 9.
ἀπροσδόκητος : XXIII, **6**, 5.

12, 5; **14**, 5; **24**, 3; XL, **6**, 11.

ἀσύγγνωστος : VI, **1**, 20; XXXVIII, **2**, 9.

ἀσυμπαθής : I, **21**, 4; **23**, 51.

ἀσυμπαθῶς : VI, **12**, 2.

ἀσύμφορος : VIII, **4**, 5.

ἀσφάλεια : I, **5**, 7; **13**, 4; **14**, 9; **17**, 12 (*bis*); **26**, 56; V, **18**, 11; XX, **5**, 9; XXXIX, **2**, 4.

ἀσφαλής : I, **4**, 22; **14**, 26; XXXVIII, **9**, 3.

ἀσφαλῶς : XXXVIII, **4**, 50; **9**, 2; **10**, 3.

ἀσχημοσύνη : II, **11**, 26.

ἀσώματος : I, **11**, 29; **16**, 12; XXIX, **7**, 32.

ἄτακτος : XXXVIII, **11**, 8.

ἄταφος : XV, **4**, 30.

ἀτέλεστος : I, **17**, 30; XV, **6**, 17.

ἀτιμάω : I, **8**, 28.

ἀτμός : XXXVIII, **7**, 2.

ἄτοπος : I, **26**, 14; XXXII, **2**, 11.

αὐτόματος : VI, **13**, 4.

αὐτόνομος : XXXIV, **5**, 8.

αὐτοχειροτόνητος : XXIX, **7**, 41.

ἀφαίρεσις : I, **25**, 21.

ἀφαιρέω : I, **17**, 16.27; **24**, 3.7; **25**, 52; **26**, 59; II, **4**, 7.18; **6**, 27; **9**, 65; V, **15**, 10; VI, **2**, 6; **4**, 6; VII, **10**, 9; XXVII, **3**, 6; XXXVIII, **4**, 34.

ᵗᵐανής : I, **12**, 17.

    ᴵᴵ, **10**, 27; IX, **15**, 6;
    ᴵᴵ, 5.

ἀφασία : I, **18**, 18.

ἀφελής : I, **8**, 33.

ἀφηνιάζω : I, **8**, 55.

ἄφθορος : II, **8**, 17.

ἀφίημι : Pr., **3**, 12; IV, **16**, 8; V, **15**, 10; **17**, 3; VI, **1**, 21; X, **9**, 6; XIX, **3**, 6; XXVI, **1**, 9; XXXII, **1**, 12; XXXVIII, **6**, 10; **10**, 8; XL, **2**, 5.

ἀφικνέομαι : I, **9**, 24.

ἀφιλότιμος : XXXII, **4**, 8.

ἀφίστημι : I, **23**, 41.47; II, **3**, 28; III, **5**, 3; VI, **9**, 6; XIII, **2**, 5; XXXI, **1**, 32.

ἀφόρητος : I, **18**, 21; II, **6**, 23; **10**, 10; V, **18**, 7.

ἀφορμή : I, **8**, 63; **10**, 6; **11**, 16.

ἀφοσιόω : XII, **1**, 9.

ἄφροντις : V, **8**, 2.

ἀφροσύνη : IV, **1**, 8; **5**, 3; V, **2**, 10.

ἄφρων : II, **13**, 9; V, **3**, 7.

ἀχάριστος : XXIX, **7**, 24.

ἀχειροτόνητος : I, **7**, 62.

ἀχείρωτος : I, **11**, 11.

ἄχρηστος : XXIX, **7**, 85; XXXVIII, **4**, 35; **33**, 8; XXXIX, **5**, 13.

ἄψυχος : XXXI, **17**, 26; XL, **6**, 16.

ἄωρος : I, **23**, 29; II, **9**, 26; V, **20**, 4; XV, **6**, 17.

βαβαί : XXXI, **1**, 8.

βαδίζω : XLII, **9**, 16.

βαθύς : I, **14**, 16; V, **16**, 4.

βούλομαι : I, 9, 11.61; 10, 5;
11, 14.15.28; 12, 19.25; 15,
4; 16, 34.47; 25, 39.42; 26,
22; II, 4, 28; 9, 47.48; 10,
25; 15, 10; III, 4, 38; 5, 7;
IV, 1, 5; 2, 15; 13, 28; 14,
17; VI, 1, 16; 2, 12; 7, 7;
16, 9; IX, 3, 11.13.23 (bis);
14, 10; X, 4, 3; XII, 4, 13;
XIII, 4, 6; 10, 3; 13, 3;
XIV, 2, 5; 6, 4; XV, 1, 20;
XVI, 2, 6; 6, 6; XVIII, 1,
5; 2, 3.16; XIX, 9, 22;
11, 4.7.10; 12, 5; XXIX,
1, 5; 7, 14; XXX, 7,
8; XXXI, 8, 7; 15, 17;
16, 3.4.; XXXIII, 1, 12;
XXXV, 4, 16; XXXVII, 1,
23; XXXVIII, 1, 7; 4, 13;
19, 4; 20, 2; 22, 4.10; 26,
7; 33, 9; XXXIX, 3, 7.10;
XLII, 9, 3.
βοῦς : I, 3, 10; 17, 21; VI, 3, 7;
XXXIX, 5, 12.
βραχυλογία : I, 8, 38.
βραχύς : I, 26, 20; II, 8, 21;
VII, 1, 10; 10, 12; IX, 8,
13; XXXI, 10, 18.
βρέφος : XXXVIII, 8, 2.
βρίθω : XXIX, 2, 21.
βροντάω : XL, 4, 2.
βροντή : XL, 4, 4.

γαληναῖος : XXXVIII, 10, 8.
γαλήνη : I, 25, 31; III, 7, 15.
γαληνός : I, 17, 15; III, 7, 6;
IV, 13, 19.

γάμος : XXXVIII, 6, 19.
γαστήρ : II, 9, 23; XXXVIII,
22, 3.5.7.
γαῦρος : VI, 5, 6; IX, 1, 11;
XXXIX, 3, 17.19.
γέεννα : IX, 3, 22.
γελάω : XVII, 1, 13; XXXI,
1, 24.
γελωτοποιέω : XXXI, 1, 17.
γέμω : II, 16, 5; IV, 5, 24.26;
VII, 1, 13; VIII, 8, 6; XIV,
3, 8; XV, 1, 16; XXV, 1, 3.
γένεσις : III, 3, 14; XXXI, 8,
8.
γενναῖος : II, 6, 25; 9, 61; 13,
2; XXXII, 4, 7; XLII, 9,
14.
γενναίως : XV, 4, 18; XLII, 9,
17.
γεννάω : XXXVIII, 22, 14.
γέννησις : XIV, 1, 2.
γένος : I, 2, 5; IV, 11, 9; V, 9,
12; XXIX, 7, 24; XXXI, 1,
23; XXXVIII, 27, 6.
γέρων : XII, 7, 9.
γῆ : I, 4, 20; 9, 44.59; 10, 10;
11, 30; 17, 26; 23, 10; 26,
24; IV, 2, 6; V, 8, 3;
VII, 3, 21; XII, 3, 7;
XIX, 11, 3.10; XXXI, 11,
11; 17, 25.28; XXXVII,
4, 7; XXXVIII, 4, 5.9.39;
6, 14; 8, 6; 28, 2.
γῆρας : XXIX, 7, 10.
γηράω : VIII, 6, 10.
γι(γ)νώσκω : Pr., 1, 6; VI, 1,
17; XVI, 2, 9; 3, 4;
XXVIII, 1, 10; XXXI,

15, 12; XXXVI, 3, 4;
XLII, 9, 8.
γλῶττα : I, 25, 40; 26, 15.18;
V, 18, 6.
γνόφος : IX, 10, 4.
γνώμη : I, 1, 57; 4, 13; 12, 15;
V, 16, 5; XXXII, 2, 19;
XXXIII, 1, 10.
γνωμικῶς : VI, 15, 6.
γνώριμος : II, 17, 14; XXIX,
7, 70; XXXVIII, 4, 47.
γνῶσις : Pr., 2, 6.12; I, 1, 42;
13, 3; XXXIV, 8, 1.
γοερός : XXXI, 1, 14.
γράμμα : XXXVII, 4, 4.7.
γραφεῖον : XIX, 10, 3.
Γραφή : I, 9, 11; IV, 2, 2.
γράφω : I, 26, 4.7; XIX, 9, 22;
10, 3.5; 11, 4.
γυμνάζω : I, 18, 23; III, 6, 15;
IX, 3, 16.
γυμνός : I, 23, 4.52; II, 6,
21.28; 7, 7.
γυμνόω : VI, 9, 6.
γύναιος : II, 10, 5.
γυνή : II, 7, 11; 9, 7.9.19.31.
32.51.54; 11, 5.8.18.33; 12,
3.21.24.35; 13, 8; 16, 4; 17,
8; III, 5, 39; XI, 1, 8.
γύψ : XXXIX, 5, 1.19.

δαίμων : I, 8, 44.50; 9, 10.43;
10, 19; 12, 8; 19, 12; II, 6,
26; IV, 9, 3; XXIX, 2, 14.
δάκνω : I, 11, 35; II, 10, 11.
δάκρυ : I, 21, 9; III, 6, 4.

δακρύω : I, 23, 23; XIII, 7, 7.
δάκτυλος : II, 7, 13.
δάνεισμα : I, 3, 5.
δανίζω : VIII, 1, 14.
δαπανηρός : XXXI, 9, 7.
δέδοικα : I, 7, 20; II, 17, 27; X,
1, 15; 4, 4; XIX, 13, 15.
δέησις : VIII, 4, 5.
δείκνυμι : I, 8, 11 (bis); 9,
49.61; 21, 3; 23, 10.11; II,
10, 48.54; 12, 10; III, 5, 21;
7, 22; IV, 3, 5; 5, 40; 13,
17.29; 14, 15; 17, 10; V, 1,
3; 6, 4; 21, 9; VI, 6, 17;
VIII, 3, 2; IX, 7, 1; 20, 4;
X, 1, 9; 7, 6.8; 9, 4.7; XI, 4,
8.13; XIII, 13, 4; XIV, 3,
13; XV, 1, 21; 3, 13; XX,
4, 1; XXII, 2, 6; XXIX, 1,
7; 2, 7.15.23; XXXII, 3,
5; 4, 9; 8, 5; XXXIV,
10, 5; XXXVII, 1, 22;
XXXVIII, 2, 7.13; 3, 5; 4,
10.46; 6, 4.14.19.21; 8, 5; 9,
4; 19, 3; 23, 3; 33, 10;
XXXIX, 5, 14; XL, 3, 4;
XLII, 4, 6; 5, 7.8; 6, 1.3.
δεικνύω : II, 10, 13.
δειλός : XXXIX, 2, 3.7.
δεῖνα (ὁ) : I, 11, 45; 26, 5.
δεινός : Pr., 3, 5 (bis); I, 16, 10;
17, 36; 26, 51; II, 6, 24; 10,
50.54; 12, 27.28.30.36.37;
17, 12.17.20.36; 18, 16; III,
1, 4; 5, 7.13.14.26; 7, 5.8.9;
IV, 1, 15; 7, 3.4; 9, 3; 13,
30 (bis); V, 7, 5; 16, 3; 20,
3; 21, 14; VI, 1, 6; 5, 5;
VII, 4, 7; IX, 12, 2; 14, 8;

XV, 1, 4; 4, 26; XVI, 2, 12;
3, 3; 6, 5; XIX, 3, 12;
12, 5.6; XXI, 2, 14; 4, 1;
XXIII, 3, 3; XXIX, 7, 20;
XXX, 7, 7; XXXI, 6, 18;
XLII, 3, 7.

δεινότης : III, 7, 13.

δεκτικός : IV, 16, 7.

δένδρον : XIV, 3, 14; 4, 14.

δέομαι : II, 6, 23; IV, 1, 10; V,
15, 10; VI, 13, 4; XII, 6, 9;
XXXI, 16, 9; XXXIV, 7,
5 (bis).

δεόντως : I, 4, 13.

δέρμα : XIII, 14, 14.

δεσμεύω : II, 6, 32.

δεσμέω : II, 6, 29.

δεσμωτήριον : XXXVIII,
17, 3.

δεσπότης : I, 16, 11; II, 15, 3;
V, 9, 4; VII, 2, 6; XXXIII,
1, 15; XXXVIII, 1, 12.

δεσποτικός : XXXI, 16, 13.

δέχομαι : I, 4, 25; 8, 53; 9, 45;
II, 12, 36; 13, 9; IV, 15, 4;
X, 6, 5; XXXI, 3, 6;
XXXV, 4, 16.

δέω (falloir) : II, 3, 9; 4, 4; 9,
57; 11, 27; 12, 24 (bis).26;
III, 5, 6; V, 6, 7; VI, 1, 18;
14, 4; VII, 14, 6; X, 8, 2;
XII, 2, 8; 3, 5; 7, 6; XIV, 2,
5; XV, 6, 19; XVII, 3, 14;
XIX, 2, 5; 13, 14; XXII, 1,
5; XXVI, 1, 7; XXIX, 7,
16 (πρὸς δέον); XXX, 5,
2; XXXII, 1, 16; 7, 8;
XXXIV, 4, 7; XXXVIII,

4, 25.30; XL, 5, 7; XLII, 3,
11; 5, 10.

δέω (lier) : XIII, 14, 5; XIX,
7, 3; XXXV, 3, 17;
XXXVIII, 9, 2.

δηλητήριος : II, 9, 49; 12, 11;
IV, 11, 11.

δηλονότι : III, 5, 51.

δῆλος : Pr., 2, 7.10.12; I, 1, 61;
18, 11; II, 12, 29; III, 5, 50;
IV, 5, 5; 6, 4; V, 11, 3; 15,
11; VI, 1, 17; XII, 1, 3; 3,
3.6; XIII, 12, 6; XV, 6, 20;
XX, 1, 5; 4, 19; XXI, 7, 9;
XXVIII, 1, 8; XXIX, 2,
7; XXX, 8, 16; XXXI,
9, 10.12; XXXIII, 3, 8;
XXXVIII, 5, 2; 14, 2;
XL, 2, 7.

δηλόω : Pr., 1, 11 (bis); I, 11,
41; 23, 32; III, 4, 18.29; 5,
33; XXXVIII, 6, 15.17;
20, 3.

δηλωτικός : V, 10, 6.

δήμιος : I, 9, 66; II, 7, 16.

δημιουργέω : I, 19, 14;
XXXVII, 1, 9.

δημιούργημα : XXXVII, 1, 3;
XXXVIII, 22, 11; 33, 19.

δημιουργία : III, 4, 20;
XXXIV, 4, 6; XXXVII,
4, 5; XXXVIII, 4, 8; 23,
3.

δημιουργικός : XII, 4, 11.

δημιουργός : VIII, 1, 32; IX, 7,
1; XXXI, 11, 9; XXXIV,
5, 5.7.

δημώδης : VI, 1, 30.

διαβαίνω : XXXV, 3, 15.

διαταράττω : IV, 11, 11; VIII, 1, 37.

διατάττω : IV, 11, 6; XXXV, 3, 10.

διατείνω : XIII, 14, 14.

διατελέω : IV, 13, 24.

διατηρέω : I, 11, 46; II, 4, 27; IV, 11, 12.19; VIII, 1, 36; XXXIX, 2, 5.

διατίθημι : VII, 14, 3.

διατρέφω : IV, 11, 5.

διατυπόω : XXXVIII, 4, 40; XXXIX, 3, 2.

διατύπωσις : I, 8, 28.

διαφέρω : III, 1, 21; 4, 36; XI, 7, 8; XXIX, 7, 69; XXXI, 1, 30.

διαφεύγω : I, 7, 24; V, 7, 2; XVIII, 3, 7; XXV, 1, 4; XXVII, 5, 7.

διαφθείρω : I, 1, 5; II, 6, 25; 8, 9.21; 17, 24; IV, 11, 3.18; 18, 6; XXXI, 5, 7; XXXVIII, 32, 3.

διαφορά : IX, 14, 5.

διάφορος : XX, 7, 3.

διαφυλάττω : II, 4, 27.

διαχειρίζω : II, 12, 32.

διαχέω : XXXVIII, 6, 7.

διαχράομαι : III, 4, 15; VI, 7, 8; X, 1, 16.

διάχυσις : I, 7, 57; XXXI, 1, 10.28.

διδασκαλία : I, 7, 30.

διδάσκαλος : Pr., 2, 5.11; 3, 2; 4, 14; I, 7, 23; II, 11, 29; IX, 19, 6; XIX, 13, 7.

διδάσκω : Pr., 2, 8; 3, 19; 4, 12; II, 11, 25; XIII, 4, 10;

12, 10 (bis).15; XIX, 11, 10; XXXVIII, 16, 5.

δίδωμι : I, 9, 60; 14, 3; 15, 2; 16, 17; 23, 56; 24, 10; 25, 11.12.13.34.49; II, 4, 4.5. 16.35; 9, 34; 15, 4.7 (bis); III, 1, 7; V, 3, 9; 21, 8; IX, 3, 15.20.21; XII, 5, 5; 7, 17; XV, 5, 10; XIX, 3, 6; XXIX, 7, 47; XXXI, 16, 2.19; XXXII, 1, 3; XXXIV, 5, 2; XXXVI, 4, 5; XXXVIII, 27, 5; XXXIX, 5, 10.

διεγείρω : I, 9, 55.58; II, 10, 9.

διενοχλέω : XXXI, 16, 6.8.

διέρχομαι : II, 9, 14.

διηγέομαι : I, 1, 11.25.26; 9, 53; 26, 20; II, 10, 43; 12, 8; IV, 5, 16; V, 9, 11; VI, 10, 8; IX, 8, 9; X, 12, 15; XVI, 1, 4; XXVIII, 2, 5; XXXI, 6, 26.

διήγημα : I, 8, 34.38; IV, 13, 4; XVI, 1, 3.

διήγησις : II, 7, 23; VI, 6, 8; XII, 7, 10; XXXVIII, 6, 6.

διηνεκής : V, 15, 9; XXXI, 1, 21; XXXIX, 3, 3.

διηνεκῶς : V, 3, 4; XXIX, 7, 30.38.

διισχυρίζομαι : V, 7, 6.

δικάζω : II, 18, 12; X, 3, 4; 4, 3; XVI, 8, 2; XIX, 5, 5; XXIII, 1, 7; XXXII, 2, 9.11.

δικαιοκρισία : XXXIV, 4, 18.

δικαιολογέομαι : I, **15**, 9.

δικαιολογία : XV, **1**, 17.

δίκαιος : I, **4**, 22; **8**, 21; **16**,
21.26.46; **21**, 18.22; **25**,
42.45; **26**, 28.45; II, **6**, 35;
11, 12; **17**, 11; IV, **2**, 14; **5**,
13; **9**, 5; **10**, 17.19.20; **11**,
14; **14**, 16; **16**, 6; V, **7**,
3.4.; VI, **2**, 6; **6**, 12; **15**,
5; VII, **15**, 9; **17**, 2; VIII,
1, 6.32.39.42.43; **2**, 14 (*bis*);
IX, **1**, 3.9; **3**, 5.6 (*bis*).7; **7**,
8; **9**, 7.8.; **10**, 9.10; **14**, 6;
16, 14; X, **2**, 4; **9**, 8; XI, **1**,
7.9; **7**, 14; XII, **2**, 4; **7**, 5;
XIV, **2**, 4; XVII, **1**, 14;
XXII, **3**, 3; XXV, **2**, 14.16;
XXIX, **7**, 30; XXXII, **2**,
7.16.20; **6**, 1; XXXIV, **4**,
20; **8**, 10; XXXV, **2**, 3;
XXXVI, **1**, 6; XXXVIII,
1, 3; XL, **3**, 4.10; XLII, **6**,
9.

δικαιοσύνη : IV, **11**, 7; VIII, **1**,
26.34.36; **6**, 12; IX, **2**, 4; **5**,
5; **13**, 5; **14**, 10; X, **11**, 3;
XIV, **6**, 5; XXIX, **7**, 32;
XXXI, **2**, 3.

δικαιόω : VII, **15**, 8; X, **5**, 5;
XIII, **6**, 6; XXXII, **2**, 10;
XLII, **3**, 10.

δικαίωμα : IX, **2**, 6; XXXV, **4**,
26; XL, **1**, 8.

δικαίως : II, **15**, 13; III, **3**, 18;
VI, **6**, 18; IX, **3**, 2; XI, **4**, 5;
XXXII, **2**, 22; XLII, **6**, 8.

δικαστήριον : I, **1**, 18; XIII, **10**,
4; XXXV, **4**, 25.

δικαστής : VII, **6**, 10; XXIX,
7, 41.

δίκη : IV, **13**, 8; VII, **11**, 6; **14**,
4; XXXI, **1**, 11; XXXIII,
3, 8; XXXIV, **5**, 2; XL, **1**,
8.

διόλλυμι : IX, **16**, 4.

διορθόω : Pr., **4**, 3; I, **7**,
25.29.38; IV, **5**, 36; XIII, **4**,
8; XXIX, **7**, 60.

διορθωτικῶς : XXXVIII, **2**,
17.

διορύττω : II, **7**, 16.

διπλασίων : III, **1**, 29.30.

διπλοΐς : XXIX, **7**, 37.

διπλοῦς : I, **17**, 30.33; II, **9**, 40;
XI, **4**, 5; XLII, **7**, 11.

διωθέω : XXIX, **7**, 71.

διώκω : XXXI, **1**, 16.29;
XXXVIII, **32**, 3.

δόγμα : IV, **15**, 4.

δοκέω : I, **19**, 14; **20**, 28; **25**, 9;
II, **7**, 1; **8**, 7; **10**, 24; **11**, 20;
17, 21; **18**, 10; III, **1**, 19; **4**,
45.52; **5**, 20.26.48; IV, **5**, 8;
6, 5; **7**, 6; **12**, 10; **13**, 17.25;
16, 3.7; **18**, 1; V, **2**, 6; **8**, 4;
VI, **2**, 7; **9**, 10; VII, **2**,
5; **3**, 20; **5**, 6; **10**, 15; **12**,
4.7; XII, **6**, 7; XVI, **4**, 16;
XVIII, **5**, 4.5; XIX, **4**, 4;
11, 9; **12**, 3; XXXI, **6**, 26;
11, 2; **12**, 6; XXXIV, **5**, 3;
XXXVIII, **1**, 3.9; **2**, 3;
4, 33.38; **22**, 10; **33**, 15;
XXXIX, **5**, 15.

δοκιμάζω : II, **6**, 16.

δοκιμή : XIX, **4**, 7.

δόκιμος : I, 8, 13.

δολερός : V, 12, 8.

δόλος : XIII, 4, 5; XXXI, 1, 31.

δόξα : II, 17, 24.26; IV, 5, 7; 14, 16; VI, 17, 5.7; VII, 15, 9; XIII, 4, 7; XXIX, 4, 3; XXXI, 15, 6.7; XXXIV, 6, 4; XLII, 9, 20.

δοξάζω : I, 25, 37; XXXV, 4, 27.

δουλεία : II, 11, 22; XXXVIII, 31, 4.

δοῦλος : II, 6, 33; III, 5, 17; XXXI, 7, 3; XXXVII, 4, 11.

δραπέτης : VII, 2, 5.

δρόμος : IV, 10, 6.

δύναμαι : I, 11, 46; 16, 43; 19, 13; 24, 3; 26, 59; II, 5, 10.11.17.18; 7, 5; 9, 22; 11, 23; III, 7, 14; IV, 3, 7; 5, 4.6.11.16; 11, 3; 19, 3 (bis); V, 9, 7; 12, 5; 15, 8; VI, 1, 24.35.38; 6, 18; 14, 3; VIII, 1, 15 (bis); 5, 3; IX, 2, 6; 3, 4; 5, 4; 7, 8; 13, 7; 20, 4; X, 5, 5; 10, 3; XI, 1, 6; 5, 3; 6, 2.3; XII, 4, 13; 6, 5; XIII, 5, 9; XIV, 6, 6; XV, 1, 18; XVII, 1, 14; XVIII, 3, 8; XIX, 6, 4; XXI, 2, 9; XXV, 1, 4; XXVII, 1, 7; XXVIII, 2, 6; XXIX, 1, 11.16; 7, 81; XXX, 7, 8; XXXI, 2, 6.8; 16, 7; XXXII, 8, 8; XXXIII, 3, 13; 4, 22.29; XXXV, 4,

29.31; XXXVII, 3, 3.4; XXXVIII, 8, 7; 10, 13; 16, 2.4; 23, 5; XL, 3, 12; 4, 7; 6, 5.15; 7, 3; XLII, 9, 18.

δύναμις : I, 9, 41.53.57; 19, 11; II, 6, 34; 9, 40; III, 4, 39.50; IV, 10, 18.19; 16, 4; V, 5, 4; 9, 11; 12, 5; VIII, 1, 41; IX, 5, 4.5; 8, 8.14; X, 9, 4.7; XI, 5, 5; XII, 8, 1; XV, 4, 20; XX, 4, 15; XXVIII, 2, 4; XXIX, 1, 12; 7, 15; XXXVII, 1, 21.22; XL, 3, 12.

δυναστεία : IX, 14, 11.

δυνάστης : IX, 14, 5.

δυνατός : I, 3, 11; II, 10, 7; III, 1, 37; IV, 18, 3; VI, 15, 2; VIII, 1, 44; IX, 3, 27; 8, 4; 12, 5; XI, 4, 4.7; XIV, 3, 7.9; 6, 8; XXV, 2, 15; XXVIII, 3, 4; XXXVIII, 4, 31; 6, 18; XL, 1, 9; 8, 5.

δυσάρεστος : VII, 3, 18.

δυσκολαίνω : XXIX, 7, 35.

δυσκολία : XXIX, 7, 76.79.

δύσκολος : XXIX, 7, 26.

δυσπραγέω : V, 20, 3; XVII, 1, 12.

δυσπραγία : I, 26, 59; V, 7, 3; VI, 1, 18; XIX, 11, 6.

δυσχεραίνω : I, 22, 3; 23, 13; 25, 32.47; II, 13, 7; 15, 8.

δυσώδης : II, 8, 14; VI, 4, 9.

δυσωδία : II, 8, 13.22; VI, 4, 5.

δωρεάν : I, 12, 33.

ἐντρέπω : II, 3, 21; XIX, 2, 2.
ἐντυγχάνω : XXIII, 1, 8.
ἔνυδρος : XL, 5, 5.
ἐνύπνιον : IV, 13, 3.6.13;
XXXIII, 4, 36.
ἐνώπιον : I, 9, 3.5.
ἐξαγγέλλω : XXXI, 15, 8.
ἐξαίρετος : XVI, 1, 3;
XXXVIII, 14, 3.
ἐξαιρέω : I, 19, 7.
ἐξαιτέω : XXIX, 1, 9.
ἐξαίφνης : 1, 25, 28.
ἐξαντλέω : V, 5, 3.
ἐξαρπάζω : XXXIII, 4, 24.
ἐξασθενέω : II, 9, 40; XXXI,
17, 21; XXXIII, 3, 12.
ἔξειμι : I, 12, 17.31.33; II, 5, 9;
15, 9; XXIII, 5, 8; XLII,
9, 9.
ἐξέρχομαι : II, 6, 3; III, 5, 16;
V, 7, 9; VI, 6, 8; IX, 4, 1;
XXXVIII, 6, 25; XXXIX,
1, 4.
ἐξετάζω : I, 23, 30; 25, 9.
11 (bis); III, 1, 11.25; V, 1,
4; VII, 10, 15; IX, 3, 24;
10, 9; XII, 3, 5; XIII, 5, 7;
14, 6; XIV, 2, 6; XXI, 8,
11; XXIV, 1, 22; 2, 11;
XXXIII, 1, 10.
ἐξέτασις : I, 16, 32; IX, 9, 4;
XXV, 2, 17.
ἐξεταστής : I, 7, 23.
ἐξευτελίζω : IV, 17, 3.
ἐξηγέομαι : XXXI, 6, 4.
ἑξῆς : I, 6, 18; XXXVIII, 9, 3.
ἐξιλεόω : II, 12, 24; VII, 14, 7;
XXXII, 1, 16.
ἕξις : XXXI, 1, 14.

ἐξίστημι : XVI, 4, 16;
XXXVI, 4, 2.
ἐξουσία : I, 8, 52.57; 15, 2.5;
16, 18; II, 5, 16; 6, 4; 15, 4;
IX, 6, 6; 10, 5; XXIII, 5, 8;
XXIX, 7, 44; XXXVIII,
17, 3; XXXIX, 3, 13.
ἐξυβρίζω : II, 14, 4.
ἔξω : Pr., 3, 8; I, 8, 56; 16, 46;
II, 10, 50; XXXIX, 3, 12.
ἔξωθεν : I, 14, 14; III, 7, 5; V,
19, 7; XIV, 4, 13.
ἐξωτικός : I, 14, 18.
ἔοικα : VII, 10, 19.
ἐπαγγελία : I, 19, 7.
ἐπαγγέλλω : XLII, 9, 17.
ἐπάγω : I, 10, 12; 11, 42; 18,
22; II, 10, 18; 12, 9; 15,
4.12; IV, 5, 29; 6, 5; 7,
6; VII, 9, 3; XV, 6, 10;
XXXIV, 4, 4; XXXV, 4,
22; XXXVIII, 4, 43; XL,
2, 8.
ἐπαγωγή : Pr., 3, 6; II, 7, 2.
ἐπαγωνίζομαι : XIX, 3, 7.
ἔπαθλον : I, 2, 11.
ἐπαινετός : I, 12, 36.
ἐπαινέω : I, 14, 7.11; XXIX, 7,
26; XXXV, 4, 26.
ἐπαίρω : I, 4, 5; 8, 24; 16, 11;
II, 10, 54; III, 4, 53; 7, 14;
IV, 16, 1.10.13; V, 5, 4; 14,
7.13; XXIX, 7, 15; XXXI,
17, 14.
ἐπαισχύνομαι : I, 14, 23; II, 8,
27.
ἐπακούω : VIII, 4, 5;
XXXVIII, 26, 6.
ἐπάλληλος : I, 26, 36.

8 (bis); III, 1, 32; 4, 16; 5,
4.43.52; IV, 12, 10; 17, 12;
VI, 1, 9; IX, 3, 7; 9, 7;
XII, 4, 8; 5, 7.9; 6, 7.8.10;
XXII, 4, 1; XXIII, 1, 7;
XXVIII, 3, 9; XXXVIII,
1, 15.16; 23, 5; XLII, 9,
4.11.
εὔρυθμος : XXXVIII, 14, 4.
εὐσέβεια : I, 7, 80; 8, 23; 11,
47; III, 5, 41; XXIX, 1, 14;
XLII, 9, 4.
εὐσεβέω : I, 8, 14.
εὐσεβής : I, 4, 23; 7, 70; 8, 12;
XV, 1, 5.
εὔτακτος : XXXIX, 4, 1.
εὐταξία : IV, 11, 12; VIII, 1,
34.36; XXVIII, 2, 3;
XXXVI, 4, 4; XXXVIII,
10, 11; 11, 6.8.
εὐτέλεια : I, 11, 46; XIII, 14,
9; XIV, 2, 5.
εὐτελής : I, 3, 9; 18, 7; VII, 18,
5; X, 6, 4 (bis); XI, 4, 15;
XIV, 3, 7.
εὐτοκία : I, 14, 16.
εὔτοκος : I, 20, 12.
εὔφθαρτος : XXXI, 11, 10.
εὐφροσύνη : I, 5, 7; 20, 24.
εὐχαριστέω : I, 9, 59; 25,
22.39; III, 1, 32.
εὐχείρωτος : IV, 6, 4; 10, 20;
19, 8.
εὐχή : I, 7, 46; VI, 1, 7; 7, 11.
εὔχομαι : I, 7, 82; 9, 28; II, 6,
18; III, 3, 19; IV, 2, 12;
XXIII, 1, 10; 3, 2.
εὐώδης : II, 8, 16.

ἐφήδομαι : XXX, 6, 2.
ἐφίημι : II, 10, 31.
ἐφικνέομαι : II, 7, 4.
ἐφίστημι : I, 9, 20.61; 14, 24;
18, 24.26; XXXVIII, 1,
3.7.
ἐφόδιον : XXXI, 16, 16.
ἐχθρός : I, 9, 45; 11, 50; 12,
25; 23, 35; II, 5, 25; 10, 53;
17, 22; 18, 10.13; VI, 9, 7;
13, 5; XXVII, 4, 4.
ἔχω : IV, 2, 6.11; 4, 3; 13, 14;
XVII, 1, 12.14; 2, 3; XX,
4, 21; XXIX, 3, 4.

ζάω : I, 17, 24; II, 17, 23.26;
VI, 7, 5; VII, 13, 7; XIV, 7,
12; XXXI, 11, 13.
ζῆλος : IV, 12, 4; XXXII, 8,
9; XLII, 6, 7.
ζηλόω : I, 12, 3; XLII, 9, 15.
ζηλωτής : I, 8, 8.
ζημία : I, 4, 24; 17, 30; 25, 57;
II, 10, 41.
ζητέω : II, 3, 18.21; 5, 24; III,
5, 29; VII, 3, 18; IX, 10, 1;
18, 4; XXV, 2, 16; XXIX,
2, 6; 7, 69; XXXIV, 6, 5.
ζόφος : XXVIII, 2, 3.
ζυγόν : XXXI, 2, 3.
ζωή : II, 5, 31; III, 5,
22.28.34.46; 7, 16; IV, 2,
13; V, 10, 5; VII, 4, 4.6;
XII, 4, 12; XXXVIII,
17, 3.
ζῷον : IV, 11, 2.5.11.19; V, 7,

11; **8**, 5; XXXIX, **1**, 3; **2**,
3.8; **3**, 4.11.17.
ζωοποιέω : II, **10**, 28.

ἦττα : I, **9**, 57; **11**, 18; **21**, 2;
II, **4**, 13.
ἡττάω : II, **4**, 9.

ἡβάω : I, **26**, 33.
ἡγέομαι : II, **10**, 8; III, **5**, 42;
IV, **13**, 22.30; XVIII, **1**, 11;
XXX, **1**, 8; XXXI, **16**, 13.
ἥδομαι : XXXI, **16**, 17.
ἡδονή : I, **8**, 38.54; VI, **3**,
14 (bis).
ἡδύς : I, **6**, 9.
ἥκω : V, **20**, 4; XXXI, **16**, 4.
ἡλικία : I, **17**, 15; **20**, 10.14;
26, 31; XIII, **13**, 3.4;
XXXII, **4**, 6.
ἥλιος : IX, **6**, 6; XXXI, **11**, 8;
XXXVIII, **12**, 4.
ἡμέρα : I, **18**, 13; II, **3**, 32; **9**,
14; **11**, 14; III, **2**, 15; **3**, 13;
4, 24.26 (bis); **6**, 12; **7**, 19;
IV, **13**, 6.23.24.25.27; VI,
2, 9; VII, **1**, 10.12; **3**, 16;
XIX, **12**, 13; XXIX, **1**, 9;
XXXI, **1**, 22; XXXIV, **4**,
14; XXXVI, **2**, 6.
ἥμερος : XXXVIII, **10**, 8.11;
XXXIX, **3**, 11; XL, **6**, 14.
ἡμέρως : XXXI, **14**, 1;
XXXVIII, **2**, 17.
ἡμισφαίριον : XXXVIII, **30**, 3.
ἠρέμα : XXXIV, **9**, 3.
ἥρως : II, **6**, 26; **8**, 13.
ἡσυχάζω : XIV, **3**, 10; XXX,
7, 8; XXXII, **1**, 3; **5**, 8.
ἡσυχία : XIV, **3**, 13.

θάλασσα (θάλαττα) : IX, **8**, 7;
XIV, **3**, 14; **4**, 12.14;
XXXVIII, **6**, 18; **8**, 3; **15**,
3.4; **22**, 5.6; XL, **6**, 7.19.
θαλάττιος : XXXVIII, **8**, 11;
XL, **5**, 5.
θανάσιμος : IV, **11**, 10.
θάνατος : I, **20**, 9.17.31; **23**, 29;
II, **9**, 26; III, **4**, 14.50; **5**, 2.
10.12.21.34.47.48.49.58; V,
20, 5; VI, **5**, 5; VII, **10**, 7;
VIII, **1**, 22; XV, **4**, 28.30;
XVII, **3**, 14; XXXVII, **2**,
5; XXXVIII, **17**, 3.
θαρρέω : I, **16**, 3; VIII, **7**, 15;
IX, **3**, 11; XIX, **9**, 21;
XXXI, **17**, 15; XL, **2**, 4.
θαῦμα : Pr., **3**, 14.
θαυμάζω : III, **3**, 15; **4**, 13; IV,
13, 12.16; V, **6**, 7; IX, **11**,
3; **16**, 9; XXI, **4**, 6; XXXI,
11, 8; **12**, 9; XXXVI,
4, 2; XXXVII, **1**, 24;
XXXIX, **3**, 12.
θαυμαστός : Pr., **1**, 8; I, **1**, 6; **4**,
7.21; **16**, 37; **20**, 10; **21**, 10;
II, **11**, 12; III, **7**, 16; XII, **1**,
10; **4**, 7; XXIX, **7**, 86;
XXXII, **4**, 7; XXXVIII,
8, 4; **12**, 4; XL, **5**, 2.
θέα : I, **20**, 22.
θέαμα : II, **8**, 3.

θεατής : Pr., **3**, 8.

θέατρον : Pr., **3**, 9; I, **8**, 5; II, **5**,
    10; VI, **6**, 10.

θεάω : Pr., **2**, 2; VIII, **7**, 15;
    XXXII, **3**, 6.

θεήλατος : XIX, **13**, 7; XX,
    4, 19.

θεῖος : XX, **4**, 15; XXXVIII,
    26, 12.

θέλω : III, **5**, 8; IX, **12**, 5; **14**,
    7; XII, **7**, 12.17; XXII, **2**,
    6; XXVIII, **2**, 5; XXXI, **9**,
    11; XXXIV, **3**, 7.14; **4**, 18;
    XXXIX, **3**, 8.

θεμέλιον : XXXVIII, **4**, 18.

θεμελίωσις : XXXVIII, **4**, 56.

θεογνωσία : XXXI, **11**, 7; XL,
    4, 5; **6**, 10.

θεοσέβεια : I, **23**, 29.

θεοσεβέω : I, **12**, 23; XXVIII,
    3, 6.

θεοσεβής : I, **21**, 5; **23**, 7.25.

θεραπεία : II, **7**, 13; IV, **3**, 12.

θεραπευτικός : I, **7**, 29.

θεραπεύω : Pr., **4**, 9; I, **8**, 56;
    II, **6**, 21; **7**, 7.14.17.19; V,
    15, 11.12; XXXI, **16**, 15.

θεράπων : I, **11**, 27.29; **15**, 8;
    XLII, **3**, 12; **4**, 5.

θεωρέω : XXXVIII, **16**, 4.

θεωρία : VI, **12**, 6.

θημωνία : II, **8**, 19.

θηρατής : XXIX, **7**, 70.73.

θηράω : XIX, **11**, 8.

θηρίον : IV, **10**, 16.18; V, **18**,
    13; VI, **4**, 9; XXXV, **3**, 15;
    XL, **5**, 2; **6**, 3.13.18; **8**, 5.

θηριωδία : XXX, **7**, 12.

θησαυρός : I, **7**, 56; **26**, 35;
    XXXVIII, **19**, 3.

θητεία : II, **11**, 22.

θητεύω : II, **11**, 19.

θλῖψις : I, **16**, 27; VII, **6**, 11;
    X, **1**, 11; **4**, 4.

θνήσκω : XXXIII, **4**, 29.

θνητός : I, **23**, 53.

θορυβέω : I, **8**, 28; **16**, 20; II,
    10, 19; **13**, 1; III, **1**, 12; **7**,
    9; IV, **4**, 3; **13**, 23; VII, **10**,
    11; XXIV, **1**, 16.

θόρυβος : IV, **13**, 29.

θρέμμα : I, **14**, 16.28; **20**, 11;
    21, 6; **26**, 24; II, **10**, 6;
    XIX, **8**, 5; **13**, 4.

θρηνέω : III, **6**, 3; VI, **2**, 12; **3**,
    10.12; VIII, **2**, 2.5; XIII, **7**,
    8; XVIII, **2**, 3; XIX, **2**, 4;
    XXX, **7**, 7.

θρῆνος : I, **26**, 24; XXXI,
    9, 21.

θρόνος : XXIX, **7**, 47;
    XXXVIII, **1**, 8.

θρύλημα : XXX, **3**, 11.

θυμός : II, **6**, 24; **13**, 5; **16**, 5;
    III, **4**, 24; XVI, **4**, 18.

θύρα : II, **11**, 24.

θυσία : I, **7**, 33.35.63.67; VIII,
    2, 10; **7**, 14; XX, **4**, 16;
    XXIX, **7**, 13; XXXII, **1**,
    16; XLII, **5**, 5; **6**, 1.

ἰατρός : IV, **1**, 9; V, **15**, 11;
    XXXI, **9**, 4.

ἰάω : XLII, **6**, 2.

ἰδιάζω : XXXV, 4, 11.
ἴδιος : I, 25, 23; IX, 8, 6; XXXVIII, 13, 3; XXXIX, 2, 6.
ἱδρώς : VII, 3, 12.
ἱέραξ : XXXIX, 5, 1.
ἱερεῖον : XLII, 5, 10.
ἱερεύς : I, 7, 47 (bis).61; XLII, 5, 4.
ἱκανός : I, 1, 9; 25, 5; 26, 57; II, 17, 11; IV, 14, 14; X, 9, 7; XIX, 13, 6; XXXIX, 3, 18; XLII, 6, 1.
ἱκετηρία : XXXIV, 7, 3.
ἰλιγγιάω : II, 13, 1; IV, 4, 3.
ἱμάτιον : I, 21, 15; 22, 2.4; 23, 18; II, 18, 17; IX, 19, 9; XXIX, 7, 31.32.33.39.
ἴνδαλμα : IV, 13, 29; 14, 12.
ἰός : II, 9, 23.
Ἰουδαῖος : Pr., 4, 2; I, 12, 28.37; XXIX, 7, 13; XLII, 9, 2.
ἱππεύς : I, 20, 32.
ἵππος : I, 4, 17; XXXIX, 3, 16.
ἴσος : Pr., 1, 7; I, 8, 34; 24, 9; V, 19, 6; IX, 3, 13; XXVIII, 3, 3.
ἰσοστάσιος : I, 16, 32.
ἰσοτιμία : III, 5, 23.
ἵστημι : II, 3, 12; 9, 30; 10, 50; IV, 10, 16; VI, 1, 12; IX, 16, 12; 17, 3; XII, 2, 9; XV, 1, 19; 4, 18; 5, 8; XVII, 2, 4; XXVII, 1, 7; XXIX, 1, 16; XXXVII, 2, 6; XXXVIII, 4, 17.41.53.

55; 9, 2; XXXIX, 5, 9.
ἱστορία : Pr., 1, 4; XVI, 1, 4; XL, 5, 7.
ἰσχυρός : VII, 3, 27; 9, 5; IV, 7, 6; 19, 8; V, 12, 7; VI, 1, 38; XXXVII, 1, 20; XXXVIII, 21, 9; XXXIX, 3, 4.
ἰσχύς : Pr., 1, 10; I, 9, 56; IV, 10, 19; V, 15, 5; VI, 7, 6; IX, 12, 4; X, 9, 7; XV, 4, 19; XIX, 1, 6; XX, 4, 21; XXIII, 2, 6; XXXVIII, 10, 9.14; XXXIX, 2, 7; XL, 3, 11.
ἰσχύω : I, 23, 17; II, 3, 27; 11, 10; III, 5, 16; XXXI, 6, 16.
ἴσως : I, 19, 8; II, 7, 1; IV, 12, 4; XL, 6, 8.

καθαιρέω : I, 12, 4; XIX, 1, 5; XXXI, 6, 27; 8, 6; 11, 1.
καθάπτω : II, 10, 7; 13, 6; V, 14, 15; XII, 6, 7.
καθαρίζω : I, 6, 16.17.19; 7, 42.
καθαρμός : I, 7, 42.
καθαρός : I, 26, 17 (bis); III, 7, 16; IV, 5, 32; VIII, 4, 2.3.4; IX, 19, 6; XI, 5, 6; XIV, 3, 7.9; XVII, 2, 2.
καθαρότης : IV, 16, 16.18 (bis).
κάθαρσις : I, 6, 16.
καθαρῶς : X, 4, 3.
καθείργνυμι : II, 8, 6.
καθεύδω : XXXV, 3, 14.16.17.
κάθημαι : II, 8, 18.

καθίζω : Pr., 3, 8; XXXV, 4, 25.

καθίημι : I, 23, 5.15; XXIX, 1, 5.

καθικνέομαι : XXXIV, 8, 9.

καθίστημι : II, 7, 9; XXIX, 7, 41; XXXI, 1, 14; 6, 16; 16, 12; XXXII, 4, 10.

καθόλου : IV, 14, 15; V, 21, 12; IX, 4, 2; XXV, 2, 16.

καθοράω : II, 17, 12.

καινός : Pr., 4, 13; I, 17, 11.24; IV, 10, 14; XX, 2, 4.

καινοτομία : XX, 2, 5.

καιρός : I, 7, 51; 17, 26.28; 20, 14.24; 23, 24; 25, 37; III, 6, 4 (bis); IV, 12, 7.10; V, 9, 10; 10, 6; VII, 3, 17; XXXII, 5, 6.7; XXXVIII, 20, 3.

κακία : I, 1, 56; 6, 5; 11, 8; II, 6, 14; III, 5, 2; IV, 5, 31; 19, 11; XV, 3, 13; XXXI, 1, 31.

κακός : I, 1, 17; 17, 35; 26, 35.47; II, 3, 26; 5, 5.11; 10, 21.51; 11, 29; 15, 3.7; 17, 22; III, 5, 25; IV, 1, 4; 3, 12; 19, 5; V, 7, 9; 9, 7; 13, 5; VI, 1, 11; VIII, 8, 6; XI, 2, 4; 4, 14; XIV, 6, 8; 7, 19; XVI, 2, 10; 5, 3; 6, 5; XVIII, 2, 13.14; XX, 4, 20 (χείρους); XXI, 4, 8 (χείρους); XXIII, 1, 4; 6, 5; XXIX, 7, 12; XXXVII, 2, 5 (bis).

κακουργία : XXIX, 7, 19.

κακοῦργος : II, 9, 38; 10, 4.

κακούργως : I, 21, 19; XXII, 1, 6.

κακῶς : II, 10, 50; IX, 20, 3; XI, 8, 12; XXIV, 1, 20; XXXVIII, 3, 9.

καλέω : I, 11, 27; 17, 29; 23, 55; II, 2, 10; IV, 1, 11; 17, 5; V, 9, 5; IX, 3, 26; XIV, 5, 10; XVII, 2, 5; XXXI, 2, 5; 4, 2; XXXII, 1, 4; 2, 8; 5, 7; XXXVIII, 26, 9; XLII, 3, 12.

κάλλος : I, 1, 11; XXX, 8, 5; XXXVIII, 4, 37.

καλλωπίζομαι : XXIX, 7, 37; XXXI, 17, 17.

καλός : I, 12, 39; II, 18, 7; III, 7, 11.12.21; IV, 2, 7; VIII, 8, 7; XXVIII, 1, 12.

καλύπτω : II, 8, 24; XVI, 6, 5; 7, 2.

καλῶς : I, 14, 13; 23, 4; 26, 19; III, 6, 15; IV, 1, 3.11; 8, 7; 15, 5; 16, 9; V, 1, 9; XI, 4, 9 (bis).11; 7, 7; 8, 11; XIX, 12, 14; XXIII, 6, 6; XXVIII, 2, 1; XXXII, 3, 4; XXXIV, 4, 13; XXXIX, 1, 1.

κάμνω : I, 14, 4; IV, 17, 11.

κανών : XXXI, 15, 18.

καπηλεία : I, 4, 14; 14, 7.

καρδία : IV, 5, 31; XXXI, 5, 6.

καρπός : I, 2, 5; XXIX, 2, 21; XXXI, 17, 29.

καρπόω : I, 25, 57; XXI, 1, 3; 2, 7.

καρτερέω : XXXII, 8, 6.

καταβάλλω : I, 9, 54.56; 23,

καταφέρω : II, 9, 21.
καταφεύγω : VI, 6, 16; VIII, 1,
7; IX, 15, 3; XIV, 3, 6;
XXXII, 4, 6.
καταφιλέω : XXXI, 12, 8.
καταφλέγω : I, 19, 14;
XXXVIII, 6, 21.
καταφορικῶς : XV, 1, 7.
καταφρονέω : I, 12, 36; XIII,
12, 14; XXIV, 1, 19.
καταφυγή : XXIX, 7, 16;
XXXI, 9, 4.
καταχώννυμι : I, 26, 34; II,
9, 6.
καταψηφίζω : IX, 20, 3; XII,
1, 9; XXXII, 1, 8.10.
κατειρηνεύω : XV, 4, 22.
κατεντυγχάνω : VII, 15, 2.10.
κατεπάδω : I, 23, 25.
κατεσθίω : VIII, 1, 14; XIII,
7, 3.
κατέχω : I, 16, 42; II, 6, 34; X,
12, 14; XVIII, 3, 7; XIX,
12, 5; XXIX, 2, 16; 7,
20; XXXI, 6, 10; XXXII,
8, 8; XXXIII, 4, 23.40;
XXXV, 3, 14; XXXVIII,
6, 9.16; 8, 4.6; 10, 3.
κατηγορέω : I, 25, 46; II, 12,
35; XI, 1, 3; XVIII, 2, 10;
XXVII, 2, 2; XLII, 6, 9.
κατηγορητικός : XXXIV,
8, 11.
κατηγορία : IV, 1, 17; VII, 15,
4; XV, 6, 18; XXXVII,
4, 7.
κατηγορικῶς : VI, 12, 2.
κατήγορος : XXIII, 1, 2.
κατηφής : XXXI, 1, 18.

κατορθόω : IV, 2, 14; XXXI,
9, 13.19; 17, 14.
κατόρθωμα : I, 25, 12; II, 15,
9; IV, 5, 8.14.19; VI, 6,
8.11; VII, 5, 2; XXIX, 6,
6; XXXI, 8, 6; 12, 6; 15,
15.19; 16, 20; XLII, 4, 7.
κατορύττω : I, 3, 6.
καῦμα : XXXVII, 1, 4.
καυχάω : IV, 5, 12.18; V, 13,
4; XXIX, 7, 63.
καύχημα : IV, 5, 16.
καύχησις : XX, 5, 12.
κεῖμαι : I, 12, 37; IV, 1, 5.14;
VI, 9, 10; IX, 19, 4; XIX,
3, 7; XXIX, 7, 45; XXXV,
3, 12.
κελεύω : II, 6, 7.17; VII, 12, 6;
XIV, 3, 12.
κενός : II, 3, 15.16; VI, 3, 8;
VII, 3, 11; XIII, 14, 11.
κενότης : XIII, 14, 15.
κενόω : XXXII, 3, 6.
κεντέω : VI, 2, 5.8.11.
κεραυνός : XXXVIII, 26, 4.5.
κέρδος : I, 9, 49.62; 25, 54.57;
IX, 19, 13; XXXVIII,
12, 5.
κεφάλαιον : II, 10, 21; 11, 12;
XIX, 5, 4.
κεφαλή : II, 6, 29; XIII, 14, 7;
XVI, 2, 8.
κηδεία : XV, 4, 30.
κήδομαι : I, 7, 47; XXXIII,
4, 41.
κηλίς : IV, 16, 16; IX, 19, 7.
κῆρυξ : Pr., 2, 11.
κηρύττω : XXXVIII, 10, 8.14.
κῆτος : III, 4, 38; IX, 8, 8.

κιθάρα : XXX, 8, 11.
κίνδυνος : I, 26, 56; VII, 1, 14;
X, 9, 6; XXVII, 5, 8;
XXIX, 7, 68; XXXI, 9, 6.
κινέω : I, 19, 11; 21, 7.21; 23,
25; 25, 45; II, 10, 35; IV, 5,
39; V, 14, 11; IX, 14, 9;
XVI, 2, 8.
κλαίω : I, 23, 21; XXXI,
17, 25.
κλεῖθρον : XXXVIII, 10, 4.
κλείω : III, 5, 59.
κλέπτω : I, 12, 31.
κοιλία : XX, 5, 10;
XXXVIII, 6, 25.
κοινῇ : I, 5, 5.
κοινός : I, 5, 5; 20, 17.31; II, 7,
19; 10, 22; III, 1, 19; V, 7,
12; IX, 3, 16; XV, 4, 28;
XVII, 1, 11; XVIII, 2, 6;
XXIII, 6, 7; XXIX, 7, 16;
XXXI, 8, 8; 9, 3.4 (bis); 16,
10.11 (bis); XXXVIII, 1,
11.
κοινόω : I, 7, 41; IV, 18,1.
κοινωνέω : I, 6, 6.7; II, 10, 48;
XXXI, 1, 25; 8, 7; 16, 9.
κοινωνία : I, 6, 4.
κολάζω : I, 16, 43; IV, 9, 5; 13,
13; 14, 8; V, 14, 17.20; VII,
11, 4; IX, 11, 6; 17, 3; 20,
2; X, 5, 5; 9, 9; XII, 4, 14;
7, 5 (bis); XIII, 12, 7; XIV,
7, 10; XVI, 4, 16; XIX, 2,
3; XXI, 7, 13; XXII, 4, 11;
XXIII, 1, 12; 5, 8; XXV,
2, 12.14; XXVII, 7, 6;
XXIX, 7, 83; XXXIII, 3,
9; XXXV, 4, 28.

κόλασις : IV, 9, 6; VI, 1, 33;
VII, 10, 7; XIII, 12, 9;
XXXIV, 4, 11.
κολαστικός : XII, 8, 2;
XXXVIII, 26, 3.
κολόβωσις : II, 8, 13.
κόλπος : XXXVIII, 6, 9.
κόπος : IV, 5, 10.
κοπρία : II, 8, 18.
κοσμικός : XXX, 2, 17.
κόσμος : I, 9, 9; VIII, 1, 40;
IX, 3, 18; XV, 2, 17; XX,
2, 4; XXXVIII, 4, 10; 5,
3; 33, 18.
κουστωδία : I, 12, 30.
κοῦφος : II, 17, 32.
κράζω : XIX, 5, 7.
κρᾶσις : XXXVII, 1, 5.
κρατέω : I, 21, 18; II, 3, 30;
11, 10; III, 5, 25; V, 9, 10;
13, 2; IX, 2, 7; 12, 4; XV,
4, 19; XXXIV, 3, 6.10;
XXXIX, 2, 7.
κράτος : XLII, 9, 20.
κραυγή : XVI, 7, 2.
κρημνός : II, 9, 47.
κρηπίς : XXXVIII, 4, 18.
κρίκος : XXXVIII, 4, 49.
51.52.
κρῖμα : II, 2, 9.
κρίνω : VI, 1, 31; 16, 4; IX, 13,
2; 20, 4; XIII, 2, 8; 5, 6; 10,
3; 11, 8; XVIII, 1, 4;
XXII, 4, 1; XXIII, 3, 5;
XXXV, 4, 30.
κρίσις : I, 11, 48; 12, 25;
XXV, 2, 13.17.
κριτήριον : VI, 4, 6; XVII,
2, 5.

κριτής : XIII, 5, 8.10; XXIX, 7, 41.

κρύπτω : III, 5, 51; VI, 6, 9; XXIX, 7, 75; XXXI, 15, 19; XXXVIII, 2, 16.

κτάομαι : I, 18, 27; 23, 48; XXXI, 16, 10.

κτῆμα : I, 18, 7.

κτῆσις : I, 18, 25; 25, 22.

κτίσις : VIII, 1, 34; X, 9, 3; XXXI, 11, 7; XXXIV, 4, 6; XXXVII, 1, 9.12; 4, 6; XXXVIII, 23, 2.

κυβερνάω : XXXVI, 4, 5.

κύριος : II, 15, 3.6.12; XXXV, 4, 16; XLII, , 9, 19.

κύων : XXX, 1, 6.

κωκυτός : I, 26, 25.

κώλυμα : III, 5, 4.

κωλύω : I, 3, 12; IV, 10, 17; XXX, 4, 21; XXXIV, 3, 14; XXXVII, 1, 6.

κῶμος : XXXI, 1, 16.

κωμῳδέω : XIII, 14, 9.

λαβή : II, 4, 24.

λάθρᾳ : I, 16, 8.

λαλέω : VI, 2, 8; 15, 4; IX, 16, 5; XIII, 5, 5.10; XVI, 1, 6; 3, 4; XVIII, 1, 9; XXIX, 7, 88; XLII, 4, 7.

λαμβάνω : I, 12, 30.32; 17, 14.17; 24, 5 (bis); 25, 5. 6.7.10.12.13.14.29 (bis).34. 49; II, 3, 18.26.31; 4, 24.29; 5, 9.16; 9, 6; 10, 36; 11, 23; III, 1, 30; IV, 10, 13; 11, 9;

V, 17, 3; 21, 11; VI, 17, 7; VII, 3, 11; 8, 3; IX, 19, 5; XII, 1, 6; XV, 3, 4; XIX, 8, 5; 12, 12; XXI, 4, 7; XXIX, 7, 51; XXXVIII, 27, 6.

λαμπρός : I, 4, 3.4; 11, 18; 16, 25; VI, 6, 10; XV, 5, 7; XXXI, 11, 11; XXXIV, 3, 11.

λάμπω : Pr., 4, 8; IV, 2, 5.

λανθανόντως : I, 14, 11.

λανθάνω : XIV, 6, 8; XXIX, 7, 75; XXXI, 2, 8; XLII, 9, 4.

λάρυγξ : XII, 5, 3.5.8.

λατρεία : II, 12, 6.

λείπω : I, 20, 18; II, 4, 14.

λείψανον : VI, 10, 5.12; XLII, 9, 5.

λεπίς : XIX, 12, 9.

λεπτός : XXXVIII, 29, 1.

λέων : IV, 10, 17.19; VI, 2, 15; XXXVIII, 31, 5; XXXIX, 2, 6.

λήγω : XXXI, 11, 11.

λήθη : I, 7, 54; II, 10, 14.

λῃστής : I, 6, 5; XXXVIII, 13, 2.

λιμήν : II, 12, 20; 17, 33; III, 5, 4; IV, 13, 26; XXIX, 7, 16; XXXI, 9, 4.

λιμός : XXI, 7, 13; XXXI, 6, 19; XXXVIII, 32, 4.

λογίζομαι : I, 7, 24; 18, 16; 25, 24; II, 4, 9; 8, 14; VI, 11, 6; XXXVIII, 10, 12; XXXIX, 3, 14.

λογικός : XXXIX, 5, 16; XL, 6, 16.

6, 17; XXXIV, 6, 5;
XXXV, 1, 7; 4, 21;
XXXVI, 4, 4; XXXVII,
1, 14; 3, 4; XXXVIII, 1,
10; 4, 22; 11, 6; 18, 10; XL,
6, 5; XLII, 6, 9.
μαντεύω : XV, 4, 33.
μαρτυρέω : I, 11, 8; 14, 6; 16,
23.31.33; III, 1, 5; VII, 14,
4; VIII, 1, 26.41; IX, 3,
25; 5, 5.6; 6, 5; XII,
2, 5; 4, 12; XIX, 9, 20;
XXXVIII, 14, 6.
μαρτυρία : I, 11, 9; 16, 24.36.
μαρτύριον : XV, 6, 18.
μάρτυς : Pr., 3, 4; XIX, 11, 7;
XXXI, 2, 5; 4, 2; 9, 13.17;
15, 16; XXXII, 1, 4; 2, 9;
XLII, 5, 7.
μαστιγόω : VI, 6, 5.
μαστίζω : I, 8, 20.
μάταιος : IV, 5, 29.
μάτην : II, 3, 14.19; XXXIV,
7, 5.
μαχέομαι : XXXII, 4, 5.
μάχη : I, 9, 30; 10, 7; 14, 17;
17, 23; 26, 26; XV, 4,
17.29; XXIX, 2, 14; 7,
69; XXXIII, 4, 24.27;
XXXVII, 2, 6.
μάχομαι : II, 6, 32; XV, 3, 1;
XXXVIII, 10, 9.
μεγαλεῖον : IV, 16, 10; IX, 6,
6; XXXVIII, 4, 15.
μεγαληγορία : IV, 5, 12.
μεγαλοφρονέω : XXIX, 7, 63.
μεγαλόψυχος : II, 10, 7.
μεγαλοψύχως : II, 10, 40.

μεγαλύνω : VII, 11, 3.
μέγας : Pr., 1, 10; II, 11, 11.12;
IV, 2, 14; 11, 4; V, 18, 5; VI,
7, 4; 9, 8; VII, 1, 11; X,
12, 15.17; XII, 1, 10; 4, 7;
XVIII, 2, 6; XIX, 5, 4; 12,
7; XX, 4, 20; XXVIII, 3, 6;
XXIX, 1, 9; 7, 12; XXX, 2,
17; XXXI, 3, 4.6.8; 11, 2.8;
12, 6; 15, 18; XXXII, 2, 10;
XXXV, 4, 29.31; XXXVII,
1, 3; XXXVIII, 4, 17; 8, 8;
27, 3; 33, 4; XL, 4, 7; 6, 4.
μέγεθος : I, 19, 7; 23, 7; II, 17,
20; III, 4, 21; VI, 1, 5.20; 6,
6; XIII, 14, 8; XV, 4, 20;
XIX, 3, 12; XXX, 7, 11;
XXXI, 6, 5; XLII, 5, 8;
9, 7.
μέθοδος : I, 6, 8; 7, 29; IV,
3, 12.
μείγνυμι : VII, 12, 3.
μειζόνως : XIX, 10, 5.
μειόω : XXXI, 11, 12.
μειρακιώδης : I, 4, 18.
μελανόω : XVI, 5, 2.
μελέτημα : XXX, 3, 11.
μέλλω : Pr., 3, 6.9.17; I, 11,
11; 23, 47; 25, 4.38 (bis).49;
II, 6, 30; 7, 10; 10, 49.52;
III, 5, 52; 6, 3; V, 7, 11; VI,
11, 5; 16, 3; VII, 4, 6; VIII,
1, 44; XI, 4, 15; XII,
1, 8; XIV, 7, 20; XIX,
11, 2; 13, 13; XXIII, 1,
9 (bis).11 (bis); 3, 5; XXXI,
15, 9; 16, 18; XXXIII,
1, 13; XXXIV, 4, 11;

οἶνος : I, 20, 15.

ὀκνηρός : I, 7, 35.

ὀλέθριος : II, 10, 34.

ὄλεθρος : II, 17, 8.

ὀλιγοχρόνιος : VI, 10, 10; VII,
5, 3; VIII, 6, 10; IX, 15,
3.4; X, 12, 16; XIV, 3,
8.11; 7, 14; XV, 4, 24.

ὁλόκληρος : I, 1, 12; XL, 7, 3.

ὅλος : IV, 13, 27; XXXIII, 13,
6; XXXVIII, 1, 11.

ὀλυμπιακός : II, 3, 22.

ὅλως : VII, 11, 3.

ὁμιλέω : XXXVIII, 6, 14.

ὁμιλία : XXXI, 9, 12.

ὁμίχλη : XXXVIII, 8, 10.

ὁμόδουλος : XXXIII, 1, 14.

ὅμοιος : IX, 8, 5.

ὁμοίως : III, 5, 25.31; VI, 11,
5; XXIII, 1, 12; XXIV, 1,
1; XXXI, 1, 32.

ὁμολογέω : I, 7, 7; 10, 11; 12,
24; VIII, 1, 11; XI, 5, 4;
XII, 3, 4; XXII, 1, 3.

ὁμόνοια : I, 5, 4; 7, 15.67; 14,
16.

ὁμορόφιος : XXXI, 16, 8.

ὁμοτράπεζος : I, 6, 8.

ὄναρ : IV, 13, 7; VII, 10, 19;
XXXIII, 4, 23.35.

ὀνειδίζω : I, 11, 27; IV, 12, 10;
XIX, 8, 9.

ὄνειδος : II, 7, 26.

ὄνειρος : IV, 13, 10.19.

ὄνομα : I, 9, 34; II, 10, 23.36;
XXXVIII, 22, 9; XLII, 8,
2.

ὄνος : VI, 3, 7.16; XXXIX, 3,
19.

ὄντως : I, 3, 15; IV, 5, 2;
XXIX, 2, 11; XXXVI, 4,
3; XXXVIII, 4, 23.

ὀξύς : I, 9, 40.

ὁπλίζω : II, 7, 12; XV, 1, 6.

ὅπλον : II, 6, 27.

ὄργανον : XXX, 8, 12.14.

ὀργή : II, 10, 34; III, 7, 7; V, 2,
8; VI, 1, 8.

ὀργίζω : XXXII, 2, 8.13; 3, 5.

ὄρθιος : IX, 8, 7.

ὀρθός : IV, 5, 24; VI, 15, 3;
XIII, 4, 7.8; XXI, 8, 11.

ὀρθῶς : XI, 4, 6.

ὁρίζω : VII, 1, 5; XXVIII, 1,
6.

ὅριον : XXXVIII, 10, 13.

ὄρνις : XXX, 7, 12.

ὄρος (τό) : V, 8, 4; IX, 5, 1.

ὅρος (ὁ) : I, 12, 20; 16, 40.44;
III, 4, 25; XXXV, 3, 13.

ὄροφος : I, 3, 11; 20, 20; 26,
34.

ὀρφανία : II, 17, 32.

ὀρφανός : XXXI, 9, 9.

ὀστοῦν : II, 5, 5.

ὄστρακον : VII, 3, 20.

οὐρανός : I, 9, 43.44.59; 11, 30;
18, 10.12; 20, 33; IV, 16,
17; VII, 1, 7; IX, 3, 15; X,
9, 5; XI, 6, 3; XXXIV, 3,
2; XXXV, 3, 8; XXXVIII,
1, 7 (bis); 4, 10; 11, 1.6.9;
26, 3.

οὐσία : IX, 7, 9; XXXIV, 4, 8.

ὀφείλω : I, 7, 49; VI, 12, 6;
VII, 14, 2; X, 5, 5; XIX,
13, 15; XXXI, 16, 6.8;
XLII, 5, 11.

παραίνεσις : Pr., 1, 9; I, 7, 45;
II, 12, 11.18; 17, 7.41; IV,
3, 11; VIII, 7, 16.
παραινέω : I, 23, 24; II, 9,
16.52; 10, 49.52; 12, 19.25.
34; IV, 5, 4; VI, 1, 13; 8, 4;
VIII, 3, 3; XI, 7, 11; 8, 13;
XXXI, 6, 15; XXXIII, 4,
35; XXXVIII, 4, 15.
παραιτέω : I, 14, 23; II, 4, 4;
VI, 16, 4; XIII, 10, 3.
παρακαλέω : II, 12, 26; 18, 17;
IV, 3, 6.7.8; VI, 13, 5;
XXXVIII, 1, 12.
παρακατατίθημι : I, 25, 51.
παράκλησις : VIII, 8, 7.
παρακλητικός : IV, 1, 10.
παρακούω :   IX,   3,   19.20.21.
22 (bis); XIX, 8, 9.
παρακρούω : II, 18, 13.
παραμελέω : XXXI, 2, 3.
παραμυθέομαι : I, 17, 17; 20,
19; 25, 5; II, 9, 64; 17, 9;
III, 1, 6; VII, 3, 16; XIII, 8,
5; XVI, 2, 11; XVIII, 1,
5.12.
παραμυθία : I, 24, 4.6; 25, 2;
II, 7, 10; 8, 19; 9, 65; 12,
14.22.37; 15, 12; 17, 7.34;
18, 15; III, 4, 6; IV, 1, 15;
VII, 8, 3; VIII, 1, 18; XIII,
6, 7; 7, 3.5; 8, 7; 9, 4; 12, 8;
XV, 1, 6.15; XVI, 2, 11;
XVIII, 2, 4; XIX, 1, 3; 9,
23; XXXI, 16, 17.
παραμύθιον : XIII, 8, 6.
παρανομέω : XXXIV, 5, 6.
παράνομος : II, 11, 20; 17, 21;

XXX,   3,   11;   XXXIV,
10, 4.
παραπέμπω :   XIX,   11,   2;
XXIX, 7, 71; XXXVIII,
6, 5.
παρασαλεύω :   XXXVIII,   4,
20.
παρατάττω : XLII, 9, 17.
παρατηρέω : VI, 6, 6; XII, 1,
7; XXXIV, 8, 8.
παρατίθημι : XXXI, 1, 20.
παρατρέπω : I, 7, 51; XXVII,
1, 7.
παρατρέχω : I, 7, 66; VI, 10,
11; XXXI, 9, 20; 16, 4.
παραφθείρω : XXXIX, 3, 4.
παραχαράττω : XX, 1, 6.
παραχωρέω :   I,   22,   4;
XXVIII, 2, 2; XXXII, 4,
8; XXXIV, 6, 4; XL, 1, 7.
παραψυχή : II, 12, 15.38.
πάρειμι : I, 9, 70; 11, 50; 12,
34; 17, 19.27; 23, 38; 25,
37; II, 1, 5; 10, 15; 15, 11;
III, 3, 14; 5, 19; 6, 3; 7, 3;
IV, 2, 13; 12, 3; VI, 1, 5; 16,
3; VII, 3, 17; IX, 10, 11;
XIII, 12, 15; XVIII, 2, 11;
XIX, 11, 6; XXIX, 2, 12;
XXX, 1, 2; 7, 10; XXXI, 3,
5; 16, 17; XXXVIII, 6, 23;
XL, 3, 3.8.
παρεξετάζω : IX, 16, 10.
παρέρχομαι : I, 20, 19; 25, 30;
II, 10, 15; VII, 4, 4; 14, 2;
XIX, 1, 6; 12, 8; XXVIII,
1, 8; XXXIV, 3, 15; 4, 20.
παρέχω : I, 7, 73; 11, 16; II,

11, 37; XXIX, 7, 58;
XXXI, 16, 10.16.

παρίστημι : I, 1, 9; 9, 3; 26, 58;
II, 1, 4.13; 7, 5; 10, 25; III,
4, 21.27; IV, 18, 4; XV,
6, 17; XXIX, 1, 11.14;
XXXIV, 3, 1; XXXVIII,
26, 7; 30, 2.

παροξύνω : I, 11, 36; II, 12, 25;
XVIII, 1, 6.

παροράω : XXIV, 1, 23;
XXXVIII, 3, 8; 4, 7; XL,
5, 9.

παρουσία : II, 17, 40.

παρρησία : I, 8, 44; 9, 4; II, 9,
43; IV, 10, 17; VI, 6, 10.15;
15, 4; VII, 2, 4; XXVII, 3,
4; XXIX, 4, 2; XXXVII,
1, 11.

πάσχω : I, 16, 10; 21, 9.12; 23,
25; 25, 20.47; 26, 16; II, 5,
30; 8, 26; 9, 63; 10,
45.49.54; 17, 21.31; III, 4,
22; 7, 10; IV, 1, 12; 2, 15;
5, 40; 7, 3; 13, 7.10.30.31;
V, 18, 8; 20, 3; VI, 1,
18.37; 6, 13; 9, 5; VII, 1, 5;
4, 7; 10, 19; 15, 7.10; VIII,
1, 5; 4, 3 (bis); 8, 7; IX, 1,
11; 8, 12; 14, 8; 20, 4; X, 1,
9; XI, 2, 6; 4, 6.9.14.17;
XII, 2, 10; 7, 11; XIV, 4,
12; XV, 6, 19; XVI, 6, 7;
XIX, 4, 5.6; 11, 10; 13,
15; XXII, 2, 6; XXIV, 1,
15; XXVII, 3, 6; XXX,
6, 3; XXXI, 1, 22; 3, 8;
6, 6.11.17; 12, 7; XXXII,
8, 9; XXXVIII, 3, 8.

πατήρ : I, 21, 5; XXIX, 7, 17;
XXXVIII, 26, 10; XLII,
9, 20.

παύω : I, 3, 18; II, 9, 16; III,
5, 8.

πεῖρα : I, 16, 32.38; 17, 14; II,
3, 9.10.21; 7, 6.23; 9, 30;
III, 7, 20; IV, 12, 8; V, 17,
3.4; IX, 4, 4; XII, 7, 9;
XIX, 8, 6; XXIX, 7, 51;
XXXI, 6, 16.

πειράζω : II, 1, 14; VIII, 2, 15.

πειρασμός : I, 8, 10.19; 11, 11;
14, 15; 16, 17; II, 6, 18; IX,
16, 7; XL, 2, 8; XLII, 3, 6.

πειράω : I, 10, 5; 17, 15; II, 3,
27; VI, 10, 7.

πέμπω : Pr., 2, 6; IX, 3, 21.

πένης : I, 25, 59; VIII, 1, 13;
XXX, 2, 16; XXXI, 6, 8;
16, 5.

πενθέω : I, 21, 6; III, 7, 8;
XIX, 2, 4.

πενία : Pr., 4, 4; I, 1, 57.58; 8,
11.14; 25, 26; II, 6, 22; 11,
18.26; 17, 31; IV, 3, 7;
XXIX, 7, 25; XXX, 2, 16;
XXXI, 16, 16.

πένομαι : I, 8, 22.

πέρας : XXIII, 3, 3;
XXXVII, 2, 4; XXXVIII,
12, 4.

περιβάλλω : II, 12, 30; IV, 1,
15; V, 13, 5; XXXVIII,
8, 5.

περιγί(γ)νομαι : I, 6, 5; II, 4,
11; 6, 35; 9, 22.24; III, 4,
51; V, 12, 7; 13, 2; XV, 4,
19; XVI, 5, 3; XX, 4, 20.

περίειμι : I, **11**, 9; II, **4**, 12; **6**, 33; **11**, 29.

περιεργάζομαι : I, **24**, 9; XXVIII, **3**, 7; XXXIV, **6**, 5.

περιέρχομαι : II, **2**, 14; XXIX, 7, 73.

περιίστημι : II, **5**, 22.

περικόπτω : II, 7, 17.

περικυκλόω : XIX, **5**, 7.

περιλείπω : I, **17**, 35; XIX, **8**, 6.

περιοδεύω : II, **2**, 4.5.7.8.

περίοδος : I, **9**, 71.

περιοράω : X, 7, 7.

περιουσία : I, **12**, 19; II, **5**, 25; IV, **14**, 14; IX, **2**, 4; **13**, 5; XII, 7, 10; XXXVIII, **4**, 9; **33**, 9.11; XL, **2**, 4.5.

περιπαθής : II, **10**, 38.43.

περιπαθῶς : II, **10**, 12.

περιπάρειμι : XV, **1**, 18.

περιπείρω : I, **12**, 32.

περιπίπτω : I, **26**, 57; X, **9**, 6.

περιπολέω : XXXV, **3**, 9; XXXVIII, **12**, 2; **25**, 2.

περισκοπέω : XXIX, 7, 73.

περισσολογέω : III, **4**, 31.

περίστασις : XXIX, **2**, 12.

περιστέλλω : II, **12**, 17; XXXI, **16**, 21.

περιτίθημι : IX, **16**, 14.

περιτρέπω : I, **23**, 7; II, **9**, 10; X, **1**, 11.15.

περιττός : I, **3**, 7; VI, **3**, 13; XI, **5**, 7; XXIX, **3**, 3; XXXI, **11**, 14; XXXVIII, **27**, 5; **31**, 3.

περιττῶς : VIII, **2**, 10; XXV, **2**, 16; XXXVIII, **22**, 13.

περιφανής : I, **4**, 3; XV, **5**, 7.

περιφέρω : II, **17**, 17; XXIII, **1**, 3; XXXVIII, **22**, 13.

περιωδυνία : VIII, **1**, 18.

πεῦσις : I, **10**, 12.

πεφεισμένως : I, **15**, 7.

πηγάζω : II, 7, 16.

πηγή : XXXVIII, **15**, 4.5.

πήγνυμι : XXXVIII, **4**, 19.52; **30**, 2.

πηδάω : XXXIX, **1**, 3.

πήλινος : I, **11**, 47.

πηλός : IV, **17**, 4; XXXVIII, **6**, 15.

πηρόω : XXIX, 7, 57.

πήρωσις : XXIX, 7, 49.

πιθανός : II, **9**, 12; **12**, 10.

πικρία : X, **1**, 7.

πικρός : V, **15**, 8.

πικρῶς : VIII, **2**, 7.

πίνω : I, **20**, 23; **26**, 33.

πίπτω : I, **23**, 10; II, **3**, 11; **6**, 15; XV, **5**, 9.

πιστεύω : II, **3**, 8.

πίστις : II, **9**, 61.

πιστός : XVII, **1**, 14.

πιστόω : Pr., **3**, 14; I, **9**, 11; II, **3**, 9; IX, **4**, 2.

πλάγιος : XXXVIII, **8**, 7.

πλανάω : II, **11**, 21.

πλάνη : Pr., **4**, 10; I, **12**, 32; II, **12**, 6.

πλάσις : I, **10**, 4; XXXVIII, **4**, 8.

πλάστης : XXXIV, **5**, 7.

πλάττω : I, **23**, 53.

πλέθρον : XXXVIII, **4**, 38.

XIX, **13**, 14 (*bis*); XXI,
4, 7; **7**, 14; XXX, **2**, 15;
XXXI, **1**, 31.32; XXXIV,
4, 10; XXXVIII, **13**, 3.

πονηρός : I, **7**, 1; **9**, 9.44.69; **12**,
2.9; **26**, 18.30.52 (*bis*); II, **6**,
27; **7**, 1; **12**, 15.17; **14**, 5; III,
4, 5; IV, **2**, 4; **9**, 3; **10**, 5; V,
14, 17; VI, **17**, 6; XII, **2**,
11; **3**, 5; **7**, 5; XVIII, **2**,
12; XIX, **9**, 20; XXI, **2**, 6;
XXVII, **7**, 6; XXIX, **2**, 13;
XXX, **1**, 7; **3**, 10; XXXIV,
3, 7; XL, **3**, 13.

πόνος : II, **10**, 44; **12**, 5; VII,
1, 13.

πορίζω : XXXVIII, **33**, 4.

ποταμός : XIV, **3**, 14; **4**, 15.

πότος : I, **7**, 49.59.

ποῦς : XIII, **14**, 7; XXXIX,
2, 4.

πρᾶγμα : Pr., **1**, 11; **3**, 19; I, **1**,
31.38; **7**, 19.37; **10**, 4; **16**,
32.38; **17**, 24; **18**, 14.28; **21**,
2; **23**, 49; **25**, 19.25; **26**,
45.48.51; II, **7**, 23; **8**, 27; **9**,
28.30.33; **12**, 14; **18**, 16;
III, **1**, 39; **4**, 46; **5**, 20; IV,
5, 32; **10**, 3; **12**, 8.11; V, **7**,
2; **9**, 6.10; **14**, 11; VI, **1**, 19;
7, 11; XII, **7**, 9.11; XIII,
5, 6.8; **12**, 7; XVI, **2**, 11;
XXVIII, **1**, 7; **2**, 4; XXIX,
2, 12; **7**, 26.35.40.45.69.80;
XXXI, **6**, 17; **10**, 17; **11**, 10;
12, 9.13; **16**, 5; XXXV, **4**,
20; XXXVIII, **2**, 8; **11**, 7;
23, 4; **26**, 3; **33**, 16; XLII,
9, 6.

πραγματεία : I, **4**, 15.

πρᾶξις : IV, **2**, 7; XXXI, **3**, 7;
XXXIV, **4**, 14.

πράττω : I, **1**, 22; **8**, 59; II, **6**,
3; **12**, 21; IV, **2**, 4; VI, **1**,
32; IX, **10**, 5; X, **4**, 3;
XIV, **7**, 18; XVIII, **2**, 12;
XXVII, **6**, 3; XXVIII, **1**,
12; XXXII, **2**, 21; XXXVI,
2, 2.

πρέπω : I, **4**, 23.

πρεσβύτης : XXXII, **6**, 3.

προάγω : XXXVIII, **3**, 4.

προαίρεσις : I, **20**, 14; II, **9**,
46.50; IV, **16**, 17; XIII, **4**,
6; XXIX, **7**, 25.

προαναρπάζω : II, **7**, 10.

προβαίνω : VI, **8**, 7.

προβάλλω : VI, **14**, 5.

πρόβατον : I, **3**, 10; XXXIX,
5, 12.

πρόγνωσις : XXXIX, **5**, 17.

πρόγονος : Pr., **2**, 3; I, **4**, 3.7.

προδιαλύω : I, **18**, 21.

προδίδωμι : XXXII, **2**, 23;
XXXIX, **2**, 6.7.

προδιορθόω : V, **3**, 2.

προέρχομαι : XXXI, **3**, 7.

προηγουμένως : I, **11**, 48.

προθεσμία : V, **3**, 9.

προθυμία : I, **23**, 14; XXXVIII,
4, 25.

προίημι : II, **4**, 26.31; **13**, 8;
XXVII, **2**, 3.

προΐστημι : III, **4**, 49; IX, **14**,
10; **16**, 12; XXIX, **7**, 29.68;
8, 11; XXXI, **16**, 18.

προκαλέω : II, **3**, 5.

πρόκειμαι : II, **4**, 18; **7**, 19; **8**, 7;
XXVII, **1**, 8; XXXI, **11**, 15.

σαφῶς : IV, 2, 12; XIII, 1, 4; XXXVIII, 2, 8.
σέβω : I, 1, 40; 12, 18.34. 35 (bis).39.41.
σεληνιαῖος : XXXVIII, 11, 4.
σεμνός : I, 6, 11; XXXI, 8, 9.
σημαίνω : I, 9, 35.37.
σημεῖον : Pr., 3, 1.3; XLII, 7, 8.
σηπεδών : II, 7, 17; VI, 4, 6.
σήπω : II, 8, 16;
σθένος : IV, 10, 16; VI, 2, 15.
σιγάω : I, 26, 11; VI, 6, 12; 14, 4; XIII, 3, 4; XXXII, 9, 5.
σιγή : III, 1, 5; XXXII, 5, 6.
σιγῇ : I, 25, 36.
σίδηρος : XIX, 10, 3.
σιδηροῦς : II, 8, 5.
σιτέομαι : I, 5, 5; IV, 11, 3.
σιτομέτριον : XXXI, 16, 14.
σῖτος (τὰ σῖτα) : XII, 5, 6.
σιωπάω : XIII, 3, 4; 6, 5; XVI, 2, 12; XVIII, 1, 9; XXXII, 7, 8.
σκανδαλίζω : II, 17, 26.
σκήνωμα : I, 11, 47.
σκία : VII, 10, 19; XIV, 4, 14.
σκοπέω : I, 26, 23.
σκοπός : IV, 5, 23; V, 15, 4; VII, 5, 8; VIII, 1, 5.24; IX, 1, 8; XXXVIII, 4, 28.
σκορπίζω : V, 4, 3.
σκοτίζω : XXI, 2, 15.
σκότος : IV, 14, 12.13; XXIII, 6, 7; XXVIII, 2, 6; XXIX, 2, 11.16.17; 7, 53.54; XXXVIII, 18, 8.
σκοτόω : XIX, 6, 3.
σκυθρωπός : XXXI, 1, 18.

σκώληξ : II, 8, 12.
σκώπτω : XV, 1, 8; XVIII, 1, 7; XXX, 3, 9.
Σοδομιτής : XIX, 12, 10.
σοφία : IV, 17, 10; X, 7, 5.7; XI, 5, 3; XII, 1, 6; 5, 9; 7, 2; 9, 1.8; XXVIII, 1, 10.11; 2, 4; 3, 4.6.8; XXIX, 2, 19; 7, 19; XXXII, 8, 8; XXXVII, 2, 4; 4, 12; XXXVIII, 3, 6.7; 4, 8.14. 47; 23, 3; 27, 4; XXXIX, 3, 14; 5, 14.16.
σοφός : III, 5, 32; IV, 17, 12; 19, 8; V, 2, 2; VIII, 1, 43; IX, 3, 2; 7, 8; XI, 4, 8; XIII, 3, 4; XV, 1, 12; 4, 15; XXXII, 6, 3.5
σοφῶς : XXVIII, 2, 7.
σπάργανον : XXXVIII, 8, 3.
σπαρτίον : XXXVIII, 4, 33. 43.44.
σπέρμα : X, 9, 5; XXXVIII, 6, 18.
σπεύδω : I, 7, 34; IV, 4, 3.
σπόρος : IV, 8, 7.8.
σπουδάζω : I, 12, 3; 25, 21; II, 14, 5; XXIII, 4, 8.
σπουδή : IX, 3, 26; XXII, 3, 4; XXXI, 16, 6.
στάδιον : I, 8, 5.21.
στάσις : I, 8, 46; XXIX, 2, 14.
στέγη : II, 8, 23; 11, 15; XXXI, 16, 9.
στενάζω : XXXI, 17, 24.25.28.
στέφανος : XIX, 4, 7.
στεφανόω : I, 14, 12.
στηρίζω : XXXVIII, 4, 6.

συμπίπτω : I, 11, 11.

συμπλέκω : I, 11, 15.

συμπόσιον : I, 6, 18; 7, 50.

συμπράττω : XIX, 1, 4.

συμφέρω : I, 9, 45.

συμφορά : I, 8, 11; 17, 11.20;
20, 23; 23, 7.23; 25, 31.36;
26, 21.58; II, 7, 4.10; 8, 4;
9, 10; 10, 14.22.25.48.55;
11, 17.20.25.28.32.36; 17,
18; III, 1, 16; 4, 21.23.48;
5, 21; 6, 1; IV, 1, 7; 3, 9; 5,
28.36; 7, 2.7; 8, 2; VI, 1,
12.17.20; 8, 6; 9, 8; 10, 6;
15, 3.7; 16, 8; VII, 3, 11.19;
10, 7; VIII, 2, 7; X, 12, 15;
XII, 1, 12; XIII, 14, 9;
XVI, 3, 5; XVIII, 2, 15;
XIX, 2, 6; 3, 11; 5, 4; 8, 7;
9, 19.23; 11, 8; XX, 4, 14;
XXIX, 7, 49.52; XXX, 6,
3; 7, 11; 8, 7.8.13; XXXI,
17, 20.

συμφωνία : I, 5, 6; 20, 24.

συναγελάζω : IV, 11, 17;
XXXVIII, 24, 3; 32, 2.

συνάγω : V, 14, 14; XXII, 1, 4.

συναιρέω : I, 26, 21.

συναλγέω : II, 9, 46; 11, 16.

συναπέρχομαι : I, 23, 50.

συναρπάζω : I, 26, 14.16.

σύνδεσμος : I, 6, 4;
XXXVIII, 24, 2.

συνδέω : I, 5, 8.

συνδιαφέρω : II, 17, 32.

σύνδουλος : XXXI, 16, 14.

συνδρομή : XIX, 3, 5.6.

συνεισέρχομαι : I, 23, 50.

συνεκτικός : V, 10, 6.

σύνεσις : I, 1, 26; XXXII, 3, 7;
5, 5; XXXV, 4, 19;
XXXVIII, 3, 6.7.

συνετός : IV, 17, 12; XXI, 8,
10.

συνετῶς : II, 18, 16.

συνεχής : I, 18, 5.

συνέχω : III, 7, 5; XII, 4, 12.

συνεχῶς : I, 7, 34; II, 11, 8;
III, 4, 25; IX, 15, 3; XI, 7,
8; XVIII, 2, 3; XXIX, 7,
73; XXXVIII, 22, 9; 24,
2; XLII, 3, 12; 4, 5.

συνήθεια : I, 24, 13.

συνήθης : II, 10, 23.

σύνθημα : XXXIX, 4, 2.

συνίστημι : XXXVIII, 23, 4.

σύνοδος : XXX, 7, 10.

σύνοιδα : I, 26, 30.46; VI, 6, 3;
16, 12; IX, 1, 6; XV, 4,
22.32; XVI, 6, 6; XIX, 9,
21; 13, 11; XXIX, 7, 10;
XXXI, 15, 17; 17, 15.

σύνοικος : II, 11, 19; XXXIII,
1, 17.

συνοράω : IX, 13, 6; XII, 6, 6;
XXXIV, 3, 15; XXXVIII,
4, 31.

συνταράττω : IV, 13, 16.

συντελέω : Pr., 1, 6; I, 5, 7;
XVIII, 2, 7; XXII, 2, 4;
XXXIX, 5, 15.

συντίθημι : IX, 1, 6.

σύντομος : XLII, 9, 9.

σύστασις : X, 7, 6.

σφοδρότης : XXXVIII, 1, 13.

σχεδόν : VI, 2, 8; XXII, 1, 6.

σχέσις : XXXV, 4, 22.

7; VII, **3**, 12; **13**, 3; IX, **16**, 12; X, **6**, 5; XII, **1**, 4; XXI, **4**, 1; XXXIV, **4**, 16.17.
τέμνω : III, **1**, 17; IV, **1**, 9.
τέρας : II, **8**, 3.
τετράγωνος : XXXVIII, **30**, 4.
τεχνάομαι : XXXIX, **3**, 9.
τέχνη : IV, **1**, 10; XXVIII, **3**, 3; XXXVIII, **4**, 17; **27**, 5; XXXIX, **3**, 14.
τεχνίτης : XXXVIII, **26**, 10.
τηκεδών : VIII, **8**, 5; XXXI, **6**, 7.
τήκω : I, **12**, 4; III, **7**, 9; VIII, **2**, 12.
τηρέω : I, **16**, 40; **18**, 20; II, **4**, 15; X, **9**, 8; XIII, **8**, 3.
τίθημι : I, **25**, 42; II, **10**, 11; IV, **11**, 18; VI, **3**, 9; VII, **11**, 3; XIV, **7**, 15; XIX, **3**, 7; XX, **3**, 4; XXI, **2**, 6; XXVII, **7**, 6; XXVIII, **3**, 7; XXXI, **12**, 6; **16**, 7; XXXII, **1**, 15; XXXIV, **4**, 13; XXXVIII, **4**, 43; **22**, 9; **31**, 6; XXXIX, **3**, 3; XLII, **3**, 7.
τίκτω : II, **5**, 5; VII, **15**, 4; XXXVIII, **2**, 16.
τιμάω : I, **21**, 23.24; XXXII, **9**, 8; XXXIV, **6**, 5; XLII, **7**, 9.10.
τιμή : XLII, **9**, 20.
τίμιος : II, **4**, 6.
τιμωρέω : X, **9**, 9; XII, **4**, 14; XIII, **12**, 8; XIX, **2**, 4; XXXIII, **3**, 9; XXXVII, **2**, 7.
τιμωρητικός : XII, **8**, 2.

τιμωρία : I, **7**, 32; **18**, 8; **26**, 29.32; II, **7**, 22; IV, **14**, 14; V, **14**, 16; **15**, 5; VI, **1**, 33.38; **4**, 3.5.7; **14**, 7; VII, **10**, 18; **11**, 6; VIII, **2**, 15.17; IX, **11**, 5; **14**, 8.12; **17**, 2.3; **19**, 11; **20**, 3; X, **3**, 4; **6**, 6; XIX, **12**, 8.12; XXII, **1**, 5; XXIII, **1**, 6; XXXI, **6**, 4; XXXIII,-**4**, 25.
τίνω : VII, **14**, 4; XXXI, **1**, 11; XLII, **6**, 10.
τιτρώσκω : XIII, **4**, 7; XV, **1**, 6.
τόκος : I, **3**, 6; II, **10**, 44; XXXVIII, **22**, 4.9; XXXIX, **1**, 4.
τόλμα : VI, **7**, 12.
τολμάω : I, **7**, 22; **12**, 7; **15**, 5; II, **1**, 18; **2**, 14; **12**, 9.18; III, **1**, 6; **4**, 14.24; **5**, 43; XXXII, **3**, 5; XXXIV, **4**, 4; **10**, 7; XXXVIII, **2**, 6.10.
τολμηρός : IX, **16**, 7; XV, **1**, 17; XXXIV, **5**, 2.
τόπος : I, **7**, 53; V, **9**, 10; IX, **8**, 6; XV, **5**, 8; XIX, **12**, 11; XXVIII, **1**, 10.
τραγῳδία : I, **17**, 18; **19**, 8; **26**, 36; II, **10**, 10; **12**, 8.
τράπεζα : I, **5**, 6.8; **6**, 5.6.; **20**, 15; II, **8**, 12; XXXI, **1**, 20; **16**, 11.
τραῦμα : IV, **1**, 7.9.12; VI, **12**, 6; VIII, **8**, 4.
τρέμω : XXXI, **17**, 16.

57; II, 7, 14; XVIII, 2, 11;
XXX, 8, 12.
ὑπόκειμαι : I, 8, 62; 10, 15; VI,
11, 5; XXXIV, 5, 4;
XXXIX, 3, 20.
ὑποκρίνω : II, 6, 12.
ὑπόκρισις : II, 17, 22.
ὑπολαμβάνω : III, 5, 31; IV, 1,
3; XXXII, 2, 19.22.
ὑπολείπω : I, 17, 16; II, 7, 11;
12, 22; VI, 10, 5; VII, 4, 3.
ὑπομένω : II, 8, 24; 12, 19; III,
3, 18.19; 5, 13; VI, 7,
6.8.10; IX, 8, 13; XIV, 4,
15; 5, 8 (bis).10; XV, 4, 17;
XVII, 3, 11; XVIII, 2, 14;
XXII, 5, 18; XXXII, 8, 6;
XXXV, 2, 7.
ὑπόμνημα : Tit., 3; IV, 2, 6.
ὑπόμνησις : XXX, 8, 14.
ὑπομονή : Pr., 2, 12; 3, 14; 4,
11; I, 16, 27; XXXII, 8, 7;
XLII, 9, 15.
ὑποπτεύω : I, 7, 1; 26, 52.53;
III, 7, 19.
ὕποπτος : II, 10, 52.
ὑποσκελίζω : I, 16, 47; II,
9, 55.
ὑποστολή : XXIX, 7, 22.
ὑποτάττω : IV, 16, 11; XXXI,
14, 5; 15, 12; XXXIX,
3, 13.
ὑποτέμνω : XXXI, 8, 5.
ὕπουλος : XIII, 9, 7.
ὑποψία : II, 18, 12.13.
ὑφίστημι : I, 8, 10; IV, 13, 22.
ὑψηλός : V, 14, 13; XXXV, 1,
8; XL, 6, 3.
ὑψηλῶς : IX, 4, 6.

ὕψος : V, 14, 13; XXXV, 3, 6;
XXXVIII, 8, 6.

φαίνομαι : I, 17, 33; IV, 14,
10.13; VI, 1, 22; VII, 4, 5;
IX, 15, 5.6; XXXVII, 4,
7; XXXVIII, 17, 2; XL,
3, 7.10.
φανερός : I, 7, 9; 12, 16; II, 9,
50; VI, 14, 5.6; XII, 1, 3.
φανερῶς : I, 16, 7; II, 12, 12;
XIX, 5, 2.
φάρμακον : I, 16, 27; 26, 57; II,
9, 50; IV, 3, 9; V, 15, 8;
XXXI, 1, 12; XXXVIII,
2, 12.
φάτνη : VI, 3, 7.
φαυλίζω : VI, 15, 6.
φαῦλος : I, 1, 42; VI, 4, 11; IX,
14, 6; XVI, 2, 13.
φαυλότης : IX, 14, 10.
φείδομαι : II, 6, 24; IV, 2, 10;
VI, 6, 2; XXI, 2, 8;
XXXIV, 3, 4.9; 4, 5.
φέρω : I, 12, 26; 18, 24; 19, 9;
25, 27.36; 26, 45; II, 4, 11;
7, 25; 8, 23; 9, 41.47; 10,
41; 15, 3.11; III, 4, 23; 6, 13;
IV, 5, 11; V, 7, 5; VI, 1, 32;
6, 13.18; VII, 5, 7; VIII, 2, 6;
IX, 3, 3; 19, 14; XII, 7,
7; XVI, 2, 10; XIX, 9, 23;
XXIII, 1, 7; XXXVII, 4,
7.8; XXXVIII, 4, 50; 33,
16; XXXIX, 5, 19.

φορτικός : I, **17**, 32; IV, **18**, 1;
V, **14**, 15; VII, **3**, 17; **10**, 6;
VIII, **5**, 4; IX, **16**, 10;
XII, **1**, 8; XXIX, **7**, 36;
XXXVIII, **2**, 10.

φορτικῶς : XXXVIII, **1**, 15.

φρήν : XVI, **4**, 17.

φρίκη : XXXVI, **4**, 3.

φρικτός : I, **9**, 61; III, **5**, 20.

φρονέω : II, **8**, 10; XII, **1**, 13;
XV, **2**, 18; XXX, **2**, 17.

φρόνημα : I, **9**, 54; VI, **11**, 7;
XXXVII, **1**, 6.

φρόνιμος : V, **2**, 8; XII, **6**, 3.

φροντίζω : VI, **17**, 6; XXXV,
2, 6.

φροντίς : I, **9**, 47; XXXVIII,
33, 17.

φρουρά : VII, **7**, 4.

φυγάς : XXII, **4**, 13.

φυγή : XXXIX, **1**, 2.

φυλακή : I, **1**, 43; **14**, 24; **25**,
20; VII, **7**, 4; XXIX, **2**, 8;
6, 8; XXXV, **4**, 14.18.

φύλαξ : XXXV, **3**, 14.

φυλάττω : I, **14**, 25; IV, **13**, 21;
X, **10**, 3; XX, **1**, 5; XXXII,
3, 8; XXXVI, **4**, 4; XL, **6**,
7.

φυσάω : Pr., **4**, 5; XIII, **14**, 13.

φυσικός : I, **4**, 16; **20**, 18; **24**,
14; IV, **10**, 13; **11**, 17; V, **6**,
4; **7**, 2; XIX, **13**, 9; XX, **4**,
14; XXXVIII, **6**, 8.

φύσις : Pr., **4**, 8; I, **1**, 17; **2**, 4;
4, 13; **10**, 11; **11**, 45; **14**, 28;
21, 22; **23**, 13; **24**, 14; **25**,
19.25; II, **1**, 17; **4**, 32; **8**,
12.17; **9**, 25; **10**, 37.39;

III, **1**, 20; **5**, 54; IV, **10**,
3.4.6.18; **11**, 9.13.17; **16**,
7.8.10.12.13.16.18; **17**, 3.5.
6.; **19**, 4.10; V, **6**, 5; **7**,
4.6.12; VI, **4**, 10; **6**, 5.16;
VII, **1**, 5; **18**, 2; VIII, **1**, 7;
IX, **3**, 17; X, **6**, 4.5; **8**, 2;
XI, **1**, 7; **4**, 15; XII, **5**, 8; **6**,
2; XIII, **14**, 9; XIV, **2**, 5; **3**,
6; XV, **3**, 13; **4**, 29; XVI,
4, 17; XXIX, **2**, 19; **7**,
24.33.44.60.61; XXX, **7**,
13; XXXI, **6**, 10; **8**, 7.9;
17, 12; XXXIV, **6**, 9;
XXXV, **4**, 12; XXXVI,
3, 4; XXXVIII, **7**, 2; **10**,
9.11; **11**, 7.8; **26**, 11; **31**, 5;
XXXIX, **2**, 6; **3**, 3; **5**, 17;
XL, **4**, 6.

φωνή : XI, **7**, 9; XXXVIII,
14, 4; XXXIX, **4**, 1.

φῶς : VII, **3**, 15; XXIX, **2**, 10;
XXXI, **11**, 4; XXXVIII,
12, 3; **18**, 7.

φωστήρ : XXXI, **11**, 6.

φωτίζω : XXIX, **2**, 10.

χάλαζα : XXXVIII, **21**, 2.

χαλεπαίνω : II, **13**, 7.

χαλεπός : I, **9**, 61; **14**, 20; **17**,
19.28; **18**, 8; **21**, 20; **25**,
28.31; **26**, 29; II, **6**, 22; **7**,
22; **9**, 19; **11**, 28; III, **4**, 19;
7, 6; IV, **1**, 7; **13**, 25; V, **18**,
7; **21**, 8; VI, **4**, 7; **9**, 9; **10**,

ERRATA du tome I

	Au lieu de :	*lire :*
p. 10, n. 3, l. 5	de Lyon	Lyon
p. 17 § 2°) b	XXI, 1, 15	XXXI, 1, 15
p. 40, n., 2ᵉ l.	XX, **8**, 19	XX, **6**, 19-20
p. 46, n., l. 12 *a.i.*	auparavait	auparavant
p. 61, 3ᵉ §, l. 7	la foi de Moïse	la loi de Moïse
p. 101, app. scr., x	Cf. Ex. 32, 6	Ex. 32, 6
p. 108, app. scr., k	Gen. 48, 16	Gen. 48, 15-16
p. 112, § 99, l. 57	ῥαθυμίαν	ῥαθυμίαν
p. 138, § 23, l. 8	διαϐϐόλω	διαϐόλω
p. 158, § 2, l. 9	κρίμα	κρῖμα
p. 159, app. scr., e	Zach. 1, 10-11	Cf. Zach. 1, 10-11
p. 178, app. scr., v	Jn 16, 16; Hébr. 11, 37	Jn 13, 33
p. 184, § 11, l. 23-24	προ/σεδρεύω	προσ/εδρεύω
p. 207, app. scr., r	Cf. Rom. 10, 34	Cf. Rom. 8, 34
p. 228, § 11, l. 7	δικαιοσύνης	δικαοισύνης
p. 278, app. scr., j	cf. Ps. 26, 14; 36, 24	Cf. Ps. 26, 14
p. 280, § 5, l. 3	ὀλιγοχρόνιός	ὀλιγοχρόνιός
p. 310, § 14, l. 11	ἀντίσταται	ἀνθίσταται

TABLE DES MATIÈRES

INDEX

SOURCES CHRÉTIENNES

Fondateurs : H. de Lubac, s.j.
† J. Daniélou, s.j.
C. Mondésert, s.j.
Directeur : D. Bertrand, s.j.
Directeur-adjoint : J.N. Guinot

Dans la liste qui suit, dite «liste alphabétique», tous les ouvrages sont rangés par nom d'auteur ancien, les numéros précisant pour chacun l'ordre de parution depuis le début de la collection. Pour une information plus complète, on peut se procurer deux autres listes au secrétariat de «Sources Chrétiennes» 29, rue du Plat, 69002 Lyon (France) — Tél. : 78.37.27.08 :

1. la «liste numérique», qui présente les volumes et leurs auteurs actuels d'après les dates de publication; elle indique les réimpressions et les ouvrages momentanément épuisés ou dont la réédition est préparée.
2. la «liste thématique», qui présente les volumes d'après les centres d'intérêt et les genres littéraires : exégèse, dogme, histoire, correspondance, apologétique, etc.

LISTE ALPHABÉTIQUE (1-348)

SOUS PRESSE

APHRAATE LE PERSAN : **Exposés,** tome I. M.-J. Pierre.

BASILE DE CÉSARÉE : **Sur le Baptême.** J. Ducatillon.

GRÉGOIRE DE NAZIANZE : **Discours** 38-41. P. Gallay et C. Moreschini.

GRÉGOIRE LE GRAND : **Commentaire sur le Ier Livre des Rois.** A. de Vogüé.

ORIGÈNE : **Homélies sur Ézéchiel.** M. Borret.

PROCHAINES PUBLICATIONS

Les Apophtegmes des Pères, tome I. J.-C. Guy.

BASILE DE CÉSARÉE : **Homélies morales,** tome I. M.-L. Guillaumin, É. Rouillard.

BERNARD DE CLAIRVAUX : **Vie de S. Malachie, Éloge de la Nouvelle Milice.** P.-Y. Émery.

CÉSAIRE D'ARLES : **Œuvres monastiques.** Tome II : **Œuvres pour les moniales.** A. de Vogüé, J. Courreau.

Les Conciles mérovingiens. B. Basdevant, J. Gaudemet.

GRÉGROIRE LE GRAND : **Lettres,** tome I. P. Minard (†).

ÉVAGRE LE PONTIQUE : **Gnostique.** A. Guillaumont.

HERMIAS : **Moquerie des philosophes païens.** R.P. C. Hanson.

JEAN CHRYSOSTOME : **Sur Babylas.** M. Schatkin.

NICOLAS CABASILAS : **La vie en Christ.** M.-H. Congourdeau.

Également aux Éditions du Cerf :

LES ŒUVRES DE PHILON D'ALEXANDRIE
publiées sous la direction de
R. ARNALDEZ, C. MONDÉSERT, J. POUILLOUX.

Texte original et traduction française.

Photocomposition laser
Abbaye de Melleray
C.C.S.O.M.
44520 Moisdon-la-Rivière

DATE DUE
